缓蚀剂的应用

薛守庆　马远忠　马心英　编著

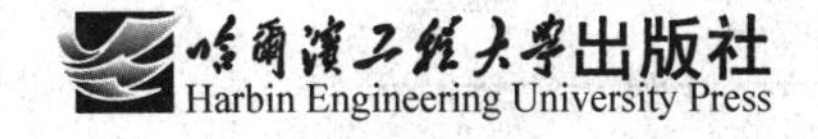

内容简介

本书从介绍缓蚀剂的定义、作用、特征等入手，系统阐述了金属腐蚀的理论、缓蚀剂的分类、缓蚀机理、检测技术及评价方法等。重点介绍了缓蚀剂在金属不锈钢、铜、铝、锌、镁等表面的种类、选择原则及应用技术，并指出缓蚀技术存在的问题及发展的趋势。

本书可供金属加工、化学工程与工艺、石油化工、精细化工、轻工、冶金、机械仪表等专业科技人员和技术工人阅读，也可供大专院校有关专业师生参考。

图书在版编目(CIP)数据

缓蚀剂的应用 / 薛守庆，马远忠，马心英编著—
哈尔滨:哈尔滨工程大学出版社,2019.6
ISBN 978-7-5661-2159-2

Ⅰ.①缓… Ⅱ.①薛…②马…③马… Ⅲ.①缓蚀剂—研究 Ⅳ.①TQ047.6

中国版本图书馆 CIP 数据核字(2018)第 284004 号

选题策划 石　岭
责任编辑 马佳佳
封面设计 博鑫设计

出版发行 哈尔滨工程大学出版社
社　　址 哈尔滨市南岗区南通大街 145 号
邮政编码 150001
发行电话 0451-82519328
传　　真 0451-82519699
经　　销 新华书店
印　　刷 哈尔滨市石桥印务有限公司
开　　本 787 mm×1 092 mm　1/16
印　　张 11
字　　数 248 千字
版　　次 2019 年 6 月第 1 版
印　　次 2019 年 6 月第 1 次印刷
定　　价 59.80 元
http://www.hrbeupress.com
E-mail:heupress@hrbeu.edu.cn

前 言

金属作为最重要的工程材料在全世界被广泛使用,其在人类文明的发展历程中发挥了至关重要的作用。然而,由于金属的腐蚀造成的经济损失和设备破坏也随之成为一个全球性的问题。材料科学工作者已研究出各种各样的解决金属腐蚀的方法,金属的腐蚀与防护已发展为一门综合性技术科学。

从热力学的角度看,金属的腐蚀是一个自发过程,在使用过程中是不可避免的。虽然腐蚀给人类带来的危害非常大,但是如果采取恰当的措施,腐蚀是可以受到一定程度的控制的,因此研究控制腐蚀的方法具有重大的意义。其中,缓蚀剂的应用是一种非常好的控制方法。因为缓蚀剂使用量小、缓蚀效果高、价格低、通用性强,在各种防腐蚀方法中占据重要的地位。

本书从介绍缓蚀剂的定义、作用、特征等入手,系统阐述了金属腐蚀的理论、缓蚀剂的分类、缓蚀机理、检测技术及评价方法等。重点介绍了缓蚀剂在金属不锈钢、铜、铝、锌、镁等表面的种类、选择原则及应用技术,并指出缓蚀技术存在的问题及发展的趋势。本书可供金属加工、化学工程与工艺、石油化工、精细化工、轻工、冶金、机械仪表等专业科技人员和技术工人阅读,也可供大专院校有关专业师生参考。

本书由薛守庆(第1章、第7章部分内容)、郭明晰(第4章部分内容)、吕慧萍(第2章部分内容)、陈美凤(第3章部分内容)、苗云霞(第3章部分内容)、李伟男(第4章部分内容)、吴义芳(第6章部分内容)、龚再梅(第5章部分内容)、武晶斌(第5章部分内容)、马远忠(第6章部分内容)、马心英(第7章部分内容)撰写,全书由薛守庆、马远忠、马心英统稿。

本书得到了菏泽学院精细化学品研究所,以及鲁教高字〔2016〕11号:山东省高水平应用型化工专业群立项建设项目、菏泽学院功能大分子性能与应用实验室和山东省自然科学基金(项目编号:ZR2014EL004)的支持,在此表示衷心的感谢。

由于金属腐蚀与防护技术内容繁多及缓蚀理论的发展,加之笔者水平有限,本书难免存在不足之处,敬请读者提出宝贵意见和建议。

编著者

2019年4月

目　　录

第1章　绪　　论

1.1　概　　述

1.1.1　缓蚀剂的定义

在大量的生产实践活动过程中,人们根据被腐蚀材质的特点及腐蚀介质的不同,提出了许多行之有效的防腐蚀方法。对流体及工序介质而言,缓蚀剂是以适当的形式和黏度添加在腐蚀介质中,在金属的表面产生物理化学作用,从而有效地防止和减缓材料腐蚀,以达到防腐的目的。据美国材料与试验协会(ASTM)新发表的《关于腐蚀和腐蚀试验的术语的标准定义》,缓蚀剂(Corrosion Inhibitor)定义为:缓蚀剂是一种当它以适当的浓度和形式存在于环境中时,可以防止或减缓腐蚀的化学物质或复合物。

缓蚀剂的缓蚀作用的大小通常采用缓蚀效率(Inhibition Efficiencies,IE)来表示,即

$$\eta = \frac{V_0 - V}{V_0} \times 100\% = \left(1 - \frac{V}{V_0}\right) \times 100\%$$

式中　V_0——不加缓蚀剂金属的腐蚀速率,$g \cdot m^{-2} \cdot h^{-1}$;

　　V——加入缓蚀剂金属的腐蚀速率,$g \cdot m^{-2} \cdot h^{-1}$。

缓蚀效率越大,缓蚀剂的阻碍或延缓腐蚀的效果就越好。

1.1.2　缓蚀剂的优点

缓蚀剂是以一定的配比直接投加到腐蚀环境中去的,能保护整个系统,保持工件的原有面貌,对工件性能无影响,常用于腐蚀程度在中等或中等偏弱系统的长期保护。与其他金属防护方法比较,添加缓蚀剂有着明显的优点:

①操作简单方便,在介质中添加少量即可;

②基本上不改变介质环境;

③保持金属材料原先的物理及机械性能,几乎不增加设备投资;

④价格适宜,防护成本低廉,经济效益明显;

⑤见效快,金属防腐效果明显;

⑥适应范围广,可应用于水溶液、酸性或碱性溶液、有机溶剂及大气等各种复杂环境。

正是由于添加缓蚀剂拥有上述优点,缓蚀剂的应用非常广泛,如油气田的开采及石油化工生产、酸化清洗、防污水腐蚀、工业用水等各种工业实际生产。

1.1.3 缓蚀剂的使用特征

缓蚀剂在使用过程中,具有下列特征:

①针对性。缓蚀剂的选用要根据腐蚀介质而定,不同的腐蚀介质使用不同的缓蚀剂。

②多效性。缓蚀剂的防腐蚀对象比较广泛,有时候同一个缓蚀剂配方能够适用于多种金属的缓蚀。

③非永久性。缓蚀剂的缓蚀机理一般是化学反应,都是不可逆的。随着时间的推移,缓蚀剂的缓蚀效果可能会慢慢减弱或消失。

1.1.4 缓蚀剂的研究发展史

人类使用缓蚀剂来进行金属材料的防腐蚀有着悠久的历史。最初,伴随着冶金工业的发展,用于金属酸洗的缓蚀剂出现了,被应用于金属材料酸洗除锈和设备除垢。1860 年,英国公布了世界上第一个缓蚀剂专利,标志着缓蚀剂研究和应用的时代的开始。随着工业的发展,缓蚀剂的有效成分由天然植物转向矿物原料加工产品,先后开发出一批无机缓蚀剂和以煤焦油加工产品为主的有机缓蚀剂。石油工业的发展使得油井酸化缓蚀剂和油气田用缓蚀剂逐渐被开发研究和应用。

1885 年,美国石油开发公司提出通过酸化来提高采收率的设想,但酸的注入会造成油井金属管道和井下金属设备的腐蚀,造成事故,油井酸化技术一度被迫暂停使用。到 20 世纪 30 年代,油井酸化缓蚀剂出现,使得油井酸化技术得以广泛应用。第二次世界大战前后,军械防锈方面的研究大大促进了气相和油溶性缓蚀剂的研究和应用。50 年代初,苯并三氮唑对铜及其合金的优异防锈性能引起了业界人士的关注。到了 60 年代,腐蚀科学技术发展迎来了最为活跃的时期,重要的腐蚀与防护方面的首届会议均在此时举行,一批腐蚀专业刊物也在此时创刊发行,这些都大大促进了缓蚀剂的研究和发展,这段时间缓蚀剂的研究涉及各种体系,品种广泛,也包括天然高分子化合物。70 年代末,我国成功开发出 7701 复合缓蚀剂,解决了当时我国油井酸化缓蚀剂技术难题。1981 年,中国腐蚀与防护学会缓蚀剂专业委员会成立,并于该年召开了第一届全国缓蚀剂学术会议,缓蚀剂专业委员会的成立大大促进了我国缓蚀剂的研究和开发。80 到 90 年代国内研究的缓蚀剂品种很多,大部分为实验室研究结果,其中探索从天然植物提取缓蚀剂有效成分取得了一定进展。

20 世纪 90 年代以来,有机缓蚀剂的研究和应用备受关注,含 N、O、S、P 等杂原子的有机杂环化合物,可以有效吸附于金属表面,表现出优良的缓蚀性能。缓蚀剂的开发和应用顺应时代的发展和需求,传统缓蚀剂技术被广泛应用于油气田开采、油气加工、工业化学清洗、污水的缓蚀、水冷却系统等工艺过程中。随着技术的进步,缓蚀剂应用领域已扩展到新能源、电子、航天等高技术领域。化学电源、飞机制造、汽车制造等领域也都开始使用缓蚀剂技术来提高产品的质量和生产的效率。

缓蚀剂技术在抑制均匀腐蚀及点蚀、电偶腐蚀、应力腐蚀等局部腐蚀方面也表现得相当成熟。近几十年来,缓蚀剂研究领域一直很活跃,取得的成果也十分丰富,缓蚀剂品种得到明显扩大,缓蚀效率进一步提高,其发展速度远超其他化学助剂或添加剂。

随着工业技术和高新技术的发展,缓蚀剂的发展越来越迅速。由于传统的缓蚀剂工业存在一定的污染问题,也给化学家们提出了新的挑战。缓蚀剂作为一类广泛使用的化学品,需要实施其绿色化学工艺,实现缓蚀剂工业的和谐、可持续发展。而绿色化学要求在制造和应用化学产品时实现:

①充分利用资源和能源,采用无毒、无害的原料;

②发展安全产品和安全工艺;

③尽量避免不必要的衍生步骤;

④提高原料、能源和水的利用率,力图使所有原料的原子都被产品所接纳,实现零“排放”。

因此,从绿色化学的观念出发,在传统缓蚀剂的基础上,开发具有绿色合成工艺、绿色使用条件、高效复配、安全无毒的新产品是现在缓蚀剂及其技术发展的方向。

1.2 缓蚀剂的分类

由于缓蚀剂产品种类繁多、应用广泛,以及缓蚀机理的复杂性,因此,尚缺乏一种既能把各种缓蚀剂分门别类,又能反映出缓蚀剂组成、结构特征和缓蚀机理内在联系的完善的分类方法,常见的分类方法主要有以下几种。

1.2.1 根据构成缓蚀剂产品化学成分分类

缓蚀剂根据构成其产品化学成分分类,可分为无机缓蚀剂和有机缓蚀剂。

1.无机缓蚀剂

无机化合物中,可使金属表面发生氧化作用并在金属表面形成钝化而形成均匀致密难溶沉积膜的物质,都有可能成为无机缓蚀剂。无机缓蚀剂包括:

(1)形成钝化保护膜的物质

主要是含 MeO_4^{n-} 型阴离子的化合物,如 Na_2WO_4、Na_3PO_4、K_2CrO_4、Na_2MoO_4、Na_3VO_4 等,另外还有 $NaNO_3$、$NaNO_2$ 等物质。

(2)产生难溶盐沉积膜的物质

这类缓蚀剂包括聚合磷酸盐、硅酸盐、碳酸氢盐、OH^- 等。它们多和水中的钙离子、铁离子在阴极区产生难溶盐沉积来抑制腐蚀。

(3)活性阴离子

主要是含 Cl^-、Br^-、I^-、HS^-、SCN^-等的无机化合物,它们单独使用只产生有限的缓蚀作用,但是当与其他缓蚀物质配合使用时,则产生协同作用而获得有工业应用价值的缓蚀剂。

(4)金属阳离子

金属阳离子是一种新兴的缓蚀剂,因此它的前景值得关注,其主要用作有色金属的缓蚀剂。应用较多的是 Sn^{2+}、Al^{3+}、Cu^{2+}、Co^{2+}、Pb^{2+}、Fe^{2+}和 Ag^+等金属阳离子。

2. 有机缓蚀剂

因其在金属表面有较强的物理和化学吸附,而减慢了阳极和阴极的反应过程,降低了腐蚀速率。已应用到应用领域的有机缓蚀剂,从简单的有机分子(如乙炔、甲醛)到各种复杂的合成和天然化合物等(如松香、生物碱、蛋白质)几乎无所不包,但应用广泛的主要是那些含有未配对电子的元素(O、N、S 的化合物和各种含有极性基团的化学物质),特别是含有氨基、醛基、羧基、羟基、硫基的杂环化合物。

1.2.2 根据缓蚀剂对电极过程的影响分类

根据缓蚀剂对电极过程的影响,缓蚀剂可分为阳极型缓蚀剂、阴极型缓蚀剂和混合型缓蚀剂。

1. 阳极型缓蚀剂

阳极型缓蚀剂又称为阳极抑制型缓蚀剂。该类缓蚀剂大多数为无机强氧化剂,如铬酸盐、钒酸盐、钼酸盐、亚硝酸盐、苯甲酸盐等。它们的作用是增加阳极极化,从而在金属阳极表面生成氧化膜以抑制金属向水中溶解。对于非氧化性缓蚀剂(如苯甲酸钠),只有依靠溶解氧存在才能起抑制金属的腐蚀。

阳极型缓蚀剂是应用广泛的一类缓蚀剂。但当该类缓蚀剂在使用过程中如果用量不足,不能充分的覆盖阳极表面时,反而会加剧金属的腐蚀过程。因此,阳极型缓蚀剂又称为“危险性缓蚀剂”,其应用时需要有较高的浓度。但苯甲酸钠除外,即便其用量不足,也只会引起一般的腐蚀。

2. 阴极型缓蚀剂

阴极型缓蚀剂是抑制电化学阴极反应的化学试剂,又称为阴极抑制型缓蚀剂,例如酸式碳酸盐、硫酸锌、聚磷酸盐、砷离子、锑离子。它们与金属表面的阴极区发生反应并在阴极区形成沉积膜,使阴极区的金属免遭腐蚀。在实际的应用过程中,一般钙离子、碳酸根离子和氢氧根离子是天然存在的,所以只需要加入可溶性锌盐或可溶性磷酸盐即可。这类缓蚀剂在用量不足时不会加速腐蚀。

3. 混合型缓蚀剂

混合型缓蚀剂是某些含氮、硫或羟基的、具有表面活性的有机化合物。由于分子中有两种性质相反的极性基团，能吸附在清洁的金属表面形成单分子膜，所以它们对阳极过程和阴极过程同时起到抑制的作用。目前此类缓蚀剂主要包括三种：

(1)含硫的有机化合物，如硫醇、硫醚、环状含硫化合物等；

(2)含氮的有机化合物，如胺类和有机胺的亚硝酸盐等；

(3)含氮、硫的有机化合物，如硫脲及其衍生物等。

1.2.3　根据生成保护膜的类型分类

根据生成保护膜的类型，缓蚀剂可分为氧化膜型缓蚀剂、沉淀膜型缓蚀剂和吸附膜型缓蚀剂。

1. 氧化膜型缓蚀剂

这类缓蚀剂包括铬酸盐、钨酸盐、钒酸盐、正磷酸盐、亚硝酸盐、钼酸盐、硼酸盐等。这类缓蚀剂能使金属表面形成均匀致密、附着力强的氧化膜，造成金属表面的离子化过程受阻，从而减缓或阻止金属的腐蚀。由于这些氧化膜型缓蚀剂是通过阻抑腐蚀反应的阳极过程来达到缓蚀的，阳极缓蚀剂能使阳极与金属离子作用形成氧化物或氯氧化物，即氧化膜层。当氧化膜层达到一定厚度以后(如5~10 nm)，氧化反应速度减慢，保护膜的生长也基本停止。过量的缓蚀剂会造成氧化膜垢化或鳞化，而用量不足时又会加速腐蚀过程。故在应用时，要根据工艺条件，适当改变缓蚀剂的浓度。

2. 沉淀膜型缓蚀剂

常见的沉淀膜型缓蚀剂是锌的碳酸盐、磷酸盐和氢氧化物，以及钙的碳酸盐和磷酸盐。沉淀膜型缓蚀剂又称为阴极型缓蚀剂。该类缓蚀剂是通过化学反应在金属的阴极表面生成沉淀膜。在大多数情况下，沉淀膜在阴极区形成并覆盖阴极表面，将金属和腐蚀介质隔开，抑制金属电化学腐蚀的阴极过程；也可因缓蚀剂分子覆盖整个金属表面，而同时抑制金属电化学腐蚀的阴、阳极过程。由于沉淀型缓蚀膜没有和金属表面直接结合，而且是多孔的，往往出现在金属表面附着不好的现象，缓蚀效果不如氧化膜型。

3. 吸附膜型缓蚀剂

吸附膜型缓蚀剂多为有机缓蚀剂，它们具有强极性的基团，强大的电子云能被金属表面的电荷吸附。根据缓蚀剂在金属表面吸附性质和强弱的不同，吸附膜型缓蚀剂又可分为物理吸附和化学吸附两大类。当吸附作用力是靠缓蚀剂分子与金属表面活性中心之间的静电引力或范德华力时，吸附速度快而且具有可逆性，缓蚀剂与金属表面活性中心之间没有特定的化学组合，属于物理吸附；化学吸附是吸附膜型缓蚀剂分子中含O、N、P、S等杂原子(具有孤对电子)的极性基团与过渡金属原子中的空的d轨道形成配位键，并在金属界面通过界面转化、聚合(缩聚)、螯合等作用形成保护膜而抑制金属腐蚀。

由于缓蚀剂的缓蚀机理在于成膜,故迅速在金属表面上形成一层密而实的膜是获得缓蚀成功的关键。为了迅速成膜,水中缓蚀剂的浓度应该足够高,等膜形成后,再降至只对膜的破损起修补作用的浓度;为获得密而实的膜,金属表面应十分清洁,为此,成膜前对金属表面进行化学清洗除油、除污和除垢,是必不可少的步骤。

1.2.4 根据缓蚀的应用介质分类

根据缓蚀的应用介质不同,缓蚀剂可分为酸性介质缓蚀剂、中性介质缓蚀剂和碱性介质缓蚀剂。

1. 酸性介质缓蚀剂

酸性介质缓蚀剂包括各类无机酸,如氧氟酸、盐酸、硫酸等;有机酸,如氨基磺酸、柠檬酸、草酸、EDTA 等。常见的酸性介质缓蚀剂有五四牌缓蚀剂、若定、KC 缓蚀剂等。

2. 中性介质缓蚀剂

一般指在 pH 值为 6 ~ 8 的水溶液中使用的缓蚀剂,该类缓蚀剂是水溶性的。常见的中性介质缓蚀剂有聚磷酸盐、硅酸盐、亚硝酸盐、苯甲酸钠、苯并二氮唑、2 - 硫醇苯并噻唑、亚硫酸钠、肼、烷基胺、三乙醇胺、乌洛托品等。

3. 碱性介质缓蚀剂

碱性介质缓蚀剂一般适用于碱性介质中。常见的碱性介质缓蚀剂有无机类(如铬酸盐)和有机类(如 8 - 羟基喹啉、间苯二酚等)。

1.2.5 根据缓蚀剂的物理状态分类

按照缓蚀剂的物理状态的不同,缓蚀剂可分成以下三类。

1. 油溶性缓蚀剂

此种缓蚀剂只可溶于非极性溶剂,作为除锈油添加剂。这种缓蚀剂主要是通过分子上的极性基团吸附在金属表面上,隔绝了腐蚀介质与金属发生反应。这类缓蚀剂的代表有石油磺酸盐、羧酸和羧酸盐类、氮和硫的杂环化合物等。

2. 水溶性缓蚀剂

与油溶性缓蚀剂相反,水溶性缓蚀剂只溶于水,常添加在冷却液中用于防止多种金属的电偶腐蚀、点蚀等。此种缓蚀剂包含两类:无机类(如硝酸钠、亚硝酸钠、铬酸盐、重铬酸盐、硼砂)和有机类(如苯甲酸、乌洛托品、亚硝酸二环己胺、三乙醇胺)。

3. 气相缓蚀剂

气相缓蚀剂是一种较为特殊的、常温下能挥发成气体的缓蚀剂。这要求缓蚀剂固体有升华性,液体有大于一定数值的蒸气分压,其中的缓蚀基团能吸附在金属表面上。

1.2.6 根据被保护金属的不同分类

根据被保护金属的不同,缓蚀剂可分为碳钢、不锈钢材料缓蚀剂、铝基材料缓蚀剂、铜基材料缓蚀剂、镁基材料缓蚀剂、锌及镀锌材料缓蚀剂等。

1.3 缓蚀机理

缓蚀剂的作用机理总的来说可以分为两种,即电化学机理和物理化学机理。

电化学机理是以金属表面发生的电化学过程来解释缓蚀剂的作用;而物理化学机理则以金属表面所发生的物理化学变化来说明缓蚀剂的作用。两种机理处理问题的方式不同,但它们并不矛盾,而且还存在着某种因果关系。

1.3.1 缓蚀剂作用的电化学机理

金属的腐蚀大多是金属表面发生原电池反应的结果,这也是造成腐蚀的最主要因素。金属在电解质溶液中的腐蚀过程是由两个共轭反应组成的,即阳极反应和阴极反应。若要减缓金属腐蚀,则要减缓金属表面上进行的电化学的反应速度,如果能抑制阳极、阴极反应中的任何一个或两个,原电池反应将减缓,金属的腐蚀速度就会减慢。

1. 阳极型缓蚀剂

阳极型缓蚀剂对阳极过程的影响通过以下几种作用来实现:

①在金属表面形成致密、附着力强的氧化膜,当氧化膜达到一定厚度以后,氧化反应的速率减慢,金属钝化,腐蚀速率大大降低;

②因特性吸附有效抑制金属的离子化过程;

③可以使得金属的电极电位达到钝化电位。

2. 阴极型缓蚀剂

阴极型缓蚀剂对阴极过程的影响通过以下几种作用来实现:

①提高阴极反应的过电位,使氢离子放电受阻;

②在金属表面形成化合物膜,如有机缓蚀剂中的低分子有机胺及其衍生物,都可以在金属表面阴极区形成多分子层,使去极化剂难以达到金属表面而减缓腐蚀;

③吸收水中的溶解氧,降低腐蚀反应中阴极反应物的浓度,从而减缓金属的腐蚀。

3. 混合型缓蚀剂

混合型缓蚀剂可以同时抑制阳极和阴极反应速度,降低腐蚀电流,腐蚀电位变化不大

或无明显变化,对腐蚀电化学过程的影响通过以下几种作用来实现:

①与阳极反应产物反应生成不溶物,这些不溶物紧密地沉积在金属表面起到缓蚀的作用;

②形成胶体物质,形成的复杂胶体体系的化合物可作为有效的缓蚀剂;

③在金属表面吸附,形成吸附膜。

1.3.2 缓蚀剂作用的物理化学机理

物理化学机理以金属表面所发生的物理化学变化来说明缓蚀剂的作用,可分为氧化膜型、沉淀膜型和吸附膜型三种类型,其形态如图 1-1 所示。

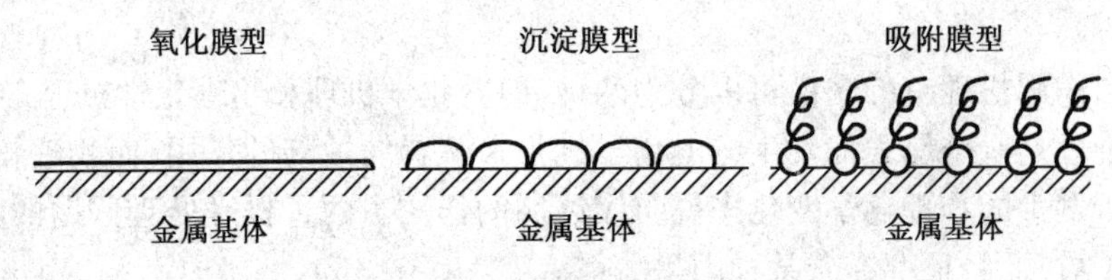

图 1-1 缓蚀膜的三种形态

1. 氧化膜型缓蚀剂

缓蚀剂自身为氧化剂,或者本身不具有氧化性但可以环境中的溶解氧作氧化剂,和金属发生作用,在其表面形成致密的氧化膜。氧化膜阻碍金属离子化的过程,从而达到减缓金属腐蚀的作用。不过,若此类型缓蚀剂用量不足,有可能在金属表面形成大阴极小阳极,从而造成金属孔蚀。

2. 沉淀膜型缓蚀剂

在金属表面生成的沉淀膜,可以由缓蚀剂分子相互作用生成,也可以由缓蚀剂与介质中的金属离子作用生成。多数情况下,沉淀膜形成于阴极区并覆盖在阴极表面,从而将金属和腐蚀介质隔开。

3. 吸附膜型缓蚀剂

此类缓蚀剂在介质中对金属表面有着良好的吸附性。吸附改变了金属表面的性质,抑制了金属腐蚀。其分子结构具有极性基和非极性基,极性基在金属表面吸附后,其较长的非极性基也紧密排列,形成牢固的吸附膜。吸附膜改变了金属的表面电荷状态和界面的性质,使得金属表面能量状态稳定,增加了腐蚀活化能,阻碍了电化学相关电荷和物质的转移,从而达到缓蚀的作用。

1.3.3 缓蚀剂的协同作用

缓蚀剂有其特殊的性质,某些缓蚀剂单独使用不能达到缓蚀效果时,可以把这些物质进行复配使用,就有可能产生较好的缓蚀效果,这种现象称为协同效应。反之,如果复配加入缓蚀剂而使缓蚀效果降低,则称为负协同效应。协同效应不是简单的数学求和,而是一种互相促进的现象。现在对缓蚀剂的要求越来越高,单组分缓蚀剂往往不能满足工业发展的需要,因此实际使用的缓蚀剂往往都是利用协同作用研制的复合缓蚀剂。不同类型的缓蚀剂复配产生的协同作用主要包括以下几种。

1. 活性阴离子和有机物之间的协同作用

协同作用研究最多的就是活性阴离子和有机物之间的协同作用。例如,酸性介质中活性阴离子与有机胺进行复配时缓蚀效果明显提高。这是因为有机胺在酸性水溶液中其未共用电子对能与 H^+ 形成配位键,从而使该元素的共价键值加1,并变成相应的𬭩离子。如果在介质中添加少量的活性阴离子,能使阳离子更容易吸附在金属表面,从而提高了缓蚀剂的吸附效果,这种现象称为“阴离子效应”。要获得良好的阴离子效应,必须采用能被金属强烈吸附的阴离子,如 I^-、Br^-、Cl^- 等。

2. 中性溶液中的协同作用

工业循环冷却水中的防腐就是利用了聚磷酸盐和重铬酸盐间的协同作用,两者可以形成“双阳极”缓蚀剂。在中性介质中,可以同时存在各种不同类型物质的协同作用。例如,在中性或微碱性充空气水中,亚硝酸盐和特种氨基磷酸酯合用可产生协同作用,防止黑色金属被腐蚀。

1.3.4　缓蚀剂吸附行为

缓蚀剂科学的基础来源于对吸附现象的认识。缓蚀剂在金属表面的吸附不仅能改变腐蚀过程的局部反应动力学,而且能够改变金属的表面状态。近年来,随着缓蚀体系一些新的特异现象的发现,以及新的研究手段的运用,缓蚀剂吸附行为研究取得了新的进展。

缓蚀剂分子与金属表面通过物理吸附(静电作用)和化学吸附(化学键)相互作用,从而减缓金属的腐蚀,这是缓蚀剂作用的本质,如图1-2所示。

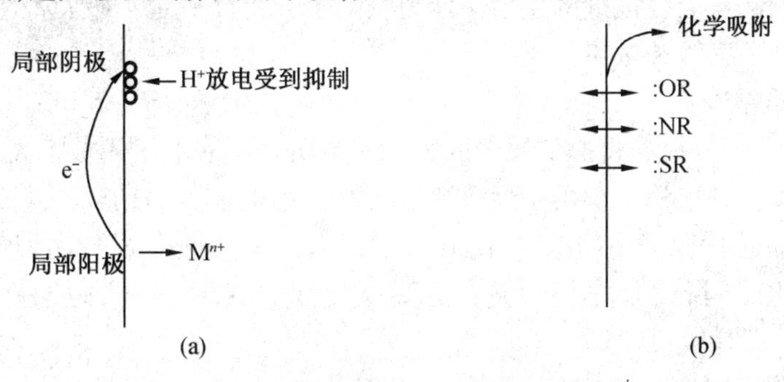

图1-2　物理吸附和化学吸附示意图

(a)物理吸附;(b)化学吸附

在腐蚀介质中注入吸附型(界面型)缓蚀剂后,会在金属基体表面发生吸附,一方面使基体表面的电荷分布与界面特性发生改变,稳定基体表面的能量状态,增加腐蚀电化学反应的能垒;另一方面会有一层由缓蚀剂中的非极性基团构成的疏水膜形成于基体表面,排开腐蚀介质,阻滞了腐蚀介质向金属表面的传质过程和电荷转移过程。

1. 物理吸附

缓蚀剂在溶液中形成离子,金属表面会带电荷,它们之间可产生静电引力与范德华力,这是缓蚀剂能够在金属表面发生物理吸附的根源。静电引力发挥着关键作用,其吸附受温度变化影响小、迅速且可逆、吸附热低。对物理吸附具有重要影响的因素是金属表面的带电情况。

金属表面带电情况与金属自腐蚀电位及零电荷电位(无电荷存在于金属表面时的电位)之间的关系有关:①金属在腐蚀介质中的腐蚀电位高于零电荷电位时,所带正电荷使阴离子缓蚀剂容易发生吸附;②金属在腐蚀介质中的腐蚀电位低于零电荷电位时,所带负电荷使阳离子缓蚀剂容易发生吸附;③金属在腐蚀介质中的腐蚀电位等于零电荷电位时,不存在电荷使非离子缓蚀剂容易发生吸附。

只要吸附型缓蚀剂在金属表面能形成一层完整致密的保护膜,那么无论形成膜层的是哪一种离子,均会对腐蚀过程的电极反应具有抑制作用,从而减小腐蚀速度。

2. 化学吸附

缓蚀剂可以通过提供电子对或质子来完成在金属基体上的化学吸附。

(1)供电子型缓蚀剂

有机缓蚀剂分子的极性基团中往往含有电负性较大的N、O、S、P等中心原子,这些原子中含有未共用的孤对电子,可以与金属原子中的空的d轨道相互作用形成配位键,使缓蚀剂分子吸附于金属基体上。这类缓蚀剂统称为供电子型缓蚀剂。共用电子对是此类缓蚀剂发生吸附的途径,可见缓蚀剂的供电子能力及电子云密度决定了吸附发生的难易程度和稳定性,从而反映了其缓蚀效果。

(2)供质子型缓蚀剂

有机缓蚀剂分子也可通过提供质子的手段与金属表面多电子阴极区发生作用,吸附于金属表面,这类缓蚀剂统称为供质子型缓蚀剂。如十六硫醇($C_{16}H_{33}SH$),提供电子能力的S原子,可以吸引临近H原子中的电子,使H原子成为带正电荷的粒子,与带负电荷的阴极区域相互吸引,产生吸附行为。同理,具有更高电负性的N、O原子,也会存在类似供质子行为。

(3)π键吸附

双键、叁键、芳香环等基团含有π电子结构,含有这类基团的有机缓蚀剂同样可以与金属原子中的空的d轨道发生配位反应,从而形成配位键,这就是π键吸附。

临近基团的空间位阻可显著影响 π 键吸附。若具有较强极性的中心原子基团和 π 电子结构临近时,中心原子的孤对电子还可与 π 电子形成共轭 π 键(大 π 键),以平面构型吸附在金属上,可以极大地提高缓蚀效果。化学吸附发生的速度小于物理吸附,此过程不可逆,且受温度变化影响小;化学吸附还是中性分子的吸附,不取决于基体表面的带电情况,但易受到分子构型的影响。

3. 吸附热力学

根据热力学原理,引起溶液中某种粒子在界面吸附的基本原因是吸附过程伴随着体系自由能的降低。水溶液中吸附粒子在电极/溶液界面上吸附时自由能主要由下列几项组成:

(1)憎水项——吸附粒子的存在破坏了溶液中水分子的短程四面体有序结构,若这些粒子自溶液内部移向界面层中,就会减弱这种破坏作用而使体系的自由能降低;

(2)电极表面与吸附粒子之间的相互作用——大致分为静电相互作用和化学作用两类;

(3)吸附层中吸附粒子之间的相互作用——包括范德华力、静电场力;

(4)换电极表面的水分子——缓蚀剂取代水分子吸附比直接吸附在电极表面需要释放额外的自由能。

伴随缓蚀剂粒子吸附过程的自由能变化是上述四项因素的总和。如果吸附时这四项因素的总和导致体系自由能降低,就能实现吸附过程。

缓蚀剂在金属表面吸附时,一般是极性基与金属表面结合,而非极性基远离金属表面做定向排列形成疏水保护层。化学吸附的粒子在界面层的取向通常是固定的;而物理吸附的粒子其取向往往随缓蚀剂体相浓度的变化而改变。典型的吸附形态有:

(1)水平型:缓蚀剂粒子平躺于金属表面;

(2)垂直型:缓蚀剂粒子垂直于金属表面;

(3)曲线型:缓蚀剂粒子呈曲线状吸附于金属表面;

(4)倾斜型:介于水平型与垂直型间的倾斜吸附。

水平型和曲线型吸附多为多点吸附,即一个缓蚀剂粒子以几个链节吸附在界面上。

缓蚀剂的吸附规律取决于缓蚀剂的基团组成、空间结构和金属的表面状态(不均匀型),可以根据由吸附平衡时界面吸附量与溶液相中缓蚀剂之间建立的吸附等温式定量表示。根据各种不同的体系和假设条件,缓蚀剂的吸附等温式有不同形式。对于表面均匀吸附粒子之间无相互作用的单分子层的理想吸附体系,缓蚀剂在金属表面的覆盖度 θ 与缓蚀剂浓度 c 之间可以用 Langmuir 吸附等温式表示,即

$$\frac{\theta}{1-\theta}=Kc$$

如果考虑到水溶液中缓蚀剂粒子在金属表面的吸附是一个取代水分子吸附的过程,可

以应用 Bockris - Swinkels 吸附等温式和 Flory - Huggins 吸附等温式来更精确地描述缓蚀剂在技术表面的吸附 - 脱附平衡。

Bockris - Swinkels 吸附等温式为

$$\frac{\theta}{(1-\theta)^x}\times\frac{[\theta+n(1-\theta)]^{n-1}}{n^n}=Kc$$

Flory - Huggins 吸附等温式为

$$\frac{\theta}{e^{x-1}(1-\theta)^x}=Kc$$

Frumkin 则在考虑吸附粒子之间存在相互作用的基础上，提出以下吸附等温式，即

$$\frac{\theta}{1-\theta}e^{-2a\theta}=Kc$$

式中，a 为相互作用参数，当 $0<a<2$ 时，粒子之间存在引力；当 $a<0$ 时，粒子之间存在斥力。

除此外还有 Temkin 吸附等温式和 Freundlich 吸附等温式。这些等温式帮助人们加深了对缓蚀剂吸附的认识。根据吸附等温式模型，可以求出吸附过程中的热力学函数，并判明存在哪些类型的相互作用，获知吸附层的一些重要物理化学性质。需要指出的是，由于缓蚀剂体系的复杂性，缓蚀剂吸脱附的实际过程要复杂得多。因此，由各种吸附等温式得到的热力学参数常常只具有表观意义。

4. 吸附动力学

对非贵金属来说，有些粒子在其表面的吸附过程有可能成为吸附控制步骤。目前还没有比较好的理论对其做出解释。缓蚀剂的吸附速度是一个动力学问题，取决于吸附过渡态、吸附活化能和脱附活化能的大小。因此可以通过改变吸附历程如通过两种或多种粒子的联合吸附，降低吸附活化能，提高缓蚀剂的吸附速度。例如，利用表面增强拉曼光谱研究表明，苯扎溴铵可加速肉桂醛在铁电极表面的吸附而提高缓蚀效率，其原因也在于二者发生了联合吸附。

此外，吸附粒子本身性质对吸附速度也有很大影响。如 I^-、S^{2-} 的吸附速度快于 Br^- 和 Cl^-。

1.4 缓蚀作用的影响因素

影响缓蚀剂缓蚀作用的因素有很多，包括自身因素的影响，如缓蚀剂分子结构、水溶性、缓蚀剂浓度等；也包括外界环境因素的影响，如温度、介质的 pH 值、金属材料等。主要因素如下。

1.4.1 金属材料的性质及表面状态

大多数的缓蚀剂对金属的缓蚀作用的针对性都比较强。具体来说,在同一种腐蚀环境介质中,向腐蚀环境介质中添加同一种缓蚀剂对不同的金属材料有着不一样的缓蚀作用。比如,中性环境下硫酸盐在水中的碳钢是有腐蚀性的,而水中含有 Cl^- 的不锈钢的缓蚀剂对应力腐蚀和孔蚀却有明显的缓蚀作用。此外,金属表面是否存在润滑油污染及腐蚀产物,金属表面是否存在油污、腐蚀产物,表面粗糙程度等都会影响缓蚀剂缓蚀效果。

1.4.2 环境介质因素

1. 介质的组成

介质的组成是影响缓蚀作用的重要因素,一般缓蚀剂都具有较强的环境针对性,缓蚀剂的结构及其性质必须要适应环境,缓蚀剂分子能够分散于介质中,不应与介质发生氧化还原、中和等化学反应,即其结构不会在介质环境中遭到破坏,性质不会发生改变,以免造成缓蚀剂失效。

2. 环境的 pH 值

大多数缓蚀剂的缓蚀作用都有一个合适、有效的 pH 值范围。尤其在中性环境介质中,严格注意控制其 pH 值是保证缓蚀剂持久有效的重要影响因素。据文献报道,多磷酸盐要在 pH 值处在 6.5 ~ 7.5 时使用更合理、有效;使用亚硝酸钠时,当环境的 pH 值处在 5.5 ~6.0 时会失效。

3. 流速的影响

当缓蚀剂扩散不良而影响保护效果时,增加介质流速可使缓蚀剂平均地扩散到金属表面,有助于缓蚀效率的增长。当介质流速过快时,缓蚀效率可能会减小,流速增大,此时缓蚀剂成为腐蚀的激发剂,腐蚀增大。介质流速对缓蚀率的影响,在不一样的使用浓度时还会出现相反的变动。

4. 微生物

微生物种类繁多,无处不在。腐蚀介质中各种微生物的存在会影响腐蚀和缓蚀作用。具体而言,微生物会从以下三个主要方面影响腐蚀与缓蚀作用,也因此可能导致缓蚀剂失去作用:由于微生物无处不在,同样会存在于腐蚀过程,从而有可能造成大量腐蚀产物的生成与孔蚀;凝絮状真菌的生长与积累会妨碍介质的流动,进而影响缓蚀剂不能均匀分散于金属表面,这同样成为影响因素的一个方面;细菌的作用同样也是多方面的,有的方面对生产生活有益,有的方面不一定,同理有可能会使缓蚀剂遭到最直接的破坏,因为缓蚀剂可能成为微生物的营养来源。

5. 温度

温度对缓蚀剂缓蚀效果有着重要的影响，具体表现为以下几种：在较低温度范围内，缓蚀效果很好，随着温度的升高，缓蚀效果下降；在一定范围内，温度对缓蚀效果影响不大，超出某一温度，缓蚀效果明显下降。

6. 金属材料

不同的金属类型需要有不一样的缓蚀剂，才能使腐蚀速率达到最小，缓蚀效果达到最好。目前研制的一些缓蚀剂也可以用于多种类型金属的防腐。

1.4.3 缓蚀剂的结构

1. 极性

研究发现，缓蚀剂的缓蚀作用其实就是自身离解出一个或几个分子基团，这些基团和金属作用，并吸附在金属表面。而缓蚀剂离解出分子的极性越大，越容易附着在金属表面。另外，其分子中基团的种类也会在一定程度上影响缓蚀剂的缓蚀作用。

2. 烃基

烃基属于缓蚀剂中的非极性部分，烃基的性质也会对缓蚀剂造成很大的影响：当烃基的碳原子个数很多时，分子体积也会很大，因而使得吸附层相对致密，缓蚀效果就好；当烃基很长时，水溶性就会降低，缓蚀效果也会降低。

1.4.4 缓蚀剂浓度

缓蚀剂的缓蚀作用在浓度达到一定程度时才会表现出来，在其他条件一定的情况下，种类不同的缓蚀剂，起到缓蚀作用的最佳浓度不同，一般情况下，可以绘制腐蚀的速率与缓蚀剂的浓度曲线来确定。

缓蚀剂浓度具体影响分三种情况：

(1)缓蚀剂的腐蚀速率会随浓度的增大而增大；

(2)当缓蚀剂浓度达到某值时，腐蚀速率就会达到最大；

(3)缓蚀剂的腐蚀速率会随浓度的减小而增大。

1.5 缓蚀剂性能评价的方法

缓蚀剂在金属表面通过形成二维或三维的保护膜来实现其在金属表面的缓蚀作用，是一个非常复杂的过程。研究缓蚀剂缓蚀机理的方法有很多种，主要包括腐蚀产物分析法、电化学分析法、光分析方法和表面分析方法等。

1.5.1　腐蚀产物分析法

1. 失重法

失重法是腐蚀产物分析法中最为直接的方法，由于测试方法简单、数据可靠，是一种人们普遍接受的方法。其原理是根据挂片腐蚀前后的质量变化来确定其腐蚀速度。在测试过程中向体系添加缓蚀剂，从而得到在添加缓蚀剂后腐蚀质量的变化。

通过失重法，能够得到在不同浓度、不同温度下缓蚀剂的缓蚀作用效果。一般来说，失重法分为静态失重法和动态失重法两种类型。实验研究采用静态失重法。挂片一般常采用全浸的方法，在处理过程中包含了机械、物理和化学等清洗技术，因此能够测量气相、半气相半液相、液相等缓释过程的研究，但是此法只能针对金属的全面腐蚀进行测试，不能适用于局部腐蚀情况，同时测试过程中试片的加工、清洗、称重等操作也比较复杂。

腐蚀速率主要有两种表示方法，如式(1－1)和式(1－2)所示。

按质量计的腐蚀速率：

$$V=\frac{W_0-W_1}{st} \tag{1-1}$$

按深度计的腐蚀速率：

$$D=\frac{W_0-W_1}{st}\cdot\frac{365\times 24}{10\ 000\rho} \tag{1-2}$$

式中　V——按质量计的腐蚀速率，$g\cdot m^{-2}\cdot h^{-1}$；

D——腐蚀速度，cm/a；

W_0——金属试样腐蚀之前的质量，g；

W_1——金属试样腐蚀之后，清除净腐蚀产物后金属的质量，g；

s——金属试样表面积，m^2；

t——金属试样腐蚀时间，h；

ρ——金属试样的密度（碳钢密度为7.81～7.85 g/cm^3，下列计算时取7.83g/cm^3）。

缓蚀剂的缓蚀效率 η 可用式(8－3)表示，即

$$\eta=\frac{V_0-V}{V_0}\times 100\% \tag{8-3}$$

式中，V、V_0 分别表示加入缓蚀剂和不加缓蚀剂时金属的腐蚀速率。

2. 盐雾试验

盐雾试验箱采用盐雾腐蚀的方式来检测被测样品耐腐蚀的可靠性，盐雾是指大气中由含盐微小液滴所构成的弥散系统，是人工环境三防系列中的一种，很多企业产品需模拟海洋周边气候对产品造成的破坏性，所以盐雾试验箱应运而行。盐雾试验分为铜加速乙酸盐

雾试验(CASS)、中性盐雾试验(NSS)、交变盐雾试验、醋酸盐雾试验(ASS)四种。这四种方法的区别在于符合的标准与试验方法不同,中性盐雾试验(NSS)是人工三防气候中最常见的一种测试方法。盐雾试验结果的判定方法有评级判定法、称重判定法、腐蚀物出现判定法、腐蚀数据统计分析法。需要进行盐雾试验的产品主要是一些金属产品,通过检测来考察产品的抗腐蚀性。

盐雾试验标准是对盐雾试验条件,如温度、湿度、氯化钠溶液浓度和 pH 值等做的明确具体规定,另外还对盐雾试验箱性能提出技术要求。同种产品采用哪种盐雾试验标准要根据盐雾试验的特性、金属的腐蚀速度及对盐雾的敏感程度选择。

盐雾试验标准:GB/T 2423.17—2008《电工电子产品基本环境试验规程第 2 部分:试验方法　试验 Ka:盐雾》;GB/T 2423.18—2000《电工电子产品环境试验　第 2 部分:试验　试验 Kb:盐雾,交变(氯化钠溶液)》;GB 5938—86《轻工产品金属镀层和化学处理层的耐腐蚀试验方法》;GB/T 1771—91《色漆和清漆　耐中性盐雾性能的测定》;SH/T 0081—91《防锈油脂盐雾试验法》。

3. 量气法

金属的腐蚀反应中涉及氧或氢参与的阴极反应。其间存在定量关系,因此测量腐蚀过程中氧的吸收量或氢的放出量可间接计算出金属的腐蚀量,并可以区分其中放氢型与氧化还原两部分。连续测定气量变化,可得到腐蚀时间曲线,从而追踪腐蚀的发展情况。

量气法利用的是封闭体系中化学反应产生的气体,通过测量反应前后的气体体积变化,得到反应所产生的气体体积,再利用分压定律、连通器原理、理想气体状态方程及相应定量关系计算得到待测值。量气法具有实验原理简单、操作简便快速、实用性强等特点,是常数测定和定量化学分析实验中常用的经典实验方法。很多大学化学实验教材中都有与量气法相关的实验内容,如置换法测定 Mg 的摩尔质量、摩尔气体常数 R 的测定、气体摩尔体积的测定、CaO_2 含量的分析、电解法测定阿伏加德罗常数及第 43 届国际奥林匹克化学竞赛实验预备题——钙盐组成的测定等。

4. 量热法

金属在酸中的腐蚀反应为放热反应,间接表现为体系温度的变化,分别测量加与未加缓蚀剂的腐蚀过程中的温度 - 时间变化曲线,定义反应所达最高温度与起始温度的差值之比为缓蚀效率。A. S. Fouda 等用量热法和失重法两种方法研究了一些有机物的缓蚀作用,所得缓蚀效率的绝对值大小不同,但结果一致。因此只要说明所用方法,这种差别并不影响研究结果。量热法仪器非常简单,测定时间也比较短,对金属在酸中的腐蚀及缓蚀作用的研究具有一定实际意义。

1.5.2　电化学分析方法

常规的电化学研究方法以电信号为激励和检测的手段,主要包括以下几种方法。

1. 线性极化电阻法

线性极化电阻法最早在1938年被相关研究人员提出后，经Stem等的研究发展成为一种快速而简便的腐蚀测试方法。原理是将试样通以外加电流，在自然腐蚀电位附近，当极化电位不超过±10 mV时，外加电流与极化电位呈线性关系，其斜率R_p就是线性极化电阻。如再知道阴阳极极化曲线的塔菲尔常数，就能计算出腐蚀电流及腐蚀速度。这种方法用于测定金属腐蚀体系的瞬间腐蚀速度，但此方法测得的R_D是金属表面的总极化电阻，因此仅适用于均匀腐蚀体系，对局部腐蚀体系使用受限，而且也不能反映出缓蚀剂在介质中对电极的阴阳极反应的抑制效果。

2. Tafel 极化曲线外推法

极化曲线分为四个区，即活性溶解区、过渡钝化区、稳定钝化区、过钝化区。极化曲线可用实验方法测得。分析研究极化曲线，是解释金属腐蚀的基本规律、揭示金属腐蚀机理和探讨控制腐蚀途径的基本方法之一。以电极电位为纵坐标，以电极上通过的电流为横坐标获得的曲线称为极化曲线，它表征腐蚀原电池反应的推动力电位与反应速度电流之间的函数关系。直接从实验测得的是实验极化曲线；而构成腐蚀过程的局部阳极或者局部阴极上单独电极反应的电位与电流关系称为真实极化曲线，即理想极化曲线。为了探索电极过程机理及影响电极过程的各种因素，必须对电极过程进行研究，其中极化曲线的测定是重要方法之一。我们知道在研究可逆电池的电动势和电池反应时，电极上几乎没有电流通过，每个电极反应都是在接近于平衡状态下进行的，因此电极反应是可逆的。但当有电流明显地通过电池时，电极的平衡状态被破坏，电极电势偏离平衡值，电极反应处于不可逆状态，而且随着电极上电流密度的增加，电极反应的不可逆程度也随之增大。由于电流通过电极而导致电极电势偏离平衡值的现象称为电极的极化，描述电流密度与电极电势之间关系的曲线称作极化曲线。

金属腐蚀的一般过程可分为化学腐蚀和电化学腐蚀两类。在人们的生产和生活过程中，我们常见的是电化学腐蚀。因此，缓蚀剂在使用过程中将金属基体与腐蚀介质隔离，通过抑制金属阳极的溶解或者抑制阴极的反应，从而达到防止金属腐蚀的发生。

缓蚀效率：

$$\eta = \frac{I_{corr} - I'_{corr}}{I_{corr}} \times 100\% \tag{1-3}$$

式中，I'_{corr}、I_{corr}分别表示加有缓蚀剂和不加缓蚀剂的腐蚀电流密度线性极化法能测量金属的瞬时腐蚀速度，提供的腐蚀信息是金属均匀腐蚀的信息，而不是局部腐蚀的信息。

3. 恒电量法

恒电量测量技术最早由G. Baker提出。20世纪70年代末由K. Kanno等引入腐蚀科学领域，他们用这一方法测定了金属的腐蚀常数。恒电量法仍属于电化学方法，近年来得到了迅速发展。

恒电量法的基本原理是将一已知的电荷注入电解池,对所研究的金属电极体系进行扰动。同时记录电极电位随时间的变化。对曲线分析可得到各电化学参数。在测量过程中,因为没有电量通过被测体系,一般不受溶液介质阻力的影响,所以特别适于在高阻的腐蚀介质中应用。对那些电化学方法不能应用的高阻体系,它却能进行快速而有效地应用,并提供定量数据,从而扩大了电化学方法的应用范围。

恒电量法是在外电路断开的情况下电极电化的松弛法,它是把一定量的电荷在极短的时间内注入电解池,对所研究的涂装金属电极进行扰动,记录电位随时间的变化。注入的电量是恒定的,不受电解池阻抗的影响,完全由实验选定。

恒电量注入方式有两种:一种是利用已充电的精密电容器向电解池放电;另一种则是使用大功率的恒电流脉冲发生器向电解池输送恒电流脉冲。与其他外加强制性极化相比较,恒电量法具有特殊的优点:首先,它不受溶液欧姆压降的影响,特别适合研究像涂装金属体系这样的高阻体系;其次,测量时间短,能测得较多的参数,对电极表面状态干扰很小,在金属腐蚀的研究测量领域中用途广泛。

4. 循环伏安法

循环伏安法是一种常用的电化学研究方法。该法控制电极电势以不同的速率随时间以三角波形一次或多次反复扫描,电势范围是使电极上能交替发生不同的还原反应和氧化反应,并记录电流-电势曲线。根据曲线形状可以判断电极反应的可逆程度,中间体、相界吸附或新相形成的可能性,以及偶联化学反应的性质等。常用来测量电极反应参数,判断其控制步骤和反应机理,并观察整个电势扫描范围内可发生哪些反应及其性质如何。对于一个新的电化学体系,首选的研究方法往往就是循环伏安法,可称之为“电化学的谱图”。本法除了使用汞电极外,还可以用铂、金、玻璃碳、碳纤维微电极及化学修饰电极等。

循环伏安法一般可用于电极反应的性质、电化学机理及电极过程动力学参数的研究,是目前广泛采用的一种电化学分析方法。其可用于定量确定反应物浓度、交换电流密度、反应的传递系数等动力学参数、电极表面吸附物的覆盖度、电极活性面积及电极反应速率常数。

电极可逆性判断循环伏安法中电压的扫描过程包括阴极与阳极两个方向,因此从所得的循环伏安法图的氧化波和还原波的峰高和对称性中可判断电活性物质在电极表面反应的可逆程度。若反应是可逆的,则曲线上下对称;若反应不可逆,则曲线上下不对称。电极反应机理的判断循环伏安法还可研究电极吸附现象、电化学反应产物、电化学-化学偶联反应等,对于有机物、金属有机化合物及生物物质的氧化还原机理研究很有用。

5. 极化曲线(PC)

极化曲线是描述极化电流(密度)与极化电极电位之间的关系曲线。为了探索电极极化过程及腐蚀速率,必须对电极过程进行研究,其中采用极化曲线测试是重要的方法。

在阴、阳两个电极上发生的电极反应的动力学关系式都可以用下面的 Tafel 公式来表示。

阳极反应:

$$i_a = i_{0,a}\exp\left(2.3\frac{E-E_{e,a}}{b_a}\right) \tag{1-4}$$

阴极反应:

$$i_c = i_{0,c}\exp\left(-2.3\frac{E-E_{e,c}}{b_c}\right) \tag{1-5}$$

式中 $E_{e,a}$、$E_{e,c}$——平衡腐蚀电位;

$i_{0,a}$、$i_{0,c}$——腐蚀电流密度;

b_a、b_c——反应常数。

$$i = i_a - i_c = i_{0,a}\exp\left(2.3\frac{E-E_{e,a}}{b_a}\right) - i_{0,c}\exp\left(-2.3\frac{E-E_{e,c}}{b_c}\right) \tag{1-6}$$

式中,i 为总反应腐蚀电流密度。

在对电路系统进行测试过程中,当外测电流为零时,自腐蚀电位 E_{corr} 就是纯金属的电位;当金属发生化学反应时,其电流密度大约等于阴极反应的电流密度,也就是金属的自腐蚀电流密度 i_{corr},即

$$i_{corr} = i_{0,a}\exp\left(2.3\frac{E_{corr}-E_{e,a}}{b_a}\right) = i_{0,c}\exp\left(-2.3\frac{E_{corr}-E_{e,c}}{b_c}\right) \tag{1-7}$$

将式(1-7)代入式(1-6),可得

$$i = i_{corr}\left[\exp\left(2.3\frac{E-E_{corr}}{b_a}\right) - \exp\left(-2.3\frac{E-E_{corr}}{b_c}\right)\right] \tag{1-8}$$

式(1-8)即是金属发生腐蚀时的极化曲线表达式,表征外测电流密度与极化电位的关系。一般来说,极化曲线又可以分为阳极极化、阴极极化等。当金属表面发生阳极极化时,去极化剂的阴极还原反应可以忽略不计;当金属表面发生阴极极化时,阳极金属溶解反应也可以忽略不计。将极化曲线 Tafel(强极化)区外推至自腐蚀电位,建立腐蚀电流和电压的关系,这种方法在测定腐蚀速度时具有重复性好、操作简单、数据说服力强、时间短等优点。因此,极化曲线测试是目前评价和研究缓蚀剂缓蚀性能的主要方法。

6. 恒电流-恒电位瞬态响应

恒电流-恒电位瞬态响应是一种比较新的开发钝化膜的稳定性的化学测量技术。宋诗哲等利用恒电流-恒电压的瞬态响应方法研究了孔蚀的试剂的实验方法和数据解析,测出了304SS 在加入癸胺与化学物质十二烷基苯磺酸钠的0.1 mol/L NaCl 溶液中的 P-G 响应特性。通过不相同极化曲线得出的某些关系和一段时间内 P-G 响应特性的测试结论,

得出它们的缓蚀性能。宋诗哲等采用 P–G 瞬态响应方法探讨了有很多层物质钝化膜体系,从而讨论这些体系在钝化过程的各个过程的 P–G 瞬态响应特性。人们由此发现了如何鉴定钝化膜具有多层结构的一些方法,弄清了表征钝化膜在各不相同的层稳定性的某些参数,以及如何理解比较复杂的钝化 P–G 响应的曲线模型。

7. 化学分析法

在腐蚀化学的研究中,常用化学分析法来测定腐蚀介质的成分和浓度,缓蚀剂的含量,或由金属试样的腐蚀产物来测定金属的腐蚀量等,以此探讨腐蚀机理和腐蚀过程的规律。当金属的腐蚀产物完全溶解于介质中时,就可以定量分析求得瞬间腐蚀速度,据此可以从一个试样测出腐蚀量与时间对应的关系曲线。如果一直到腐蚀试验结束,才从试样上附着或沉积于溶液中的腐蚀产物中取样分析,这样求得的腐蚀速度只代表平均腐蚀速度。化学分析可以作为一种腐蚀的监控方法。

8. 光电化学法

电化学系统中的光效应早被人们意识到,用光辐射产生附加的电流的现象称为 Bequerel 效应。用光电化学方法对金属表面的钝化膜进行研究,可以获得有关钝化膜的信息。通过测量光电位可以研究电极在不同介质中钝化膜的导电情况,测量光电流可以获得膜的电性质。光电化学方法的最大优点是能够实现电极表面的原位测量,测试时试样不需要移出电解池就能够从微观上直接反映出电极表面分子水平的变化。

杨迈之等应用光电化学和电子能谱方法研究苯并三唑(BTA)衍生物在质量分数为 3% 的 NaCl 溶液中对铜的缓蚀作用,实验发现,BTA 质量分数小于 15 mg/kg 时,反而加速 Cl^- 侵蚀;当 BTA 质量分数大于 15 mg/kg 时,BTA 才能对铜起到缓蚀作用。随着 BTA 质量分数的增加,缓蚀剂保护膜变得更加致密厚实;但大于 50 mg/kg 时,保护膜厚度不再增加。测量开路光电压是一种无损、灵敏的新方法,特别是对于现场监测铜被氯离子侵蚀和评价铜缓蚀剂性能方面更为有效。

9. 电化学交流阻抗谱(EIS)

电化学交流阻抗谱是研究电极过程动力学及电极截面现象的一种重要的手段。它可以较好地表征缓蚀剂自组装膜表面的电子传递行为,而且是获得电极反应动力学参数的有效手段。用交流阻抗技术不仅可以研究膜自身的电阻特征及其对溶液和基底间的电子传递的阻碍作用,而且可以定量和定性地研究缓蚀剂自组装膜的致密性。

因此,电化学交流阻抗谱是一种常用的电化学测试技术,这种方法频率范围广,对体系扰动小,在电化学交流阻抗谱的测量过程中对电极施加小幅值的正弦波,不会引起严重的瞬间浓度变化及表面变化。而且,由于通过交变电流时在同一电极上交替地出现阳极过程和阴极过程,即使测量信号长时间地作用于电解池,也不会导致极化现象的累积性发展,因此,该方法是一种准稳态方法。另外,交流阻抗法可以测得很宽频率范围内的阻抗谱以研究电极系统,因而能比其他常规电化学方法得到更多的动力学信息和关于截面结构的信息,可以从 EIS 图上比较容易判断出总的电化学过程包含几个子过程,并根据各个子过程的阻抗谱特征探讨各个子过程的动力学特征。

对于电化学交流阻抗谱的处理,传统上多采用等效电路的方法,即根据试验所测的数据进行电路拟合,从而分析所研究的电极过程,获得有关电极表面或电极过程动力学的信息,这种方法是研究电极动力学和电极表面状态的有力工具。

近年来,电化学交流阻抗谱技术已经成为研究电极过程动力学、电极表面现象及测定固体电解质电导率的最重要的手段。在腐蚀科学领域,电化学阻抗谱技术也起到了重要的作用,它可以测量界面的极化电阻与界面电容,通过这些数值的测定,可以研究腐蚀金属电极表面状态的变化,包括金属表面在腐蚀过程中的粗糙度的变化、缓蚀剂的吸附情况、钝化膜的形成与破坏,以及表面固体腐蚀产物的形成,等等。电化学阻抗谱还可以通过研究金属电极的法拉第阻抗等参数来讨论缓蚀剂的缓蚀效率和缓蚀性分子的表面覆盖度等。

10. 电化学噪声法

电化学噪声(Electrochemical Noise,EN)是指电化学动力系统演化过程中,其电学状态参量(如电极电位、外测电流密度等)的随机非平衡波动现象。根据所检测到的电学信号视电流或电压信号的不同,可将电化学噪声分为电流噪声或电压噪声。根据噪声的来源不同又可将其分为热噪声、散粒噪声和闪烁噪声。在恒电位(或恒电流)控制下,通过测量工作电极和参比电极之间或两个相同电极之间产生的自发电流和压波动来分析、评价金属防腐蚀性能的方法。这种波动来自电化学系统本身,而不是控制仪器的噪声或其他干扰,在测量过程中无须对被测电极施加可能改变腐蚀电极腐蚀过程的外界干扰,能自然真实地反映金属表面状态及性能,判断金属腐蚀的类型,并且无须预先建立被测体系的电极过程模型,是一种灵敏的无损、原位检测方法,可以真实地反映材料腐蚀的状况。然而,它的产生机理仍不完全清楚,处理方法仍存在欠缺,因此电化学噪声的测试技术有待进一步探讨和完善,目前还未得到广泛应用。

1.5.3 光分析方法

1. 自旋标记的电子自旋共振技术

电子自旋共振(Electron Spin Resonance, ESR),过去常称为电子顺磁共振(Electron Paramagnetic Resonance, EPR),是属于自旋 1/2 粒子的电子在静磁场下的磁共振现象,类似静磁场下自旋 1/2 原子核有核磁共振的现象,又因利用到电子的顺磁性,故称电子顺磁共振。电子自旋共振在多个领域有着较广泛的应用。它研究电子塞曼能基间的直接跃迁,其研究对象为具有未成对电子的顺磁性物质。把被研究的顺磁性物质放在几千或上万高斯的恒定外磁场中,由于被研究的顺磁性物质产生的能级分裂受外磁场控制,故可以通过观察试样对射频能量的吸收来探索物质的结构。自旋标记的 ESR 技术就是把一种稳定顺磁性物质“稼接”在抗磁性分子上,由其 ESR 波谱间接地研究该体系的物理和化学性质。此顺磁分子称为自旋标记,这个自旋标记物应具备以下条件:首先,必须足够稳定;其次,能以某种方式结合或嵌入到被研究物质的某个位置上;再次,其 ESR 波谱的变化对环境的物理化学性质极为敏感,而自旋标记物本身对体系的扰动甚微。目前,最理想的自旋标记物是氮氧自由基,它不但稳定,便于合成,而且其 ESR 波谱具有极高的灵敏度,所产生的 ESR 波谱可以反映被研究物质的多种信息,如周围介质的极性、流动性、大分子的组成、排列的有序性。自旋标记 ESR 波谱技术近几十年已发展到研究高聚物在固、液界面上的吸附。

ESR 已成功地应用于顺磁物质的研究,目前它在化学、物理、生物和医学等各方面都获得了极其广泛的应用。例如,发现过渡族元素的离子;研究半导体中的杂质和缺陷;离子晶体的结构;金属和半导体中电子交换的速度及导电电子的性质等。所以,ESR 也是一种重要的物理实验技术。

2. 原子吸收光谱(AAS)法

原子吸收光谱(Atomic Absorption Spectroscopy, AAS)法,又称原子分光光度法,是基于气态的基态原子外层电子对紫外光和可见光范围的相对应原子共振辐射线的吸收强度来测量被测元素含量的一种测量特定气态原子对光辐射的吸收的方法。此法是 20 世纪 50 年代中期出现并在以后逐渐发展起来的一种新型的仪器分析方法,它在地质、冶金、机械、化工、农业、食品、轻工、生物医药、环境保护、材料科学等各个领域有着广泛的应用。该法主要适用样品中微量及痕量组分分析。

原子吸收光谱法具有检出限低(火焰法可达 $\mu g/cm^{-3}$ 级)、准确度高(火焰法相对误差小于 1%)、选择性好(即干扰少)、分析速度快、应用范围广(火焰法可分析 30 多种元素,石墨炉法可分析 70 多种元素,氢化物发生法可分析 11 种元素)等优点。在温度吸收光程、进样方式等实验条件固定时,样品产生的待测元素相基态原子对作为锐线光源的该元素的空心阴极灯所辐射的单色光产生吸收,其吸光度(A)与样品中该元素的浓度(C)成正比。即 $A = KC$ (K 为常数)。据此,通过测量标准溶液及未知溶液的吸光度,又已知标准溶液浓度,可作标准曲线,求得未知液中待测元素浓度。原子吸收光谱分析法是利用被测元素的激态原子有吸收特定辐射波长的能力,而吸收值大小与该原子的浓度存在一定的关系,即朗伯－比尔定律,从而构成了对被测元素进行定性和定量的分析方法。这种方法具有操作简单、灵敏度高、受干扰少、分析速度快等优点。该方法灵敏度比化学分析法高,可以分析低浓度的成分,能够尽早发现腐蚀情况。在测定时,若腐蚀产物溶解于介质中的金属离子的吸收波长相差不大,可能相互干扰,这时要根据实际情况添加一些掩蔽剂以掩蔽干扰离子,保证测定准确。该法主要适用样品中微量及痕量组分分析。

3. 傅里叶变换红外光谱(FT－IR)

FT－IR 属于一种常用的鉴定化合物和测定分子结构的方法。一般来说,结构不同的两个化合物不可能有相同的红外光谱。根据红外吸收带的波长位置及相应谱带的强度,可以鉴定未知物中的化学基团及组成结构;根据吸收谱带的强度也可以定量分析分子组成或化学基团的含量。缓蚀剂在金属表面的吸附分为化学吸附和物理吸附两种。如果为物理吸附,通过红外光谱可以直接根据特征波长和谱带强度判断缓蚀剂分子存在。若为化学吸附,缓蚀剂分子必会与金属表面形成某种键合,除出现新的吸附键的特征谱带外,还会对原来分子的振动频率造成影响,导致红外谱峰的位移和强度的变化。此外,红外光谱分析具有灵敏度高、用量少、分析速度快、不破坏样品的特点。所以红外光谱在腐蚀科学方面得到了广泛应用。

4. 接触角(CA)测试

接触角是材料表面润湿性能的重要参数之一。通过接触角的测量可以获得材料表面固－液、固－气界面相互作用的许多信息。因此,接触角的测量在材料防护、医药、半导体、化妆品、生命科学、油墨工业及其他领域都有重要应用。表面自由能及其极性色散力分量(非极性分量)是固体表面最基本的热力学性质之一。诸多表面现象以及与表面性质有关的各向异性、润湿性、黏结性、吸附性等效应均与之密切相关。

金属表面可以通过在固－液－气三相交点处作气液界面切线,此切线和固－液界面形成的夹角就是接触角。虽然普通的接触角测试不能反映浸润过程的接触角的变化,但可以直观地反映液体对固体的浸润程度。由于缓蚀剂分子在金属表面会形成吸附膜,通过其接触角的大小可以定性判断金属表面微观结构和缓蚀剂分子的吸附方式。Feng 等用双亲分子聚乙烯醇(PVA)制作了一个超疏水薄膜,其接触角达到 171.2°。他们认为这是由于模压初期 PVA 分子的重排引起疏水基(—CH_2)在气－固界面定向排列而形成的。Chen 等在铜表面自组装了多巴胺和烷基硫醇的复合膜,并用接触角测试验证了从低疏水性的多巴胺单层膜过渡到超疏水复合膜的变化。

目前国内外对材料表面接触角的测量技术已经相当成熟。复杂至大型的计算量大的精密测量软件,简单至基本代码写制的计算仪;价格高低不同的基本代码写制的测量软件,对各种先进的仪器测量得出的数据能够满足不同的接触角与表面能的测量和计算需求。

5. 表面增强拉曼散射(SERS)

表面增强拉曼散射(Surface Enhancement of Raman Scattering, SERS)。1974 年 M. Fleishmann 等测量到了电化学池中经过几次氧化还原反应的银表面吸附吡啶分子的拉曼散射线。1976 年 R. P. Vandyne 等证实了上述实验,并推算出银表面吸附的吡啶的喇曼散射截面比纯吡啶的大 100 万倍。

SERS 具有很高的灵敏度,能够检测到吸附在金属表面的单分子层和亚单分子层的分子,不受水分子的信号的干扰,又能给出表面分子的结构信息,被认为是一种很好的表面研究技术的应用。SERS 谱带的强度主要取决于吸附分子的覆盖度、空间取向及金属表面形态等因素。吸附分子的拉曼散射信号比普通拉曼光谱信号要强4~6个数量级,这样就可以以此来分析缓蚀剂的缓蚀性能。而且该方法以光子为探针,对研究体系无破坏性,易进行检测,被广泛应用于从分子水平上研究各种界面的结构和过程,如鉴别分子(离子)在表面的键合、构型、取向和材料的表面结构等。因此通过对SERS谱的分析,不仅可以评价缓蚀剂的缓蚀性能,还可以识别金属表面的缓蚀剂吸附物种及其吸附取向,区分化学吸附和物理吸附,确定缓蚀剂的作用基团,等等。

SERS可以弥补传统电化学方法的不足,可在分子水平上研究缓蚀剂的作用机理,是一种很有发展前途的缓蚀剂研究方法。SERS在缓蚀剂作用机理研究中的应用受到了国内外学者的广泛重视。我国近几年也开始有人重视并加以研究,但是能够应用于SERS的金属是比较少的,只有Au、Cu、Li等金属可直接获得缓蚀结果。在其表面产生SERS谱,而铁本身并没有SERS谱。因此铁缓蚀剂的SERS谱研究有一定的难度,直到近几年Mengoli运用超电势沉积技术在已粗化的银电极表面镀上薄层铁,得到铁上吡啶的SERS谱后,该项研究才有所突破。

目前,除电化学池系统外,还在超高真空金属表面,胶体中金属颗粒表面,以及用机械抛光造成粗糙的金属表面等实验中观察到增强拉曼散射效应,并指出除了物理的增强因素之外,还可能有化学增强的贡献。可见光的散射,以可见光的散射光为光源,水的拉曼散射作用非常弱,从而避免了水的谱带干扰,特别适合水溶液体系的研究。

6. 俄歇电子能谱(AES)法

俄歇电子能谱(Auger Electron Spectroscopy,AES)法,是一种表面科学和材料科学的分析技术,技术主要借由俄歇效应进行分析而命名。产生于受激发的原子的外层电子跳至低能阶所放出的能量被其他外层电子吸收而使后者逃脱离开原子,这一连串事件称为俄歇效应,而逃脱出来的电子称为俄歇电子。1953年,俄歇电子能谱逐渐开始被实际应用于鉴定样品表面的化学性质及组成的分析。其特点是俄歇电子来自浅层表面,仅带出表面的资讯,并且其能谱的能量位置固定,容易分析。入射电子束和物质作用,可以激发出原子的内层电子。外层电子向内层跃迁过程中所释放的能量,可能以X光的形式放出,即产生特征X射线,也可能又使核外另一电子激发成为自由电子,这种自由电子就是俄歇电子。对于一个原子来说,激发态原子在释放能量时只能进行一种发射,即特征X射线或俄歇电子。原子序数大的元素,特征X射线的发射概率较大;原子序数小的元素,俄歇电子发射的概率较大;当原子序数为33时,两种发射概率大致相等。因此,俄歇电子能谱适用于轻元素的分析,也是近代考察固体表面的强有力工具,广泛用于各种材料分析,以及催化、吸附、腐蚀、磨损等方面的研究。

AES是一种先进的表面微观分析方法,非常广泛地应用于表征阳极膜。特别是腐蚀领域的一些研究人员对此很感兴趣。AES法对表面微量元素有很高的灵敏度,对0.5~3 m的表层分析有代表性;对原子序数大于2的元素检测极限约为0.1%;配上离子鉴离技术,对样品可做三维分析。因此可用来分析缓蚀剂膜的组成、厚度、所含元素的相对含量及深度分布。但是AES的测试需要在真空条件下进行,因此无法得到适应于实际腐蚀状况的表面状态。

7. 椭圆偏振光谱法

当椭圆偏振光入射到固体表面发生反射后,由于反映位相差的参量Ψ、反映振幅比的参量Δ及其所表征的偏振状态随固体表面膜的厚度、性质发生相应变化,所以可以通过测定Ψ、Δ及其变化规律,为表面或界面上发生的有关物理或化学变化提供信息。

椭圆偏振光谱法测量的基本思路是:起偏器产生的线偏振光经取向一定的1/4波片后成为特殊的椭圆偏振光,把它投射到待测样品表面时,只要起偏器取适当的透光方向,被待测样品表面反射出来的将是线偏振光。根据偏振光在反射前后的偏振状态变化,包括振幅和相位的变化,便可以确定样品表面的许多光学特性。

近年来,椭圆偏振光谱开始应用于研究吸附与膜动力学参数之间的相互作用。一个典型的例子就是研究铁在金上的吸附。铁朊是一种球状蛋白质,直径约为10 nm,刚性较强,不易变形。分析其在金上的椭圆偏振光谱可知,铁在金上的吸附过程分为两个阶段:吸附初期,铁朊分子与基体结合力较弱;随后分子能量降低,这时分子牢固地吸附在金表面,同时金表面的电子密度变小。

1.5.4　表面分析方法

1. 原子力显微镜(AFM)

原子力显微镜(Atomic Force Microscope,AFM),是一种可用来研究包括绝缘体在内的固体材料表面结构的分析仪器。它是利用微悬臂感受和放大悬臂上尖细探针与受测样品原子之间的作用力,从而达到检测的目的,具有原子级的分辨率。由于原子力显微镜既可以观察导体,也可以观察非导体,从而弥补了扫描隧道显微镜的不足。原子力显微镜是由IBM公司苏黎世研究中心的格尔德·宾宁与斯坦福大学的Calvin Quate于1985年所发明的,其目的是为了使非导体也可以采用类似扫描探针显微镜(SPM)的观测方法。原子力显微镜(AFM)与扫描隧道显微镜(STM)最大的差别在于并非利用电子隧穿效应,而是检测原子之间的接触、原子键合、范德瓦耳斯力或卡西米尔效应等来呈现样品的表面特性。

在缓蚀剂研究中,原子力显微镜的一项基本功能是利用其原位形貌测量功能,提供腐蚀介质中的电极表面形貌,通过比较加入缓蚀剂前后试样表面腐蚀形貌的变化程度来评价缓蚀剂的缓蚀效果。此外,原子力显微镜在缓蚀剂尤其是在缓蚀机理的研究中具有非常大的应用价值。传统的电化学方法只能获得电极表面宏观的和平均的电化学特征,很难对电极表面存在差异的各微观区域的电化学行为进行了解。同时在移位条件下进行的各种测试,只能对电极表面或表面的缓蚀剂膜进行定性及半定量的表征,无法深入了解缓蚀剂在电极表面的物理化学变化、电化学作用机制及其对电极表面微观结构的影响。而利用原子力显微镜,可以从微观的角度来研究缓蚀剂的界面行为引起的金属表面的各种微观物理性质的变化,有助于认识加入缓蚀剂后金属表面吸附膜或化学转化膜的性质。

随着科学技术的发展,生命科学开始向定量科学方向发展。大部分实验的研究重点已经变成生物大分子,特别是核酸和蛋白质的结构及其相关功能的关系。因为 AFM 的工作范围很宽,可以在自然状态(空气或者液体)下对生物医学样品直接进行成像,分辨率也很高。因此,AFM 已经成为研究生物医学样品和生物大分子的重要工具之一。AFM 主要应用于三个方面:生物细胞的表面形态观测、生物大分子的结构及其他性质的观测研究、生物分子之间力谱曲线的观测。

同时可以利用其高空间分辨技术对缓蚀剂吸附膜的形貌结构、吸附的动力学历程进行认识,并将所获得的微观信息与其他测试技术相结合,对缓蚀剂宏观电化学行为与表面微观结构、物理特征之间的关联性进行探讨,能更深刻地揭示缓蚀剂成膜机理和缓蚀机理。然而,目前利用原子力显微镜对缓蚀剂在界面的吸附行为及缓蚀剂的缓蚀机理方面的研究非常少,对缓蚀剂缓蚀机理的研究难以深入,其在缓蚀剂领域未得到充分的发展和利用。

2. X 射线光电子能谱(XPS)法

光电子能谱(Photoelectron Spectroscopy)是利用光电效应的原理测量单色辐射从样品上打出来的光电子的动能(并由此测定其结合能)、光电子强度和这些电子的角分布,并应用这些信息来研究原子、分子、凝聚相,尤其是固体表面的电子结构的技术。对固体而言,光电子能谱是一项表面灵敏的技术。虽然入射光子能穿入固体的深部,但只有固体表面下 20 ~ 30 Å($1\text{Å} = 10^{-10}$ m)的一薄层中的光电子能逃逸出来(光子的非弹性散射平均自由程比电子的大10 ~ 1 000 倍),因此光电子反映的是固体表面的信息。

XPS 与 AES 一样,也是表面分析的一种有效手段。XPS 可以在表面不严重的损坏下给出该区的原子信息,用以研究表面上各元素的含量、表面形貌及表面精细结构,根据元素特征峰的位移可以得到有关氧化态的信息,其鉴定化学状态的能力比 AES 要强些。通过表面膜的分析,可以研究缓蚀剂的作用机理。XPS 对表层分析有代表性,对原子序数大于 1 的元素检测极限约为 0.1%。

钱倚剑等利用 XPS 对普通碳钢片上镀锡层在酸性钼酸盐溶液中的钝化行为进行研究结果表明,钼是以 +5 价态存在于钝化层中的,进一步揭示了钼酸盐的缓蚀机理。这一结果与文献报道的锡箔上转化层的分析结果一致。

3. 透射电子显微镜

透射电子显微镜(Transmission Electron Microscope,TEM),可以看到在光学显微镜下无法看清的小于 0.2 μm 的细微结构,这些结构称为亚显微结构或超微结构。要想看清这些结构,就必须选择波长更短的光源,以提高显微镜的分辨率。1932 年 Ruska 发明了以电子束为光源的透射电子显微镜,电子束的波长要比可见光和紫外光短得多,并且电子束的波长与发射电子束的电压平方根成反比,也就是说电压越高,波长越短。目前 TEM 的分辨率可达 0.2 nm。

透射电镜,是把经加速和聚集的电子束投射到非常薄的样品上,电子与样品中的原子碰撞而改变方向,从而产生立体角散射。散射角的大小与样品的密度、厚度相关,因此可以形成明暗不同的影像,影像经放大、聚焦后在成像器件(如荧光屏、胶片,以及感光耦合组件)上显示出来。

由于电子的德布罗意波长非常短,透射电子显微镜的分辨率比光学显微镜高很多,可以达到 0.1 ~ 0.2 nm,放大倍数为几万至百万倍。因此,透射电子显微镜可以用于观察样品的精细结构,甚至可以用于观察仅仅一列原子的结构,是光学显微镜所能够观察到的最小结构的数万分之一。TEM 在中和物理学和生物学相关的许多科学领域都是重要的分析方法,如癌症研究、病毒学、材料科学,以及纳米技术、半导体研究,等等。

在放大倍数较低时,TEM 成像的对比度主要是由于材料不同的厚度和成分造成对电子的吸收不同而造成的。而当放大率倍数较高时,复杂的波动作用会造成成像亮度的不同,因此需要专业知识来对所得到的像进行分析。通过使用 TEM 不同的模式,可以通过物质的化学特性、晶体方向、电子结构、样品造成的电子相移,以及通常的对电子吸收对样品成像。随着 TEM 的发展,相应的扫描透射电子显微镜技术被重新研究,而在 1970 年,芝加哥大学的阿尔伯特·克鲁发明了场发射枪,同时添加了高质量的物镜,从而发明了现代的扫描透射电子显微镜。这种设计可以通过环形暗场成像技术来对原子成像。克鲁和他的同事发明了冷场电子发射源,同时建造了一台能够对很薄的碳衬底之上的重原子进行观察的扫描透射电子显微镜。

4. 扫描电化学显微镜(SEM)

扫描电化学显微镜(Scanning Electrochemical Microscopy,SEM)是显微镜的一种。基于电化学原理工作,可测量微区内物质氧化或还原所给出的电化学电流。利用驱动非常小的电极(探针)在靠近样品处进行扫描,样品可以是导体、绝缘体或半导体,从而获得对应的微区电化学相关信息,目前可达到的最高分辨率约为几十纳米。

利用扫描电化学显微镜技术可与电化学表征技术相结合,目前主要应用于金属腐蚀方面的检测、计算,并且可以进行现场监控,检测出在金属基体表面腐蚀形貌的变化过程,同时也能直接提供电化学活性信息等。

作为一种相对来说比较先进的表征技术,扫描电化学显微镜技术目前主要应用于测定金属的局部腐蚀现象,然而这种研究方法由于数据分析比较复杂,关于这方面的文献相对来说比较少。

1.5.5 计算机模拟

计算机模拟方法兴起于20世纪60年代,主要包括量子化学计算和分子动力学模拟。研究范围大概包括分子的结构、性能及其结构与性能之间的关系、分子与分子之间的相互作用、分子与分子之间的相互碰撞和相互反应等问题。对于大多数的有机缓蚀剂而言,分子结构中一般都存在π电子或者π轨道,所以它们可以和金属轨道发生相互作用从而吸附到金属表面。Krishnamurthy等采用量子化学计算考察了三种新合成的三唑类席夫碱在0.5 mol盐酸中对低碳钢的缓蚀性能。Wazzan采用密度泛函理论运算得到三种物质对含氯介质中铜的腐蚀影响。通过计算得出了缓蚀效率与分子构造的关联,同时缓蚀剂的缓蚀效率都和量子化学参数相关。

分子动力学是一套以牛顿力学为法则的分子模拟方法。主要分为分子轨道法(MO法)和价键法(VB法)。分子动力学具有高度的精确性和使用性,在各种各样的学科中应用普遍。Lu等运用理论计算研究了20种质子化苯并咪唑衍生物的缓蚀行为。使用分子动力学模拟真实腐蚀体系中的键能,并采用QSAR模型探究缓蚀效率与分子结构之间的联系。Mehdi等采用密度泛函理论和分子动力学探究了三种胺衍生物对碳钢的缓蚀性能。计算所得结果与实验结果一致。分子动力学解释了三种衍生物与金属Fe(110)面的吸附能顺序;径向分布函数表明有些缓蚀剂与铁中心原子成键。使用计算机进行模拟使实际的化学试验具备了理论可行性。

参考文献

[1] JAFARI Y , SHABANINOOSHABADI M , GHOREOSHI S M . Poly(2 - chloroaniline) electropolymerization coatings on aluminum alloy 3105 and evaluating their corrosion protection performance[J]. Transactions of the Indian Institute of Metals, 2014, 67(4): 511 - 520.

[2] ARPORNPONG N, LEWLOMPHAISAN J,CHAROENSAENG A, et al. Ethoxy carboxylate extended surfactant: surface charge of surfactant - modified alumina, adsolubilization and solubilization of phenylethanol and styrene [J]. Journal of Surfactants and Detergents, 2013, 16(3): 291 - 298.

[3] 肖纪美,曹楚南. 材料腐蚀学原理[M]. 北京:化学工业出版社,2002.

[4] 曾荣昌,韩恩厚. 材料的腐蚀与防护[M]. 北京:化学工业出版社,2006.

[5] 李润生. 金属腐蚀与防护[J]. 表面工程与再制造,2010,10(4):49 - 49.

[6] JOVANCICEVIC V, RAMACHANDRAN S. Inhibition of carbon dioxide corrosion of mild

steel by imidazolines and their precursors [J]. Corrosion, 1998, 55(5): 449 -455.

[7] RAMACHANDRAN S,TSAIB L, BLANCO M, et al. Self - assembled monolayer mechanism for corrosion inhibition of iron by imidazolines[J]. Lanmuir, 1996, 12(26): 6 419 -6 428.

[8] 连辉青, 刘瑞泉, 朱丽琴, 等. 噻唑衍生物在酸性介质中对 A3 钢的缓蚀性能[J]. 应用化学, 2006, 23(6): 676 -681.

[9] LI X L, YUE W, WANG S, et al. Preparation of tungsten film and Its tribological properties under boundary lubrication conditions [J]. China Petroleum Processing and Petrochemical Technology, 2014 (3):84 -91.

[10] LV X T,HARI - BALA,LI M G,et al. In situ synthesis of nanolamellas of hydrophobic magnesium hydroxide[J].Colloids and Surfaces A,2007,296(1 -3):97 -103.

[11] 纪娟,孙建军,黄菲,等.食品添加剂乙基麦芽酚的合成工艺研究[J].北京化工大学学报(自然科学版),2009,36(3):83 -86.

[12] ZHANG X Y, WANG F P, HE Y F, et al. Study of the inhibition mechanism of imidazoline amide on CO corrosion of Armco iron [J]. Corrosion Science, 2001, 43 (10): 1 417 -1 431.

[13] 郭卫.咪唑啉缓蚀剂的合成及其缓蚀性能的研究[D].乌鲁木齐:新疆大学, 2004.

[14] 邓杨.苯并三氮唑类衍生物的合成及其应用研究[D].长沙:中南大学,2010.

[15] PASSMAN F J,ROSSMOORE H W. Reassessing the health risks associated with employee exposure to metalworking fluid microbes[J].LubricationEngineering,2002,6:30 -38.

[16] 李桂燕. 烷基硫醇自组装膜腐蚀防护性能的电化学研究[D]. 济南:山东大学, 2006.

[17] SOLMAZ R, KARDAS G, YAZLCI B , et al. Adsorption and corrosion inhibitive properties of 2 - amino - 5 - mereapto - 1, 3, 4 - thiadiazole on mild steel in hydrochloric acid media[J]. Colloids and Surfaces A: Physicochemical and Engineering Aspects, 2008, 312(1):7 -17.

[18] 徐慧, 王新颖, 刘小育. 聚苯胺/聚吡咯复合薄膜的制备及其抗腐蚀性能研究[J]. 腐蚀科学与防护技术, 2012, 24(2): 127 -131.

[19] 刘智勇, 贾静焕, 杜翠薇, 等. X80 和 X52 钢在模拟海水环境中的腐蚀行为与规律[J].中国腐蚀与防护学报, 2014, 34(4): 327 -332.

[20] 苏丹丹, 杨晓, 贾庆明. 聚苯胺膜对 X70 钢防腐性能的研究[J].化学工业与工程, 2010, 27(3): 233 -236.

[21] 张大全. 绿色化学及其技术在缓蚀剂研究开发中的应用[J]. 材料保护,2002,35(1):29 - 30.

[22] 曹楚南. 腐蚀电化学原理[M]. 北京: 化学工业出版社, 2004.

[23] 孙秋霞. 材料腐蚀与防护[M]. 北京：冶金工业出版社，2001.
[24] 邵亮，李强德，冯洁. 丙烯酸酯共聚物/聚苯胺复合膜的制备及性能研究[J].陕西科技大学学报，2013，31(4)：46-52.
[25] 薛守庆. 聚吡咯/聚苯胺复合型导电聚合物防腐蚀性能[J]. 应用化学，2013，30(2):203-207.
[26] 曾宪光，龚敏，罗宏. 环境友好缓蚀剂的研究现状和展望[J]. 腐蚀与防护， 2007，28(3)：147-150.
[27] 陈晓隆.绿色化学化工的现状与发展研究[J]. 黑龙江科学，2014，5(3)：282.
[28] 张锁江，张香平，李春山. 绿色过程系统合成与设计的研究与展望[J].过程工程学报,2005,5(5):580-590.
[29] ANASTAS P T, WARNER J C. Green Chemistry: Theory and Practice[M]. New York: Oxford University Press, 1998.
[30] 高阳,陈洪龄. N-烷基苯并咪唑阳离子表面活性剂的合成及性能[J].日用化学工业,2007,37(6):360-363.
[31] 秦丽雁，宋诗哲，卢玉琢，等. 304Q235 钢晶间腐蚀过程中的电化学阻抗谱特征[J]. 中国腐蚀与防护学报，2007，27(2)：74-80.
[32] 于福州,马德章,刘国瑞，等. 腐蚀与防护手册:腐蚀理论试验及监测[M]. 北京:化学工业出版社,1989.
[33] 顾溶祥，林天烽，钱祥荣. 现代物理研究方法及其在腐蚀科学中的应用[M]. 北京：化学工业出版社,1990.

第2章 铁基材料缓蚀剂

2.1 酸性介质缓蚀剂

现如今,实际应用中最为广泛的金属材料当属铁基材料,酸性腐蚀介质涉及硫酸、盐酸、硝酸、氢氟酸、甲酸、柠檬酸、氨基酸等多种类型的酸类物质,相关的缓蚀研究也数不胜数。

我国典型的酸性介质缓蚀剂产品主要包括7701缓蚀剂、8401-3土酸酸性介质用低点蚀缓蚀剂、7801高温浓盐酸缓蚀剂、8703-A高温土酸酸性介质用低点蚀缓蚀剂、CT1-2油井酸性介质用缓蚀剂、IMC-80-5酸性介质用缓蚀剂、CT1-5、SD1-3油井酸性介质用缓蚀剂、高温酸性介质用缓蚀增效剂、CT1-8酸性介质用缓蚀剂、SH-2酸性介质用缓蚀剂、8601-G高温浓盐酸酸性介质用缓蚀剂,以及近年来开发的大量咪唑啉类缓蚀剂等。

2.1.1 酸洗缓蚀剂

现在市面上,铁基材料被广泛使用,锈蚀、污垢的成分及产生原因都存在着较大的差别,一般铁基材料酸洗除锈过程中,要使用大量的酸液,为了使清洗效果达到最佳,应选择合适的缓蚀剂,以满足材质、金属表面处理、除垢对酸液的要求。

铁基材料酸洗使用最多的酸液是硫酸。主要是由于硫酸密度大,在相同质量时硫酸的所用体积较小,还有较低的运输成本。和硫酸相比,盐酸和氧化物反应的速度快,且对于金属发生氢脆的敏感性较小,若是酸洗过程需要连续进行,常会选择盐酸作为酸洗的主要试剂。但是盐酸具有较大的挥发性,所以经常会导致高浓度的盐酸蒸汽弥漫生产车间,从而导致工作环境较差。具有挥发性的酸液还有氢氟酸和硝酸,并且挥发出的物质也具有较大的毒性和腐蚀性,但是由于硝酸和氢氟酸在锅炉垢的清洗方面具有独特的清洗功效,市场上对于氢氟酸和硝酸在锅炉清洗方面仍然保有较大的需求量。

上述的酸类物质中含有大量 H^+,使得铁基材料受腐蚀较严重。若要使铁变为溶解性的离子,要求酸液中的电位达到 -0.447 V(标准平衡电位),所以在酸液中铁变成溶解性离子的情况很容易发生。氢氟酸、硫酸、盐酸等对铁基材料所产生的腐蚀作用基本都属于此类型,而硝酸对铁基材料的腐蚀作用,除了 H^+ 的溶解作用外,还包括强氧化性高价氮元素的作用。

针对以上要求,我国已有数家单位和科研机构对铁基酸性缓蚀剂做了大量的研究工作,并对其中几种缓蚀剂的多项性能进行了相关报道。研究表明,在硫酸酸洗液中对铁基材料缓蚀作用优良的铁基缓蚀剂可分为含硫类缓蚀剂和含氮类缓蚀剂两类。目前市面上的缓蚀剂大都属于这两类,或是通过复配的方法衍生出的新品种。相关文献还证实:分子结构中含有 N、S 同时作用的缓蚀效果要优于 N、S 单独存在的缓蚀效果。

铁基材料和含铁化合物,在盐酸中的溶解能力要比在硫酸中强,在解决了盐酸大量挥发的问题后,盐酸酸洗渐渐替代了硫酸酸洗。在 20 世纪 70 年代至 90 年代,国内对于盐酸酸洗缓蚀剂的研究速度快得惊人,先后有 200 多种产品问世,包括水生植物提取液、咪唑啉衍生物、吡啶、醛等类型,其缓蚀效果相当显著,某些品种甚至达到了世界先进水平,在各大清洗工业中发挥了十分重要的作用。

对于工业中常出现的难溶污垢,如硅垢、锅炉垢等,需要利用氢氟酸、硝酸作为清洗剂。但是值得注意的是,硝酸具有一定的强氧化性,会破坏和分解一般的有机缓蚀剂,并且产生的分解物还会使设备在某些情况下加剧腐蚀,所以在保证稳定性较好的前提下,才可以使用硝酸酸洗缓蚀剂,避免硝酸分解。迄今为止,一些硝酸酸洗缓蚀剂已被生产出来,其品种主要有 BH－2、LN－500、兰－826 系列等,这些缓蚀剂在工业酸洗中均发挥了较好的作用。由于氢氟酸在酸洗应用中存在价格高、毒性大的缺点,所以其缓蚀剂必须满足抑雾能力强、缓蚀性能强的特性。目前,国内也推出了一些氢氟酸酸洗缓蚀剂,其品种主要有 SH－416、TPRI－Ⅲ、IMC－5 等。

氨基酸、柠檬酸、甲酸等有机酸常被应用于锅炉系统的清洗,可以十分有效地除去闭塞区腐蚀产生的垢物和避免晶间腐蚀的发生,从而有效避免事故的发生,确保人身和设备的安全。其中柠檬酸的使用最为普遍,所以针对柠檬酸也开发了许多品种的酸洗缓蚀剂,如仿依毕特－30A、仿若丁－31A、SH－05、ST82－1、SH－405、兰－888 等。以上所述有关铁基材料的酸洗缓蚀剂大部分都属于含 N、S、O、P 等的有机化合物,主要包括硫脲类、胺类、醛酮类,缓蚀机理属于吸附型缓蚀。

1. 酸性介质无机缓蚀剂

酸性介质无机缓蚀剂主要是利用无机盐中的阴离子与铁基体反应来达到保护基体、减缓腐蚀的目的。常见的无机盐类型的酸性介质缓蚀剂有如下几种:钼酸盐、亚硝酸盐、硝酸盐、钨酸盐、铬酸盐等。其中钼酸根、亚硝酸根、钨酸根等是抑制金属腐蚀效果良好的环境友好型缓蚀剂,但单独使用时抑制点蚀效果并不是非常好,因此很多学者考虑到将有机缓蚀剂和无机缓蚀剂共同添加入腐蚀溶液中,研究是否可以到达协同作用,以期得到既经济缓蚀效率又高的缓蚀剂。

王永垒等以硫氰酸钾为缓蚀剂,利用静态腐蚀失重法、Tafel 极化曲线、电化学阻抗等手段分别研究了其对铸铁在质量分数为 10.0% 的盐酸溶液、质量分数为 10.0% 的硫酸溶液、质量分数为10.0%的硝酸溶液中的缓蚀性能和缓蚀行为,采用光学显微镜观察腐蚀形貌。结果表明,硫氰酸钾能够在铸铁表面形成良好的缓蚀保护膜,可以明显地降低铸铁在3种酸溶液中的腐蚀,可抑制阴极和阳极反应过程,在3种酸溶液中对铸铁的缓蚀率均可达到90%以上。

白玮等用失重法和动电位极化曲线法研究了在0.2 mol/L HCl介质中,钼酸钠(Na_2MoO_4)、钨酸钠(Na_2WO_4)对冷轧钢片的吸附及其缓蚀作用。实验结果表明,在酸性溶液中,钼酸盐、钨酸盐均对冷轧钢片具有较好的缓蚀作用,而且用量很低。缓蚀剂在钢表面的吸附符合Langmuir吸附方程。在相同条件下,对比了钼酸钠、钨酸钠对冷轧钢的缓蚀作用,发现缓蚀率取决于缓蚀剂的质量浓度,当缓蚀剂浓度极低时缓蚀率排序为:钼酸钠<钨酸钠,但在较大缓蚀剂质量浓度范围内钼酸钠表现出优越的缓蚀性能。动电位极化曲线表明,钼酸盐、钨酸盐在HCl中为混合抑制型缓蚀剂。

本书笔者在水蒸气气氛下,制备出表面富含羟基的纳米TiO_2颗粒,在室温和氧化剂三氯化铁存在的条件下,通过化学固相氧化法,在不锈钢表面制备出聚噻吩/聚吡咯/TiO_2(PTH/PPy/TiO_2)薄膜。采用X射线衍射、扫描电子显微镜、傅里叶变换红外光谱、热重分析、电化学阻抗等技术手段对产物的微观形貌、热稳定性和耐腐蚀性能进行了研究,并讨论了不同纳米TiO_2含量对复合材料的结构和性能的影响。结果表明,在复合膜使用温度为20~300 ℃的条件下,PTH/PPy/6% TiO_2(质量分数)膜热分解温度为450 ℃,能够满足其使用要求。用PTH/PPy/TiO_2膜保护的不锈钢比裸露的不锈钢的自腐蚀电位高出0.8 V以上,而腐蚀电流密度降低了2个数量级。TiO_2的添加明显提高了PTH/PPy材料的抑制腐蚀的能力,并且由于TiO_2的加入能够使聚合物与无机纳米粒子之间紧密地结合在一起,减少膜的缺陷,增大复合材料与金属基体的力学性能,使得膜结构更加的致密,从而减缓了不锈钢的腐蚀。

1984年Goldie等最早报道了稀土金属无机盐用作低碳钢的缓蚀剂,发现在质量分数为3.5%的氯化钠溶液中添加0.001 mol的$Ce(NO_3)_3$和$La(NO_3)_3$对碳钢的缓蚀效率可达91%和82%。用失重法测定了AS1012低碳钢在含稀土金属盐的自来水中的腐蚀速度。发现在浸泡过程中钢表面逐渐形成了蓝色或黄色的稀土金属膜,有效抑制了腐蚀的发生。朱艳华等采用失重法和电化学法研究了盐酸介质中Na_2MoO_4、$Ce(NO_3)_3$以及$Na_2MoO_4-Ce(NO_3)_3$复合缓蚀剂对X80管线钢的缓蚀作用,证明了实现缓蚀反应的可能性和现实性,同时表明$Na_2MoO_4-Ce(NO_3)_3$复合缓蚀剂的存在使钢试样表面形成了一层更有序、致密的薄膜,因此增大了钢试样发生溶解反应的表观活化能,降低了腐蚀速度。通过对比实验发现,Na_2MoO_4和$Ce(NO_3)_3$对X80管线钢产生了明显的协同缓蚀作用,且缓蚀效率及其相关参数受到温度变化的明显影响。

2. 酸性介质有机缓蚀剂

自20世纪90年代以来,酸性介质有机缓蚀剂的研制、开发和应用备受国内外研究者的关注,并在生产的各个领域得到了极大的发展,其中较为成熟的铁基酸性介质有机缓蚀剂主要有吡啶及其衍生物、咪唑啉及其衍生物、硫脲及其衍生物、羰基化合物、松香衍生物和Schiff碱化合物等类型。单一缓蚀剂的效果可能不是很好,如果将这类缓蚀剂进行复配效果会更好。如脂肪族胺类与醛的缩和产物是碳钢在盐酸中的一种优良缓蚀剂。

(1)吡啶及其衍生物

吡啶及其衍生物主要有2－乙烯基吡啶、2－乙酰吡啶、2－氨基－4－甲基吡啶、2－氨基－3－甲基吡啶、2－氨基－5－甲基吡啶、2－氨基－6－甲基吡啶、3－氨基吡啶、2－氨基吡啶、4－氨基吡啶、3－氰基吡啶、2－氯吡啶、4－氰基吡啶、2,6－二氨基吡啶、2,6－二氯吡啶、2,6－二甲基哌啶、4－二甲氨基吡啶、2－乙醇哌啶、2－乙基吡啶、4－乙基吡啶、4－吡啶羧酸、2－(2－甲氧基)吡啶、2,6－二甲基吡啶、4－(4－甲基哌啶)吡啶、3－吡啶羧酸(烟酸)等,如图2－1和图2－2所示。

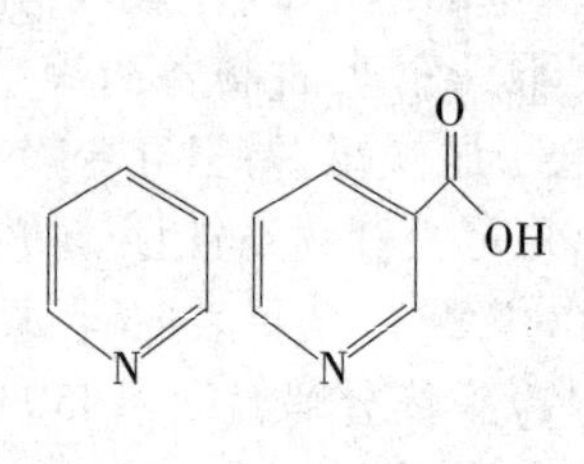

图2－1　吡啶烟酸

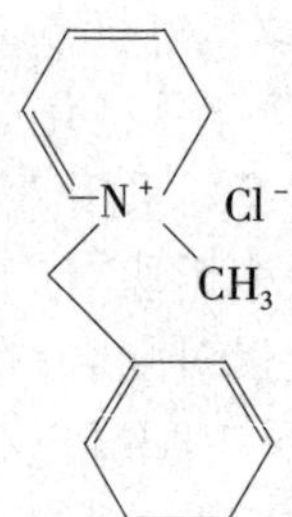

图2－2　吡啶季铵盐

李霁阳等合成了新型吡啶季铵盐阳离子缓蚀剂,研究并讨论了其在炼油装置塔顶空冷器、水冷器的腐蚀介质(质量分数为1‰的HCl溶液－质量分数为0.5‰的H_2S溶液)对Q235钢的缓蚀性能及其与中和有机胺、表面活性剂的配伍性。研究表明,该吡啶季铵盐对Q235钢均表现出较传统咪唑啉季铵盐好的缓蚀性能,该吡啶季铵盐添加量为万分之二时缓蚀效率可达90%以上,对Q235钢腐蚀表现出明显的抑制作用。苄基吡啶季铵盐与甲醛混合使用、苄基吡啶季铵盐与六次甲基四胺并用,在高温下的缓蚀效果都非常好。何忠凌等采用密度泛函理论和分子动力学模拟相结合的方法,从理论上探讨了实验室自制的两种缓蚀剂(代号P－8和PEQ－8)对碳钢腐蚀的抑制性能,探讨了P－8和PEQ－8对碳钢的缓蚀机理。量子化学参数计算表明,P－8在腐蚀抑制过程具有较强的反应活性。分子动力学模拟说明两种缓蚀剂均能与铁表面相互作用,且P－8在金属表面吸附的能力比PEQ－8更强。理论分析结果显示P－8对碳钢的缓蚀性能比PEQ－8更强。

(2)咪唑啉及其衍生物

咪唑啉类缓蚀剂对碳钢等金属在盐酸介质中有优良的缓蚀效果,这类缓蚀剂无特殊的刺激性气味、热稳定性好、毒性低,如图2－3所示。

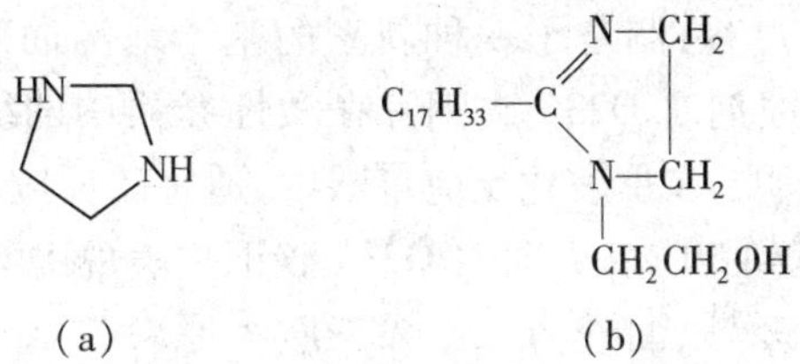

(a)　　　　　　(b)

图 2-3　咪唑啉及其衍生物

(a)咪唑啉;(b)羟乙基咪唑啉

咪唑啉在较大程度上抑制了腐蚀的阳极溶解过程,同时还抑制了阴极去极化过程,属于阳极为主的缓蚀剂。因此,自腐蚀电位(E_{corr})上移。从极化曲线看,添加缓蚀剂以后,极化曲线显示的是典型的活性溶解反应。与空白试验相比,在线性极化区之后,塔菲尔斜率下降并出现一个"平台",这种现象是由缓蚀剂的脱附引起的,称之为"脱附区"。从以上特征可以看出,咪唑啉是一种典型的吸附型缓蚀剂,它对阳极反应的抑制作用尤为明显,而且由于 ΔE_{corr} 有明显的上升趋势,咪唑啉的缓蚀作用是"负催化效应"所致。从极化曲线可以看出,由于缓蚀剂的吸附与脱附过程是一种动态平衡,是"非定位吸附",即使覆盖度 $\theta<1$,也不会形成局部腐蚀。所以,使用咪唑啉缓蚀剂是安全的,即使局部浓度不均匀分布,也不会引起点蚀。郭文姝等以油酸和二乙烯三胺经酰胺化、环化反应合成缓蚀剂 IMOD,IMOD 又经曼尼希反应生成 IMODM。通过动态失重法、极化曲线法、交流阻抗法及 SEM-EDS 对这两种缓蚀剂在质量分数为36%的 HCl 腐蚀介质中对10#碳钢的缓蚀行为进行测试。结果发现:两种缓蚀剂在60℃,质量分数为36%的 HCl 腐蚀介质中,当用量为3 g/L 时,缓蚀效率均为90%以上,IMOD 缓蚀效果更佳。两者均属于阳极型缓蚀剂,并且遵循 Langmiur 吸附等温式。吸附自由能结果表明:这两种缓蚀剂存在物理、化学两种吸附方式。

季铵盐咪唑啉缓蚀剂的缓蚀效果较好是多种因素协同作用的结果:

(1)当金属与酸性介质接触时,该缓蚀剂可以在金属表面形成单分子膜。

(2)由于该缓蚀剂中咪唑啉的 N 原子经季铵化后成为阳离子大分子,很容易被表面带负电荷的金属表面活性点吸附,对氢离子放电有很大的抑制作用,从而有效地抑制了阴极反应。

(3)季铵盐大分子有很大的覆盖作用。极化曲线可证实,该缓蚀剂显著地抑制了腐蚀的阴极过程,对阳极过程影响有限,属于以阴极控制为主的复合控制型缓蚀剂,这一点也可从季铵化咪唑啉阳离子大分子的结构特点分析得出。由于其分子结构中有3个苯环,所以该季铵盐带正电荷端以静电作用易吸附在金属表面有过剩电子的局部活性区域,从而提高 H^+ 的过电位,抑制其放电作用,同时3个苯环的空间有很强的隔离作用,使 H^+ 不易接近金属表面。

赵阳等以地沟油为基础原料制备了地沟油脂肪酸,经过与羟乙基乙二胺分子间脱水、分子内脱水、季铵化等反应过程,制备了一种新型的基于地沟油的咪唑啉季铵盐。利用挂片法分别测试产物作为缓蚀剂对 Q235 碳钢片在酸性介质中的缓蚀效率和腐蚀速度的影响,获得缓蚀效果。结果表明:在季铵化反应步骤中,适宜的反应时间为 5 h,经重结晶后收率为 82.5%;产物使用量达到 50 mg/L 时对 Q235 碳钢片表现出明显的缓蚀抑制效果,缓蚀效率达到 91% 以上。张光华等以油酸与二乙烯三胺为原料、二甲苯为携水剂,制备了油酸咪唑啉(OAC),再与 OAC 反应,合成了一种新型双子咪唑啉季铵盐缓蚀剂(EOAC)。并用静态腐蚀法考察了 EOAC 和 OAC 在不同浓度 HCl 溶液中对 Q235 钢的缓蚀效率,用接触角测定仪测定了分别含有 EOAC 和 OAC 的水与 Q235 钢的接触角。结果表明:低酸度环境中 EOAC 较 OAC 缓蚀性能有所提高,浸润性更好,能更快在钢铁表面铺展成膜。

(3)硫脲及其衍生物

硫脲衍生物主要是 N 原子上取代的衍生物,如甲基硫脲、二甲基硫脲、四甲基硫脲、乙基硫脲、二乙基硫脲、正丙基硫脲、二异丙基硫脲、烯丙基硫脲、苯基硫脲、甲苯基硫脲和氯苯基硫脲等。另外还有 C 原子上的取代衍生物,如硫代乙酰胺等。硫脲主要用作金属酸洗缓蚀剂,早在 20 世纪 20 年代初,一些国家就公布了硫脲及其衍生物作为金属酸洗缓蚀剂的专利。20 世纪 40 年代初,硫脲已普遍用作酸洗缓蚀剂。硫脲系缓蚀剂在油田方面的应用也有过报道。近年来的研究资料表明,硫脲不仅用作复合型酸洗缓蚀剂的主要成分,甚至可以用作盐水介质中钢铁缓蚀剂的主要成分,如图 2-4 所示。

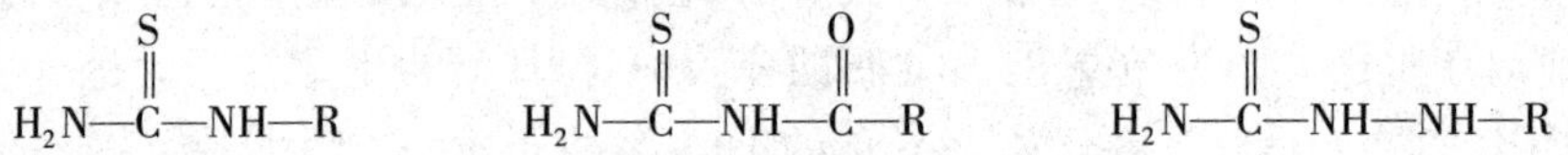

$$\mathrm{H_2N{-}C({=}S){-}NH{-}R}$$
(a)

$$\mathrm{H_2N{-}C({=}S){-}NH{-}C({=}O){-}R}$$
(b)

$$\mathrm{H_2N{-}C({=}S){-}NH{-}NH{-}R}$$
(c)

图 2-4　硫脲及其衍生物

(a)硫脲;(b)酰基硫脲;(c)氨基硫脲

在硫脲的衍生物中,若取代基不同,衍生物的缓蚀效率也大不相同。对于 N 原子上的取代衍生物,随着摩尔质量的增加,缓蚀效率也增大;当摩尔质量相同时、结构不同时,其缓蚀效率也不同。如在质量分数为 20% 的 HNO_3 溶液中,对 Ni 的缓蚀效率由小到大的顺序是:邻氯苯基硫脲 < 间氯苯基硫脲。

刘鹤鸣合成了月桂酰基硫脲缓蚀剂,并通过传统的静态失重法结合现代的电化学测试方法初步考察了其抗 CO_2 腐蚀的缓蚀性能。结果表明,该缓蚀剂在 CO_2 腐蚀介质中,当投加量为 0.10 g/L 时,缓蚀剂的缓蚀效率达 91.49%。通过极化曲线分析可知,该缓蚀剂是一种以抑制阳极过程为主的阳极型缓蚀剂。不论是在 HCl 还是 H_2SO_4 介质中,当浓度极稀时,硫脲及其衍生物均会加速金属的腐蚀,而在中等浓度时却起着缓蚀作用,随着浓度的升高,缓蚀效率反而下降。

(4)羰基化合物

作为缓蚀剂的羰基化合物主要包括有机酸、醛、酮、酯等。研究发现,糠醛、戊基 1,2 - 双(二甲基胺) - 丙酮及杂环酮胺都是铁在酸中的优良缓蚀剂。

肉桂醛(CA)(图 2 - 5)是近年来发展起来的一种新型高温低毒缓蚀剂,低浓度时 CA 主要通过化学吸附而阻滞阴阳极过程,随着 CA 浓度的增加,吸附覆盖度逐渐增大,对析氢反应的抑制作用增强。CA 浓度继续增加时,CA 在电极表面还原而发生缩聚反应,可以形成低分子聚合物,随着时间的延长,缩聚反应继续进行,可以形成更致密、保护性更强的聚合物膜。陈思宝利用失重法研究了在不同浓度的氨基磺酸介质中不同浓度、不同温度的肉桂醛对不锈钢的缓蚀和吸附作用。实验结果表明,在 5% 的氨基磺酸介质中肉桂醛对不锈钢有良好的缓蚀作用,在低浓度时随肉桂醛浓度增大缓蚀作用加强,但是当其含量达到一定后,缓蚀作用基本保持不变。肉桂醛在不锈钢表面的吸附规律服从 Langmuir 吸附等温式。

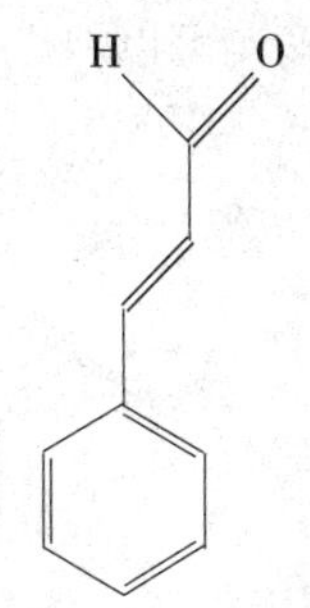

图 2 - 5　肉桂醛

为进一步研究肉桂醛缩甲胺席夫碱在氨基磺酸介质中对碳钢的腐蚀机理,曾永昌等利用极化曲线、原子力显微镜、X 射线光电子能谱仪和量子化学计算,研究了质量分数为 5% 的氨基磺酸介质中肉桂醛缩甲胺席夫碱在 Q235 钢表面的缓蚀吸附行为。结果表明,在 70 ℃、质量分数为 5% 的氨基磺酸介质中,肉桂醛缩甲胺在 Q235 钢表面的吸附行为符合 Langmuir 吸附等温式,是一种混合型缓蚀剂,且该缓蚀剂在 Q235 钢表面的吸附存在不均匀性; Q235 钢在氨基磺酸溶液中的腐蚀产物主要为 $FeSO_4$、FeS,缓蚀剂的吸附抑制了 FeS 的生成。

(5)松香衍生物

松香是一种天然植物树脂,其中主要为质量分数约为 88% 的三环二萜类松香树脂酸、质量分数为 4% 的脂肪酸及部分中性物质,如图 2 - 6 所示。天然松香的应用性能较差,通过氢化、歧化、聚合和加成等方法改性后,应用十分广泛。改性后的松香产品在盐酸清洗中具有缓蚀作用的种类很多,像松香胺醚(RA)、脱氢松香基季铵盐、炔丙基松香季铵盐、松香胺酮缩合物、脱氢松香基咪唑啉等,它们在酸性介质中对碳钢有优异的缓蚀性能。于洪江等以松香、二乙烯三胺、三乙烯四胺、四乙烯五胺、羟乙基乙二胺等为原料,合成了具有不同结构和官能团的咪唑啉化合物,并进一步季铵化得到其衍生物。采用失重法评价了合成的系列松香衍生物在 CO_2、H_2S、HCl、混合盐水等四种不同腐蚀介质中对 N－80、A3 钢的缓蚀性能。结果表明,合成产物对不同的钢均具有良好的缓蚀性能,而且在不同的腐蚀介质中不同产物对不同钢的缓蚀效果不同。在盐酸及含饱和 H_2S 的盐溶液中,季铵盐类的缓蚀性能最好,咪唑啉类次之,酰胺类最差;而在混合盐水及含饱和 CO_2 的 NaCl 溶液中,咪唑啉类的缓蚀性能最好且缓蚀性能随着原料胺分子量的增大而降低。郭睿等以松香、二乙烯三胺、3－氯－2－羟基丙烷磺酸钠和硫脲为原料,经酰胺化、季铵化和脱氨缩合 3 步反应合成了硫脲基松香咪唑啉季铵盐,并用红外和核磁对其结构进行了表征。采用失重法、动电位极化曲线、交流阻抗以及接触角测试分析了目标产物在质量分数为 15% 的盐酸溶液中对 A3 碳钢的缓蚀性能。结果表明,目标产物的缓蚀效率随其质量分数的增大先增大后减小,当目标产物质量分数增至占盐酸质量的 0.4% 时,缓蚀效率最高达到 90.78%,该物质是一种阴极控制为主的混合型缓蚀剂,目标产物确实可以在碳钢表面形成缓蚀剂吸附膜。

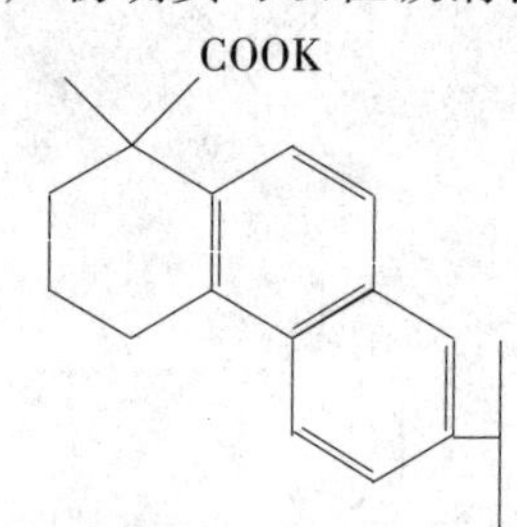

图 2－6　松香酸

(6)Schiff 碱化合物(图 2－7)

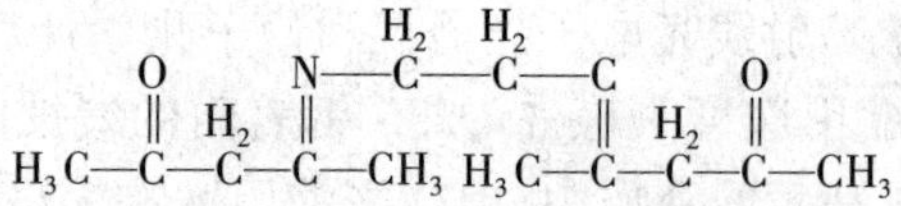

```
              H2   H2
    O      N——C——C——C       O
    ‖  H2  ‖           ‖  H2  ‖
H3C—C—C—C—CH3  H3C—C—C—C—CH3
```

图 2－7　Schiff 类化合物

含有羟基的 Schiff 碱经硫醇改进后的自组装膜,在 NaCl 溶液中对金属的防腐蚀性能明显加强,含有羧基的 Schiff 碱在 HCl 环境下同样对铜具有防腐蚀作用,该类缓蚀剂化合物通过分子中的氧原子与金属表面的原子结合形成自组装膜,对金属起到良好的缓蚀性能。由于缓蚀剂分子中活性 O 原子的个数较少,缓蚀剂与金属表面的配位点较少,形成的自组装膜不够完美。

本书笔者以乙二胺和乙酰丙酮为原料,在盐酸催化下合成了新的 Schiff 碱化合物,其收率为 73.2%。采用红外光谱和核磁共振谱对化合物的结构进行了表征。并将其自组装在不锈钢基体表面,利用极化曲线、电化学阻抗谱和自腐蚀电位－时间曲线进行电化学分析。

结果表明,在 1 mol /L HCl 中,不锈钢表面自组装分子膜能快速、有效地抑制异相电子的转移,促进不锈钢表面发生钝化,减少了不锈钢基体的腐蚀。总结了 Schiff 碱自组装分子膜对金属防护的效用和价值。

战风涛等以水合肼和肉桂醛为原料合成了一种新型 Schiff 碱酸化缓蚀剂(DCH),用红外光谱法、化学元素分析法和核磁共振法对其结构进行表征;通过静态失重法和电化学方法考察了其在质量分数为15%的 HCl 中对 N80 钢的缓蚀作用。结果表明,DCH 是一种混合型酸化缓蚀剂,可在 N80 钢表面形成保护膜,有效抑制酸液的腐蚀;当质量分数为0.75%的 DCH 加入时,N80 钢的腐蚀速率为 $2.27 g \cdot m^{-2} \cdot h^{-1}$,缓蚀效率高达99.81%;DCH 在 N80 钢表面的吸附规律符合 Langmuir 吸附等温式。

2.1.2　H_2S 环境缓蚀剂

CO_2/H_2S 腐蚀问题一直是石油工业腐蚀问题的研究热点。CO_2/H_2S 腐蚀引起的设备和管道腐蚀失效,造成了巨大的经济损失及严重的社会后果,所以开展抑制 CO_2/H_2S 腐蚀的研究具有深远的经济和社会效应。近年来,针对 CO_2/H_2S 腐蚀问题采用咪唑啉缓蚀剂处理的研究较多,其通过金属与酸性介质接触在其表面形成单分子吸附膜,以改变氢离子的氧化还原电位,以及络合溶液中的某些氧化剂,从而降低其电位,达到缓蚀的目的。

国外对于含 H_2S 环境缓蚀剂的研究起步较早,技术较为成熟。国内由于近些年加大了对含硫油气田的开发力度,防腐问题亟须解决,国内很多研究者对含硫环境的缓蚀剂做了很多工作。综合国内外研究情况,可能是由于受技术、价格等各方面因素的影响,大部分被研究的缓蚀剂种类不外乎咪唑啉衍生物类、曼尼希碱类和有机磷酸酯类等较为常规的缓蚀剂主体。

1. 咪唑啉衍生物缓蚀剂

可以说,咪唑啉衍生物类缓蚀剂是用于油气田缓蚀剂中研究最多的一种。很多研究者试着将其应用于含硫环境。郑家燊等在反应温度为190~230 ℃、酸胺比为1∶1.05、反应时间为3~5 h 的条件下合成了咪唑啉类缓蚀剂,可以有效抑制泥浆中 H_2S 腐蚀。在含有 $3\,200\ mg \cdot L^{-1}$ H_2S 的泥浆中,用量为2%时缓蚀效率能达到80%~90%,与碱式碳酸锌复配使用时能提高缓蚀效率,并发现缓蚀剂与 CaO 之间具有明显的协同效应。咪唑啉的主要作用机理是缓蚀剂分子与 HS^- 之间存在着竞争吸附,排挤走已经吸附在金属表面的 HS^-,使得 Fe(HS)-ads 形成受阻,而在金属表面吸附一层缓蚀剂分子膜,抑制腐蚀过程。

陈大钧等依据轨道能量理论,结合多齿配体与金属离子形成的五元或六元环螯合物很稳定的特性,将多个具有缓蚀作用的官能团或结构连接到一个分子上,设计了一种具有缓蚀作用的硫脲基咪唑啉分子。以油酸、多乙烯多胺、硫脲为原料,合成了橙黄色硫脲基咪唑啉,并用红外光谱进行了结构表征。以合成的硫脲基咪唑啉为缓蚀剂主剂,复配表面活性剂、吡啶、甲醛、丙炔醇等,得到防 H_2S 腐蚀的缓蚀剂 XL－1。缓蚀剂 XL－1 具有良好的缓蚀性能。胡松青等合成了一种新型咪唑啉化合物 1－(2－氨基－硫脲乙基)－2－十五烷基－咪唑啉(IM－S),并通过失重法、电化学方法及扫描电镜等研究了 IM－S 在 H_2S/CO_2 共存条件下对 Q235 钢的缓蚀性能,探讨了其在 Q235 钢表面的吸附行为。结果显示,IM－S 具有较好的抗 H_2S、CO_2 腐蚀能力,能同时抑制碳钢腐蚀的阴、阳极反应过程,最高缓蚀效率可达 92.74%。缓蚀剂在 Q235 钢表面呈单分子层吸附,属于以化学吸附为主的混合吸附。

2. 磷酸酯类缓蚀剂

磷酸酯类缓蚀剂以中国石油天然气集团公司管材研究所开发的 TG500 为代表,这类缓蚀剂通过电负性较大的磷原子发生吸附,它可以在高 Ca^{2+}、高 CO_3^{2-} 含量和高 H_2S 环境的介质中抑制结垢,进而防止金属基体的腐蚀。张森田等以正辛醇和 P_2S_5 原料合成了酸性硫代磷酸辛酯,利用电位滴定、FTIR、SEM 等方法测定了硫代磷酸辛酯中单酯和双酯的含量,考察了适宜的反应条件,研究了硫代磷酸辛酯的缓蚀性能。实验结果表明,硫代磷酸辛酯适宜的合成条件为:$n(C_8H_{17}OH):n(P_2S_5)=4:1$、反应时间 2.5 h、反应温度 130 ℃。在此条件下,硫代磷酸辛酯的收率为 93.3%。在酸值(KOH)为 10 mg/g 的白油/环烷酸中,当硫代磷酸辛酯的用量为 420 μg/g 时(基于体系质量),A3 钢片的腐蚀速率降至－0.02 mm/a,相应的缓蚀效率达 100% 以上。硫代磷酸辛酯在 A3 钢片表面形成一层致密的保护膜,抑制了环烷酸对 A3 钢片的腐蚀。但是,有机磷酸酯类缓蚀剂在油气田中用作缓蚀或阻垢处理剂时,容易造成水体的富营养化,影响生态环境。所以,有机磷酸酯类缓蚀剂受到了较严格的限制,在工业方面的应用越来越少。

2.2 油田系统用缓蚀剂

在油气田工业生产过程中,依照各缓蚀剂适合使用的工艺流程不同,可以将缓蚀剂分为五大类:钻井液用缓蚀剂、油井压裂酸性介质用缓蚀剂、油气井集输缓蚀剂、油田污水处理缓蚀剂、油田注水缓蚀剂。

2.2.1 钻井液用缓蚀剂

自从 1919 年人们认识到钻井液对钻具的腐蚀的严重性以后,便展开了钻井缓蚀剂的研究工作,美国承包商协会就此成立了专门机构,研究钻井用缓蚀剂。虽然造成钻具腐蚀的直接原因有氧气、硫化氢、二氧化碳、盐类和细菌等,但是以氧气的腐蚀最为普遍,所以氧腐蚀是钻井工程腐蚀与防护中首先要解决的问题。在最初阶段,主要依靠除氧剂除氧来减缓腐蚀。最早使用的除氧剂有 $FeCl_2$、$Fe(OH)_2$、铁粉、$SnCl_2$ 等。由于这些物质容易影响钻井液的流变性,因此未被推广。

砷是第一个有效的酸性介质用缓蚀剂,其性价比是最优的,但由于酸与金属反应生成的砷化氢气体毒性大,砷对炼厂催化剂的污染等原因及砷在酸中易使金属产生氢脆,使得砷类缓蚀剂逐步被有机化合物及有机和无机的混合物缓蚀剂所取代。20世纪60年代至70年代,我国油井较浅,一般为1 000~2 000 m,井下温度不高,油井酸性介质用缓蚀剂主要是根据苏联使用的一些油井酸性介质用缓蚀剂,如乌洛托品、甲醛、亚砷酸(砒霜)等化合物。后来经过室内复配实验,将两种以上缓蚀剂复配,如乌洛托品+OP、乌洛托品+碘化钾、丁炔二醇+OP、丁炔二醇+碘化钾、丁炔二醇+碘化钾+OP等,使用质量分数不超过15%的HCl溶液,一般质量分数为10%的HCl溶液,油井温度不超过80℃。

由于温度较低及酸浓度不高,用复合缓蚀剂配方可以使碳钢腐蚀速率控制在施工允许范围内,这期间的酸性介质用作业量并不多,酸性介质用缓蚀剂研究刚开始起步。20世纪70年代以后,我国石油工业迅速发展,一大批的两三千米甚至四五千米深的生产井投产,高浓度盐酸和大酸量的油井酸性介质用缓蚀剂能显著提高油气采收率,这对油井酸性介质用缓蚀剂的研究发展起了重要的推动作用。许多单位先后开展了油井酸性介质用缓蚀剂的研究工作,研究出以7461-102、CT1-2、7701、7801、T1-3、IMC、7812为代表的酸性介质用缓蚀剂;80年代中期至90年代初又研究出8601-G、CT1-8、8703-A、SDl-3、CFR、XA-139、IMC80-5等酸性介质用缓蚀剂。

1. 国外研究现状

1920年相关研究人员首次使用了Na_2SO_3缓蚀剂,在1944年使用了联氨类缓蚀剂,联氨被怀疑有致癌作用而未被广泛使用。Na_2SO_3使用方法简单,价格低廉,货源充分,已被广泛使用。但它加到水基体系后,会增加体系的矿化度。为了找到既能除氧,又不改变体系的矿化度的除氧剂,20世纪70年代以来,人们不断探索,目前共研制出以下十类除氧剂:二乙基羟胺、二乙基羟胺复配物、碳酰胺、对苯二酚、对苯二酚与多胺类复配物、氨基乙醇胺、氨基胍化合物、异抗血酸、聚合物类。应当指出,这些除氧剂由于制造复杂、货源不定、成本高等原因,应用很有限。现在,比较通用的办法是除氧剂和其他缓蚀剂复配使用。

E. D. James研究了钻井液中钻杆腐蚀的化学控制问题,通过使用除氧剂亚硫酸盐、成膜型有机胺类化合物、锌或铁化合物及磷酸盐、磷酸酯类化合物来防止氧、二氧化碳、硫化氢的腐蚀,效果较好。

Bellos等合成了多羟基烷氧基磷酸盐缓蚀剂,该缓蚀剂适用于氧含量较高的钻井体系,尤其适用于空气钻井体系。当缓蚀剂用量为2 500~3 000 $mg\cdot L^{-1}$,pH值为6.0~8.5时,不仅可以控制均匀腐蚀,而且对点蚀也有较好的缓蚀作用。

Dory发现在碱金属或碱土金属的卤化物配制的高密度钻井液中加入锌离子和硫氰酸根离子可起到一定的缓蚀作用。当硫氰酸根离子的质量分数为0.05%~1.5%时,有较好的缓蚀效果。Ahmad Dadgar 将硫氰酸钠、异抗坏血酸钠和硫基乙酸氨复配起来用于高密度无固相钻井液,效果显著。在由溴化锌和溴化钠配制的密度为 2.0g/cm^3 的高密度钻井液中,187 ℃下,硫氰酸钠、异抗坏血酸钠和硫基乙酸氨用量分别为 0.4%、0.8% 和 0.6% 时,缓蚀效率达到 95.18%。

Walker 等提出含磷的烷氧基的多元醇,虽然有很好的缓蚀性能,但是这些含磷缓蚀剂容易吸附在固体颗粒表面,改变钻井液的流动性和稳定性,如果在原有配方中加入钝化剂(亚硝酸盐或钼酸盐),则这些钝化剂既可以提高含磷缓蚀剂的缓蚀效率,又不影响钻井液的性能。当缓蚀剂用量达到 450 mg · L^{-1}时,其缓蚀效率达到 85%。

2. 国内研究现状

国内在 20 世纪 70 年代开始着手钻井液缓蚀剂的研制,由于多方面因素的影响,工作多停留在实验室研究阶段。为了改变这种状况,中国石油天然气总公司于 20 世纪 90 年代初规划了钻井液缓蚀剂的研制工作,并向各油田下达了钻井液缓蚀剂研制任务,目前已初见成效。以咪唑啉及其衍生物为主的缓蚀剂是钻井液缓蚀剂研究的重点。

张姣姣等通过失重法筛选出了含硅化合物、二乙烯三胺、三乙烯四胺 3 种缓蚀剂,进行正交实验得到了质量分数为 0.7% 的含硅化合物 + 质量分数为 0.7% 的二乙烯三胺 + 质量分数为 0.1% 的三乙烯四胺的最优复配结果,其在钾盐钻井液中缓蚀效率可以达到 90.36%。通过电化学实验对比了各成分与复配缓蚀剂的优异,结果发现极化曲线中复配缓蚀剂拥有相比空白校正的自腐蚀电位,其产生的腐蚀电流是最小的,说明复配的缓蚀剂比单种缓蚀剂有更好的缓蚀效果;滞后环实验中,发现二乙烯三胺和复配缓蚀剂溶液中,滞后环面积明显小于空白的,且 E_b 与 E_p 之差远远小于空白溶液的 E_b 与 E_p 之差,说明二乙烯三胺和复配缓蚀剂抑制点蚀的作用较好。通过失重法和电镜扫描的方法,分别从宏观、微观的角度发现,添加复配缓蚀剂的钢片表面没有明显的腐蚀痕迹,光亮且平整,说明缓蚀剂的缓蚀效果极佳。

曹殿珍等研制出了缓蚀剂 IMC - 1,IMC - 1 是烯炔醇基、氨基的季铵类化合物,其在 CO_2 饱和盐水体系中,85 ℃下,缓蚀剂浓度为 60.70 mg · L^{-1}时,缓蚀效率达到 80%。

郑家桑等采用动态滚轮试验、静态失重法、电化学方法及扫描电镜研究了碳钢在饱和盐水钻井液中的腐蚀行为。实验结果表明,氧是引起腐蚀的主要因素;添加除氧剂和吸附型缓蚀剂可减缓钻井液的腐蚀,且吸附型缓蚀剂对钢材在存放过程中的腐蚀起到较好的抑制作用。

候彬等研制出 WJF - 1 型缓蚀剂,是一种复合型缓蚀剂,由无机含氮类化合物、无机含硅类化合物、自制的含氮类有机化合物按照质量比 2:1:1 复配而成,主要以抑制阳极为主的混合型缓蚀剂。在室内模拟试验(温度 80 ℃,转速为 2 000 r · min^{-1},连续通氧)和现场试验,其缓蚀效率分别为 96% 和 90%,对聚合物钻井液有良好的缓蚀性能,而且在钻具停用阶段,也有良好的缓蚀效果。

赵福祥等研制的DPI－03型钻井液缓蚀剂,是咪唑啉衍生物与除氧剂、有机硫化物及有机磷类缓蚀剂等复配,在室内动态滚轮试验结果表明:温度为100 ℃和120 ℃,CO_2压力为1 MPa,缓蚀剂用量为1 500 mg·L^{-1}时缓蚀效率分别为90%和83%,且和钻井液的配伍性较好。

朱承飞等为了延长盐水钻井液中G105钢钻杆的使用寿命,通过电化学阻抗谱的测量分析,对在盐水钻井液中G105钢钻杆的钨酸盐系复合缓蚀剂进行了研究,并采用失重法通过室内动态模拟试验对所获配方进行了验证。结果表明,钨酸盐与有机胺A有较好的协同效应,复配而成的缓蚀剂具有较好的缓蚀效果;最佳配比为:钨酸盐:有机胺A＝1:1(质量比),复配缓蚀剂在最佳用量为0.12%(质量分数)时,缓蚀效率在85%以上。

万里平等通过静态挂片实验和自制的高温、高压装置腐蚀实验,用失重法研究了甲酸盐钻井液中NaCl含量、温度、钻井液pH值、钻井液流速、CO_2分压和H_2S含量对N80钢的腐蚀影响。实验结果表明,甲酸盐钻井液对N80钢的腐蚀速率起初随NaCl含量的增加而增大,当NaCl含量为4%～6%时,N80钢的腐蚀速率达到最大。腐蚀随温度、流速、CO_2分压和H_2S含量的增加而变大,钻井液pH值越低,腐蚀越强。实验中筛选出咪唑啉衍生物和多元醇磷酸酯化合物复配的缓蚀剂在加量为1～2 g/L时,缓蚀效率达90%以上,能较好地抑制钻井液对碳钢的腐蚀。

2.2.2 油水两相中缓蚀剂

油气集输管线中存在油水两相,刘小武等通过失重实验和比色法探究了缓蚀剂在油水两相中缓蚀性能的变化。结果显示:(1)缓蚀剂在油水两相中的分配比存在差异,缓蚀剂分散到油相当中会对水相中缓蚀剂的浓度产生影响;(2)当介质中有原油存在时,水相内的缓蚀剂吸附于金属表面的过程会受到影响,对不同的缓蚀剂的影响程度存在差异。张光华等测定了硫脲基烷基咪唑啉季铵盐缓蚀剂在油水两相中的分配系数,通过分配系数和有关假设,计算出硫脲基烷基咪唑啉季铵盐缓蚀剂在分配时的$\Delta G_{0\to w}$、$\Delta S_{0\to w}$和$\Delta H_{0\to w}$值,并考察了温度、盐浓度、油水比例、缓蚀剂浓度和时间对缓蚀剂在两相间传质的影响。结果表明,温度、油水比例和缓蚀剂浓度对油水两相间传质起正效应,而盐浓度对油水两相间传质起负效应。

张羚等通过苯甲酰氯与咪唑啉中间体反应,研制了一种苯甲酰胺－乙基－油酸咪唑啉缓蚀剂MZL－1。利用紫外分光光度计研究了缓蚀剂MZL－1在油水两相之间的分配系数,利用挂片法研究了油水共存条件下缓蚀剂MZL－1缓蚀效果的影响因素。结果表明,缓蚀剂MZL－1在油水两相中的分配系数随着温度和缓蚀剂浓度的增加而增大,分配系数随着盐浓度的增大而减小。实验温度、缓蚀剂和盐的浓度是影响缓蚀剂缓蚀效果的3个重要因素，在油水共存（体积比 1∶1）的环境中，当缓蚀剂 MZL－1 浓度为 50 mg/L 时，其对 N80 钢的缓蚀效率为 62.50%。

刘烈炜等采用失重法、比色法、电化学法研究了油水比、含油条件、浓度等对多种咪唑啉缓蚀效率的影响。结果表明，溶液中油相比例的增大会加强多数缓蚀剂的缓蚀效果，油相的存在、加入量的增大会增加缓蚀剂的缓蚀效率，但是油相的存在减弱了原缓蚀剂的缓蚀效率。

2.2.3 油气井用抑制 CO_2 腐蚀缓蚀剂

油气中 CO_2 腐蚀主要产生在油气的开采运输过程中，即主要发生于集输系统。目前国内外油气田集输系统所用缓蚀剂大都为界面型吸附缓蚀剂，大体可以分为含氮类有机缓蚀剂（咪唑啉类及其盐、链状有机胺类、季铵盐类、松香胺衍生物等）、含硫类化合物（硫脲、硫醇、羟基乙酸等）、含氧或者含磷类化合物等。实验室研究结果和现场应用情况证明，咪唑啉衍生物、季铵盐类和链状有机胺类缓蚀剂缓蚀效果较好。

1. 单组分缓蚀剂

（1）含氮化合物类缓蚀剂

①咪唑啉类缓蚀剂（图 2－8）

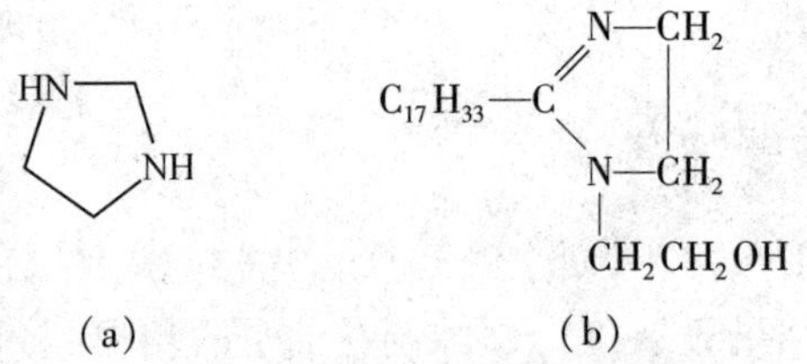

HN NH

$C_{17}H_{33}$—C N—CH_2 N—CH_2 CH_2CH_2OH

（a） （b）

图 2－8　咪唑啉与羟乙基咪唑啉

（a）咪唑啉；（b）羟乙基咪唑啉

咪唑啉衍生物属于环境友好型缓蚀剂，制备方法简单，原料易得，高效低毒。它是一种广泛应用于石油、天然气生产中的有机缓蚀剂，对含有 CO_2 或 H_2S 的体系有明显的缓蚀效果。原中国科学院金属腐蚀与防护研究所张学元等利用电化学手段和有关热力学理论研究了咪唑啉酰胺在饱和 CO_2 的高矿化度溶液中对碳钢的缓蚀行为。结果表明，这类化合物属吸附型缓蚀剂，对于钢铁有良好的缓蚀作用，其缓蚀机理为“负催化效应”。

刘福国等对硫脲基咪唑啉磷酸酯盐缓蚀剂的缓蚀性能进行了评价。该缓蚀剂对 Q235 钢在饱和 CO_2 盐水中的腐蚀具有优异的缓蚀性能，在 Q235 钢上的吸附符合 Frumkin 吸附等温式。分子动力学模拟表明该缓蚀剂分子以咪唑啉环和杂原子与 Fe 表面发生相互作用，并且烃基链大致与金属面成垂直关系。华北油田研制了一种咪唑啉衍生物和噻唑衍生物复配的缓蚀剂 IMC－871，在现场的应用中取得缓蚀效率达 97% 以上的效果。彭芳明等研制了一种咪唑啉缓蚀剂 Nm－1,再与亚硫酸钠进行复配,在中原油田文东、文南和濮城区域的五口井进行6井次现场试验,缓蚀效率达90%以上。

潘成松等采用癸二酸、三乙烯四胺、氯化苄为原料合成一种双咪唑啉季铵盐缓蚀剂,用红外光谱表征。模拟油气田压裂酸化液,用失重法研究缓蚀剂浓度、介质温度、酸化液含量对缓蚀性能的影响。结果表明,缓蚀剂最佳使用量为300 mg/L;随着温度升高和酸化液含量增加,缓蚀效率逐渐降低,在土酸介质中的缓蚀性能优于盐酸介质;极化曲线表明,该缓蚀剂是吸附型、以阳极型为主的缓蚀剂,扫描电镜观察表明,加入缓蚀剂的试样表面腐蚀形貌比未加入缓蚀剂的试样表面腐蚀形貌光滑。

林修洲等以油酸和二乙烯三胺为主要原料,合成了一种咪唑啉缓蚀剂。采用傅里叶红外变换光谱仪测量产品的红外光谱,推断分子结构。采用失重法、Tafel曲线外延法、电化学阻抗技术等对合成的缓蚀剂在模拟气田水环境中的缓蚀性能及缓蚀机理进行了研究。结果表明,合成缓蚀剂的红外光谱中含有较强的咪唑啉特征吸收峰,其氮原子上存在孤对电子,可与金属原子配位结合形成牢固的化学吸附层。缓蚀剂对Q235试样在模拟气田水环境中具有较强的缓蚀作用,当浓度仅为100 $mg \cdot L^{-1}$时缓蚀效率即可达到85%左右,并随缓蚀剂浓度增大而增大。

王科林等以油酸和三乙烯四胺为原料,研究了合成温度、时间、反应物比例等对缓蚀性能的影响;王观军等使用脂肪酸和多胺进行合成咪唑啉,并在咪唑啉环上引入含硫和磷的基团,合成制备了咪唑啉类缓蚀剂,研究发现该新型咪唑啉缓蚀剂为阳极型缓蚀剂,其在高温高压地层水介质中的吸附符合Frumkin吸附等温式。

陈毅荣以油酸、羟乙基乙二胺作为原材料,从分子结构设计角度,以尿素作为催化剂,运用正交实验法,制备一种具有良好缓蚀性和水溶性的咪唑啉类缓蚀剂,并通过红外线光谱对表征进行分析。最后在CO_2饱和的NaCl溶液中,应用失重法对制备的合成物性能进行评价,取得了良好的效果。

Jevremovi和孙铭勤等研究了疏水基碳链数与缓蚀性能之间的关系。Jevremovi提出咪唑啉缓蚀剂疏水基碳链数为18时缓蚀效果最好,小于12时失去活性;孙铭勤认为疏水基碳链越长,缓蚀性能越好;而赵桐则提出咪唑啉缓蚀剂的缓蚀性能不仅与疏水基碳链数有关,与流速也存在一定的关系,烷基链越长,疏水性越好,水介质中的溶解性越差,流速在一定程度上能够促进咪唑啉的溶解,不同流速下适用的咪唑啉缓蚀剂不同。

通过缓蚀剂之间的协同作用,学者们对其与其他缓蚀剂复配提高缓蚀剂的缓蚀性能也进行了大量的研究。赵景茂等研究了油酸基咪唑啉季铵盐(OIMQ)与硫脲(TU)在饱和CO_2盐水溶液中对碳钢的协同缓蚀效应。研究结果认为咪唑啉类缓蚀剂可以和硫脲在金属表面形成一种双层膜结构,TU存在于膜层下侧,OIMQ存在于膜层上侧,这种双层膜结构使得形成的缓蚀剂膜层更为致密,也可以使硫脲的吸附更加稳定。

强娟等以咪唑为主剂,甲基丁炔醇为辅剂,制备了不同种类的复配缓蚀剂,利用失重法和SEM手段分析了复配缓蚀剂对N80钢和A3钢的缓蚀效果。结果表明,制备的复配缓蚀剂对N80钢的缓蚀效率可达到74%以上,对A3钢的缓蚀效率也可达到87%以上。以质量分数的0.8%咪唑啉和甲基丁炔醇的体积比为100:10时复配的缓蚀剂缓蚀效果最明显,其对N80钢的缓蚀效率为88%,而对A3钢的缓蚀效率都可达到94%。添加了复配缓蚀剂后,N80钢和A3钢表面腐蚀得到了较好的抑制,裂纹明显降低。

王新刚研究了炔醇(丙炔醇、丁炔二醇)与油酸基咪唑啉之间的协同作用。研究结果表明,采用炔醇与咪唑啉缓蚀剂复配可以在很大程度上改善缓蚀效果,相比于丁炔二醇,丙炔醇与咪唑啉复配后效果更好。李倩和马涛等采用电化学方法研究了咪唑啉缓蚀剂和烷基磷酸酯在饱和CO_2盐水中对A3碳钢的腐蚀抑制作用,并评价了两者复配时存在的协同作用,咪唑啉缓蚀剂在金属表面形成吸附膜层,烷基磷酸酯在金属表面形成沉淀膜层,二者优劣互补。刘承杰等使用失重法研究了油酸和三乙烯四胺合成制备的咪唑啉衍生物与碘化钾、十二烷基苯磺酸钠和硫脲三者之间的复配比例,最终得到咪唑啉衍生物与三者之间最佳的复配比例为2:3,2:2,2:1.5,咪唑啉衍生物与十二烷基苯磺酸钠的复配效果最佳。陈钧州采用理论计算的方法计算出咪唑啉类、硫脲类、胺类及氨基膦酸类有机缓蚀剂之间的内部结构参数,以此推断出其缓蚀性能和相互之间存在的协同复配关系。

在实际应用上,向缓蚀剂主成分基础上添加溶剂、消泡剂、杀菌剂、表面活性剂等即可以制备商品缓蚀剂。目前我国多个机构已开发了多种咪唑啉缓蚀剂并广泛应用于油气井防护,如中国科学院的咪唑啉类IMC系列缓蚀剂;石油管材研究所开发的主成分为咪唑啉含硫衍生物、烷基磷酸酯、炔醇和非离子表面活性剂复配而成的CZ系列缓蚀剂;华中科技大学采用大分子化合物和小分子化合物复配开发的抗CO_2腐蚀水溶性缓蚀剂;原天津化工研究设计院开发的TS系列缓蚀剂;中石化石油工程设计有限公司开发的SL系列缓蚀剂;等等。

②其他含氮化合物类缓蚀剂

油气井常用的吸附成膜型胺类缓蚀剂往往在极度湍流的流体中失去缓蚀作用。最近研究成功一种专门抑制流体冲刷的缓蚀剂,这类缓蚀剂具有吸附速度快,可快速修复破损的缓蚀剂膜等优点,形成的缓蚀剂膜致密、强韧、附着力强,膜寿命大大提高。

喹啉季铵盐的主体为喹啉,喹啉系萘状含氮杂环化合物,在结构上可以看成苯环和杂环吡啶合并而成,也可以将其称为苯并吡啶,所以其性质与吡啶相似,其季铵盐也与吡啶季铵盐的性质相似。在酸性介质中,金属表面带负电,喹啉类季铵盐解离出的季氮阳离子与金属表面的负电荷在静电作用下发生物理吸附,喹啉苯环上的离域π键会与铁原子的d轨道发生相互作用,形成化学吸附。

雷晓维等研究了喹啉季铵盐对超级13Cr不锈钢在1 mol/L盐酸溶液中电化学行为的影响,并分析了温度、卤族阴离子类型和浓度对于喹啉季铵盐缓蚀效率的影响及机理。研究表明,喹啉季铵盐属于抑制阳极反应为主的混合型缓蚀剂,温度的升高会促进喹啉季铵盐的脱附过程,使其保护作用降低。李小龙等以喹啉和氯化苄为原料,在不同温度下合成了喹啉季铵盐,并采用失重法和动电位极化曲线研究了 Cu^+ 对合成的喹啉季铵盐在15% HCl 溶液中对 N80 钢的缓蚀效果的影响。结果表明,随着合成反应温度的升高,合成的喹啉季铵盐的缓蚀效率增大; Cu^+ 的加入能大大提高喹啉季铵盐在 HCl 溶液中对 N80 钢的缓蚀效率,并能有效降低喹啉季铵盐的用量;Cu^+ 和喹啉季铵盐复配后,随着复配缓蚀剂添加量的增大,缓蚀剂的缓蚀效率增大;该复配缓蚀剂为混合抑制型缓蚀剂。

吡啶与喹啉结构相似,吡啶季铵盐和喹啉季铵盐的主要区别是喹啉含有苯环,喹啉苯环中电子云密度较高,与铁基体产生的化学吸附作用力较强,且苯环空间较大,表面覆盖度较高,但相应的空间位阻也较吡啶季铵盐高。董猛等使用静态和动态腐蚀失重法评价了喹啉季铵盐、吡啶季铵盐、曼尼希碱和咪唑啉季铵盐四种不同主体类型缓蚀剂在高温高压 H_2S/CO_2 环境中对 N80 钢的腐蚀抑制效果,结果显示缓蚀效率:喹啉季铵盐 > 吡啶季铵盐 > 曼尼希碱 > 咪唑啉季铵盐,喹啉季铵盐和吡啶季铵盐形成的有机吸附膜层均具有较强的附着性,较难脱去。涂胜等合成了溴化 -1,6 - 二(α - 十四烷基吡啶)己烷,用失重法测试了溴化 -1,6 - 二(α - 十四烷基吡啶)己烷在不同温度下、5 mol/L 的 HCl 中对 X70 钢的缓蚀性能。结果表明,溴化 -1,6 - 二(α - 十四烷基吡啶)己烷的缓蚀效率随浓度和温度的升高而增加,当溴化 -1,6 - 二(α - 十四烷基吡啶)己烷的浓度为 6×10^{-6} mol/L 时,在 60 ℃、5 mol/L 的 HCl 中对 X70 钢的缓蚀效率高达95%。并用 SEM 和 UV 对 X70 钢表面和腐蚀液进行了分析测试,数据表明,溴化 -1,6 - 二(α - 十四烷基吡啶)己烷在酸性介质中对 X70 钢具有很强的缓蚀性能。

其他类季铵盐如炔氧甲基季铵盐、松香基季铵盐等也有一定的报道。王倩等以松香和二乙烯三胺为原料合成了松香基咪唑啉,并采用氯乙酸钠对合成产物进行季铵化改性,得到水溶性松香基咪唑啉季铵盐。通过失重法和电化学方法测试了该季铵盐在 60 ℃的 CO_2 饱和的质量分数为3% 的 NaCl 溶液中对 Q235 钢的缓蚀性能。结果表明,水溶性松香基咪唑啉季铵盐对 Q235 钢有很好的缓蚀作用,150 mg/L 用量时缓蚀效率超过 90%。该缓蚀剂是一种以阳极抑制为主的缓蚀剂,遵循 Langmuir 吸附等温式,在钢表面发生自发吸附,存在较强的吸附作用力。于洪江等以松香、二乙烯三胺、三乙烯四胺、四乙烯五胺、羟乙基乙二胺等为原料,合成了具有不同结构和官能团的咪唑啉化合物,并进一步季铵化得到其衍生物。采用失重法评价了合成的系列松香衍生物在 CO_2、H_2S、HCl、混合盐水等四种不同腐蚀介质中对 N -80、A3 钢的缓蚀性能。结果表明,合成产物对不同的钢均具有良好的缓蚀性能,而且在不同的腐蚀介质中不同产物对不同钢的缓蚀效果不同。在盐酸及含饱和 H_2S 的盐溶液中,季铵盐类的缓蚀性能最好,咪唑啉类次之,酰胺类最差。而在混合盐及含饱和 CO_2 的 NaCl 溶液中,咪唑啉类的缓蚀性能最好且缓蚀性能随着原料胺分子量的增大而降低。

松香胺(图 2 -9)是一种主要含有烷基氢化菲结构的树脂胺,分子结构中非极性三环结构具有很好的疏水性,而极性的氨基部分具有亲水性,因此松香属于两亲分子。李国敏、李爱魁等应用电化学阻抗谱及极化曲线测量技术，研究了在高压 CO_2 的质量分数为 1% 的 NaCl 溶液中松香胺类缓蚀剂对 N80 钢的缓蚀机理，并探讨了它的吸脱附行为。结果表明，松香胺类缓蚀剂对 N80 钢在高压二氧化碳体系中的腐蚀有良好的缓蚀作用，缓蚀机理为“负催化效应”。在碳钢表面的吸附服从 Langmuir 吸附等温式。

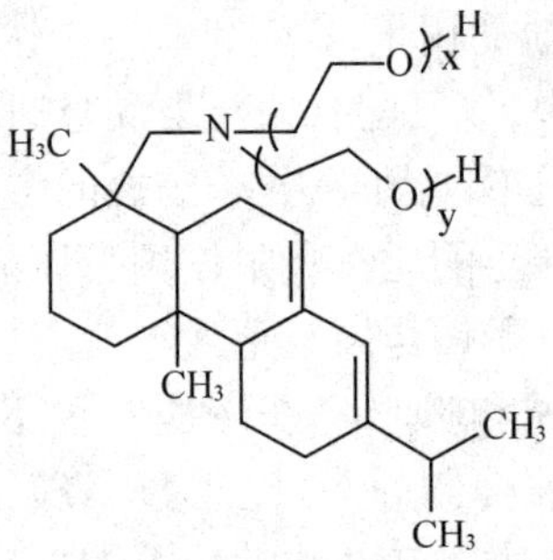

图 2-9　松香胺

黄道战等采用静态失重法和电化学方法研究歧化松香胺还原席夫碱 N，N-二甲基-(4-歧化松香胺甲基)苯胺(DD-RAP)在盐酸溶液中对 A3 钢的缓蚀性能。静态失重法试验表明，DD-RAP 能有效抑制盐酸溶液中 A3 钢的腐蚀，在 60 ℃的质量分数为 6.0% 的盐酸溶液中，DD-RAP 加量为 100 $mg \cdot L^{-1}$时，A3 钢的腐蚀速度为 0.280 6 $mg \cdot cm^{-2} \cdot h^{-1}$，缓蚀效率达到 97.74%。吸附规律研究结果表明，DD-RAP 在 A3 钢表面的吸附符合 Langmuir 吸附等温式，其吸附自由能为 -29.94 $kJ \cdot mol^{-1}$，吸附为自发进行的物理和化学吸附。赵时仁等采用失重法及电化学方法测定松香胺聚氧乙烯醚化合物(RA)在盐酸溶液中对 A3 钢的缓蚀性能，研究了温度、浓度等因素对 RA 缓蚀性能的影响。实验结果表明，RA 分子中的环氧乙烷基的含量不同，缓蚀性能也不一样，其大小顺序为：10RA > 15RA > 5RA，并发现 RA 与乌洛托品、甲醛、丙炔醇、碘化钾等有很好的协同作用。

针对季铵盐缓蚀剂(图 2-10)的特点，研究所或者企业以不同类型季铵盐作为缓蚀剂的主成分，加入其他助剂制成水溶性缓蚀剂，如 1901 油气井缓蚀剂(主成分为烷基吡啶和喹啉衍生物)、IMC-80-ZS 缓蚀剂(炔氧甲基胺及炔氧甲基季铵盐)、WSI-02 型缓蚀剂(季铵盐、有机硫化物、表面活性剂)、IMC-石大-1 号(咪唑啉季铵盐)、CT 系列(咪唑啉季铵盐)、KY-2(咪唑啉季铵盐)、HGY-9BS(咪唑啉季铵盐)等。

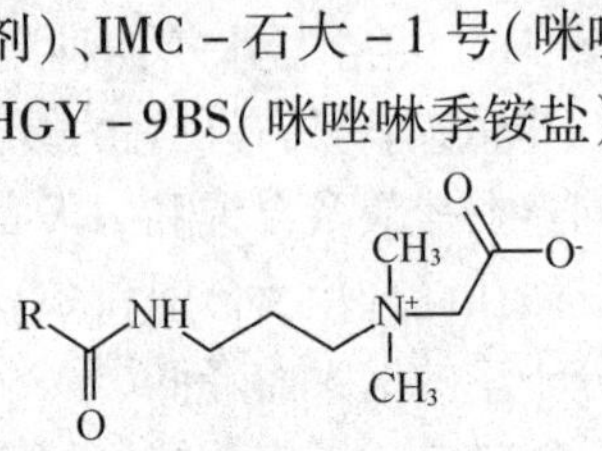

图 2-10　季铵盐

杜海燕等以油酸和乙二胺为原料在常压下合成油酸酰胺，确定最佳反应温度为130 ℃，时间为3 h，合成的缓蚀剂能够有效地抑制N80钢在CO_2环境的腐蚀，其缓蚀效率可以达到84.33%。

双季铵盐化合物中含有两个季氮原子，较之一般的季铵盐具有低毒、广泛的生物活性和良好的水溶性等特点，尤其是优异的杀菌效果。由于形成缔合胶束，双季铵盐的缓蚀作用随浓度增大而得到有限的提高。但是，对于在金属缓蚀领域中的应用，国内外文献中报道较少。双季铵盐对金属缓蚀剂的研究开发在今后还有较大发展空间。

(2)含硫化合物类缓蚀剂

硫脲是通过硫原子进行吸附，主要作为酸性介质中钢铁缓蚀剂，但发现硫脲及其衍生物对抑制CO_2腐蚀有一定效果。上海材料研究所的吕战鹏和华中理工大学的郑家燊等研究了硫脲衍生物在CO_2饱和的水溶液中对碳钢的缓蚀性能。发现硫脲衍生物对抑制碳钢在CO_2饱和的水溶液中的腐蚀有一定效果，在较低浓度时就有明显的缓蚀性能。硫脲衍生物对阴、阳极反应过程都有抑制作用，依取代基不同而抑制程度不同，不同硫脲衍生物缓蚀效率与浓度关系不同，会出现浓度极值现象。

一般来说，在温度较低时，硫脲及其衍生物有较高的缓蚀效率，随着温度的升高，缓蚀效率降低，甚至会促进金属的腐蚀。所以今后的研究重点是硫脲类缓蚀剂与其他类型缓蚀剂的协同效应。由于硫脲类缓蚀剂可加速氢在碳钢和不锈钢中的渗透作用并产生氢脆，所以承受应力的碳钢和不锈钢不宜使用。

张欢欢等合成了一种硫脲改性咪唑啉缓蚀剂，采用动电位极化技术和化学浸泡试验研究了CO_2环境中含有不同浓度硫脲改性咪唑啉的质量分数为3%的NaCl溶液对低碳微合金钢X70和碳钢L245、Q235的缓蚀效果。利用SEM、XRD及表面轮廓仪对试验结果进行分析，结果表明，该缓蚀剂在钢表面的吸附与材料的显微组织结构有关，缓蚀剂分子优先吸附在Fe_3C上。当缓蚀剂质量浓度较低(2 mg/L)时，对Q235的缓蚀效率最高，达到90%；对X70和L245的缓蚀效率分别为35%和56%。浸泡试验显示，Q235样品腐蚀轻微，而X70和L245发生严重的局部腐蚀；当缓蚀剂质量浓度较高(50 mg/L)时，对三种钢都有良好的缓蚀效果。

(3)含氧或磷化合物类缓蚀剂

有机磷缓蚀剂是一类高效、用途广泛的缓蚀剂，但容易造成含磷化合物引起的水源富营养化。张贵才以聚氧乙烯烷基苯酚醚为原料合成了氧乙烯链长和单酯含量不同的系列聚氧乙烯烷基苯酚醚磷酸酯，并评价了其在CO_2饱和的模拟盐水中的缓蚀效果，发现该类表面活性剂属于阳极型缓蚀剂。炔醇类化合物是高温、浓酸条件下的重要钢铁缓蚀剂，20世纪50年代中期它的高缓蚀效果就已经被发现。但其主要缺点是毒性大，国内已研究生产无炔醇缓蚀剂，都是具有阳离子表面活性的杂环化合物。

谢斌等合成了有机磷缓蚀剂1，1-双(二苯膦基)甲烷(DPPM)，采用电化学极化曲线法研究了 DPPM 在 1.0 mol · L^{-1} HCl 溶液中对 Q235 钢的缓蚀作用,并考察了 DPPM 浓度、HCl 浓度、试验温度和缓蚀液放置时间对 DPPM 缓蚀性能的影响。研究结果表明,DPPM 为混合型缓蚀剂,在 30 ℃时,在 DPPM 浓度为 80 mg · L^{-1} 的 1 mol · L^{-1} HCl 溶液中,缓蚀剂 DPPM 对 Q235 钢的缓蚀效率达到了 97.43%。DPPM 的缓蚀效率随腐蚀体系温度升高而降低,同样随体系酸度增大而降低,但随时间的延长,其缓蚀性变化不大。赵维等通过 PM3 半经验量子化学计算,从微观的角度研究了 4 种有机磷缓蚀剂,三苯基膦、四苯基氯化、氯甲基-三苯基氯化、苄基三苯基氯化缓蚀性能和分子结构的关系。结果表明,P 原子的净电荷、电荷密度、亲电前线电荷密度与缓蚀性能有良好的相关性,缓蚀剂既能通过 π 电子供出电子与 Fe 吸附,又能通过 P 原子接受 Fe 原子 3d 轨道中的电子,其强弱主要由 P 原子上电荷密度高低决定。在双向作用下,缓蚀剂与 Fe 的吸附作用增强,缓蚀性能提高。

(4)绿色缓蚀剂

目前,主要应用烷基胺、咪唑啉衍生物和生物高聚物这三种化学物质来开发抑制 CO_2 腐蚀的绿色缓蚀剂。郑兴文等利用金相显微镜、扫描探针显微镜、红外光谱和 X 射线能谱研究了竹叶提取液及其与碘离子复配后在 Q235 钢表面的吸附行为。实验结果表明,竹叶提取液中的有效缓蚀成分在 Q235 钢表面发生了化学吸附,且碘离子的加入促进了竹叶提取液中有效缓蚀成分在 Q235 钢表面的吸附。黄艳仙等分别采用浸泡法、加热回流萃取法从白玉兰叶中提取天然缓蚀剂,并采用失重法、极化曲线法研究各种方法的提取物在室温下的酸性介质中对 A3 钢的缓蚀性能。初步探讨植物型缓蚀剂的缓蚀机理。结果表明,两种方法所得植物缓蚀剂均属于混合型缓蚀剂,缓蚀效果基本相同,缓蚀效率最高可达 94.91%。

佟永纯等采用索氏提取法从芦苇和紫花苜蓿草中各提取了一种缓蚀剂,通过失重法和电化学分析法研究了两种缓蚀剂在酸介质中对低碳钢的缓蚀效果,比较了不同温度、浓度、介质和时间下的两种缓蚀剂缓蚀性能。结果表明,提取的天然缓蚀剂具有较好的缓蚀性能。其中从紫花苜蓿草中提取的缓蚀剂缓蚀效率达 85%,符合工业上对缓蚀剂的要求。

为了进一步开发适用于 CO_2 高压条件下的绿色缓蚀剂,Jenkins 和 Mok 等以环境友好型的原料合成了主要化学成分分别为咪唑啉、磷酸酯 + 咪唑啉、季胺化合物 + 咪唑啉的几种绿色缓蚀剂,并通过高压釜测试、旋转圆筒电极体系测试和喷砂试验,验证了它们的缓蚀性能。所有的测试结果都显示:当缓蚀剂浓度达到 20 mg · L^{-1} 时,这几种绿色缓蚀剂的缓蚀效率都在 90% 以上,可以用来作为 CO_2 高压条件下的绿色缓蚀剂。

2. 复配缓蚀剂

单一品种的缓蚀剂要想提高缓蚀效果,一般是增加缓蚀剂浓度,这样势必造成投加缓蚀剂的成本增加,并且单一缓蚀剂在浓度增加到一定程度后,缓蚀效率不再随浓度增加而增加或较少。采取缓蚀剂复配是提高缓蚀效果的有效方法之一,通过缓蚀剂复配,可有效地发挥缓蚀剂的协同效应，提高缓蚀剂的缓蚀效果。

(1)液相用复配缓蚀剂

咪唑啉与硫脲复配后有很好的抑制 CO_2 腐蚀的作用，并具有一定的“后效性”。冀成楼等发现，咪唑啉与硫化物、磷酸酯、季铵盐等复配，由于协同效应而使缓蚀效率较单一成分的咪唑啉大幅度提高。针对华北油田高 CO_2 引起的严重腐蚀，发展了一种以咪唑啉衍生物和一种含氮的噻唑衍生物复配的缓蚀剂 IMC－871。实验室的动态模拟试验表明，该缓蚀剂不仅有良好的缓蚀效率，而且有明显的后效性。王业飞等以棕榈酸、二乙烯三胺、马来酸酐为原料合成了一种新型咪唑啉缓蚀剂 2－十五烷基－1(马来酰胺)－乙基－咪唑啉，其与助剂硫脲复配得到复配缓蚀剂 YQ。采用静态挂片失重法、电化学评价法考察了 YQ 的缓蚀性能。结果表明，YQ 能有效抑制饱和 CO_2 盐水对 A3 钢的腐蚀。采用 X 射线光电子能谱及扫描电镜分析了腐蚀前后及加入复配缓蚀剂 YQ 后 A3 钢的表面形貌及表面产物。结果表明，复配缓蚀剂 YQ 在 A3 钢表面形成了 3 层腐蚀产物膜，有效地抑制了饱和 CO_2 盐水对 A3 钢的腐蚀。陈亚琼等采用失重法、极化曲线法研究了咪唑啉与 KI 的复配缓蚀剂在 4%(质量分数)柠檬酸溶液中对碳钢的缓蚀协同作用。结果表明，复配缓蚀剂可有效抑制45#碳钢在柠檬酸溶液中的腐蚀，当缓蚀剂总浓度为 0.4%(质量分数)时，咪唑啉和 KI 浓度比为 3:1 时缓蚀效果最好。极化曲线表明该复配缓蚀剂为混合型缓蚀剂。

中国石油天然气集团公司石油管材研究所开发了一种油田用新型抗 CO_2 腐蚀缓蚀剂，由咪唑啉含硫衍生物、烷基磷酸酯、炔醇和非离子表面活性剂复配而成。该缓蚀剂在金属表面以独特的双胶层方式成膜，呈“相间型”与“界面型”的混合吸附特征。可用于较高温度和较高压力的油井中，防止含 CO_2 的高矿化度污水对金属表面的侵蚀。华中科技大学利用分子设计方法，采用大分子化合物和小分子化合物及特性吸附的阴离子相复配，开发了一种抑制 CO_2 腐蚀的水溶性缓蚀剂。这种水溶性缓蚀剂是由松香胺、单元酸、硫脲及其衍生物和溶剂组成，可在较大的温度范围，较好地抑制管道碳钢材料在油田中的 CO_2 腐蚀，对油套管和集输管线提供了有效的保护。

(2)气液两相缓蚀剂

随着天然气工业的发展，传统的液相缓蚀剂已很难达到防腐蚀的目的。如液相缓蚀剂往往难以抑制湿气管线的顶部腐蚀。这就使得气液两相缓蚀剂的开发尤为重要。气液两相缓蚀剂既有液相保护作用，又有气相保护功能，主要用于解决某些含水液体部分及液面以上 100～500 m 管段钢材的腐蚀问题。这种缓蚀剂同时含有液相和气相缓蚀组分，所以通常采取缓蚀剂复配来实现。

周静等将阳离子咪唑啉与其他缓蚀剂进行了复配，用静态挂片失重法研究其缓蚀效率，结果表明复配的缓蚀剂对抑制 CO_2 气液两相的腐蚀有良好的效果。通过极化曲线，判断该复配缓蚀剂属以阳极型缓蚀为主的混合型缓蚀剂，可同时抑制两极的反应。顾明广等通过合成咪唑啉、噻唑类衍生物，将其与低分子量的有机胺及表面活性剂进行复配得到复配缓蚀剂。用静态挂片失重法研究它们的缓蚀效率。结果表明该复配物对抑制 CO_2/H_2S 的气液两相的腐蚀有良好的效果。

郗丽娟等将阳离子咪唑啉与硫脲缓蚀剂按一定比例进行复配。用静态挂片失重法研究其缓蚀效率,结果表明该复配缓蚀剂对气相和液相中的 CO_2 腐蚀都有较好的抑制作用,缓蚀效率分别为93.31%和98.51%。电化学极化曲线测量表明该缓蚀剂是以抑制阳极过程为主的混合型缓蚀剂,阳离子咪唑啉组分通过与金属吸附或与金属氧化物络合形成致密膜,提高阳极反应活化能位垒,即“负催化效应”,硫脲主要覆盖在阴极表面,提高析氢过电位,阻止氢离子放电,降低了溶液对金属的腐蚀。

刘多容等针对 CO_2 气液两相腐蚀的特点,通过合成双咪唑啉季铵盐和多单元吗啉环己胺缓蚀剂,再与含硫有机物及炔醇类缓蚀剂进行复配,得到抑制 CO_2 腐蚀的气液两相缓蚀剂 SM-12B。通过失重法研究了 SM-12B 缓蚀剂在模拟气田采出液中的缓蚀效率,用极化曲线及 X 射线衍射等方法研究了 SM-12B 缓蚀剂的缓蚀机理。结果表明,使用400 mg/L 的 SM-12B 缓蚀剂,温度为90~110 ℃时,其气相缓蚀效率达到71.57%以上,液相缓蚀效率达到80.82%以上,适用于 CO_2 分压低于1.0 MPa 的 CO_2 腐蚀环境。SM-12B 缓蚀剂浓度为300~1 000 mg/L 时,其缓蚀作用类型为以阳极为主的混合型缓蚀剂。

龙彪将自己合成的咪唑啉季铵盐与2-己基-4-甲基咪唑啉及硫脲复配,通过拉丁正交试验获得了缓蚀剂复配产品 MLV-1。在 CO_2 饱和的20 $g \cdot L^{-1}$ 的 NaCl 溶液中通过静态挂片失重法测得该复配缓蚀剂气、液相的缓蚀效率分别可达到86%和97%以上,极化曲线测量结果表明,该复配产品是以抑制阳极过程为主的混合型缓蚀剂。

2.3 其他情况用缓蚀剂

2.3.1 高温缓蚀剂

高温缓蚀剂高温高压动态腐蚀速率评价方法依据行业标准 SY/T 5405—1996《酸化用缓蚀剂试验方法及评价指标》。

1. 磷系缓蚀剂

磷系缓蚀剂主要是指缓蚀剂分子中含有一个磷原子或多个磷原子的有机化合物。磷系中硫代磷酸酯与磷酸酯加剂量均为5~200 $mg \cdot L^{-1}$,可达到较好的缓蚀效果。但是含磷的缓蚀剂已被证明可能使催化剂中毒方面存在问题,因此硫代磷酸酯更适合于实际应用。磷系缓蚀剂与腐蚀介质中的铁离子反应沉积在金属表面形成了多层表面膜,若形成的保护膜过厚,则容易堵塞管道。

韩龙年等在中型加氢试验装置上，考察了磷系高温缓蚀剂对环烷基减压馏分油加氢处理的影响。结果表明，在系统压力（即氢分压）为3.0 MPa，反应温度为300 ℃，液时体积空速为1.0 h^{-1}，氢油（氢气/原料油）体积比为400:1的条件下，新鲜催化剂稳定运转1 900 h后活性稳定。在原料油中加入质量分数为0.03%～0.20%的磷系高温缓蚀剂，加氢试验装置运行约1 000 h后，催化剂床层出现压降，且压降随运转时间的增加呈现先缓慢增加后快速上升的变化规律，床层压降最高达到1.4 MPa，顶部瓷球结焦、催化剂结块是导致加氢反应器产生压降的直接原因；在原料油中加入质量分数为0.03%～0.20%的磷系高温缓蚀剂，精制油的酸值超标随运行时间的增加而增大；将反应温度逐渐提高至340 ℃，精制油的酸值、密度、折光率等性质均呈现先降低后迅速升高的变化规律；原料油中磷系高温缓蚀剂，降低了催化剂的活性及环烷基减压馏分油的加氢处理深度。

2. 非磷系缓蚀剂

非磷系缓蚀剂主要是指缓蚀剂分子中含有N、S等的有机化合物。非磷系缓蚀剂虽然能够避免有磷存在所带来的催化剂中毒问题，但是与磷系缓蚀剂相比较，其添加量要明显较磷系缓蚀剂高，且哌嗪衍生物在高温条件下较容易分解。因此，将磷系缓蚀剂与非磷系缓蚀剂混合使用成为目前高温缓蚀剂的主流类型。

李军等以2－氨基吡啶和氯化苄为原料合成一种吡啶季铵盐，通过正交实验得到最佳合成条件：物料配比为1:4、反应温度为100 ℃、反应时间为8 h，反应pH值为8.5。最佳条件下合成的吡啶季铵盐与丙炔醇、无水乙醇、甲酸、肉桂醛等进行复配，得到吡啶季铵盐型系列中高温酸化缓蚀剂。缓蚀剂缓蚀性能评价实验结果：20%盐酸介质中，90 ℃下，HS－1缓蚀剂用量为0.4%（质量分数）时，钢片腐蚀速率仅为2.359 $g \cdot m^{-2} \cdot h^{-1}$；质量分数为20%的盐酸介质中，120 ℃下，HS－120缓蚀剂用量为1.5%（质量分数）时，钢片腐蚀速率仅为20.156 $g \cdot m^{-2} \cdot h^{-1}$；质量分数为20%的盐酸介质中，140 ℃下，HS－140缓蚀剂用量为3%（质量分数）时，钢片腐蚀速率仅为33.658 $g \cdot m^{-2} \cdot h^{-1}$；质量分数为20%的盐酸介质中，160 ℃下，HS－160缓蚀剂用量为4%（质量分数）时，钢片腐蚀速率为63.332 $g \cdot m^{-2} \cdot h^{-1}$。实验结果表明，研制的吡啶季铵盐型中高温系列缓蚀剂具有良好的缓蚀效果。

杨明地等通过对咪唑啉中间体的改性，合成了一种具有较好耐高温（150℃）和耐H_2S/CO_2高酸性能的含氟咪唑啉类缓蚀剂，其合成条件为：咪唑啉中间体、特种含氟表面活性剂物质的量的比为1:0.6，反应温度为50 ℃，反应时间为24 h。实验结果表明，常压下在150 ℃下，对质量分数为7.78%的硫化氢、质量分数为7.00%的二氧化碳、质量分数为84.5%的甲烷、质量分数为0.74%的乙烷的混合气体，当缓蚀剂的加量为0.08%（质量分数），缓蚀效率可以达到92.9%。其在碳钢表面的吸附遵循Langmuir吸附等温式。

3. 混合型缓蚀剂

磷酸酯－胺是早期使用的油溶性环烷酸缓蚀剂，其使用温度为316～400 ℃。该种缓蚀剂由 Naclo 公司研制,据称这种缓蚀剂可在炼厂设备上形成黏着力很强的薄膜,防止在高温受环烷酸、硫或氧化物的腐蚀。N－518 缓蚀剂是一种氨基中性磷酸酯,在东海岸炼油厂的试验表明,加入 80～90 mg·L^{-1}的 N－5180 缓蚀剂即可起到很好的缓蚀作用。亚磷酸酯－噻唑啉的结构通式如图 2－11 所示,通常是将两种缓蚀剂进行复配使用。

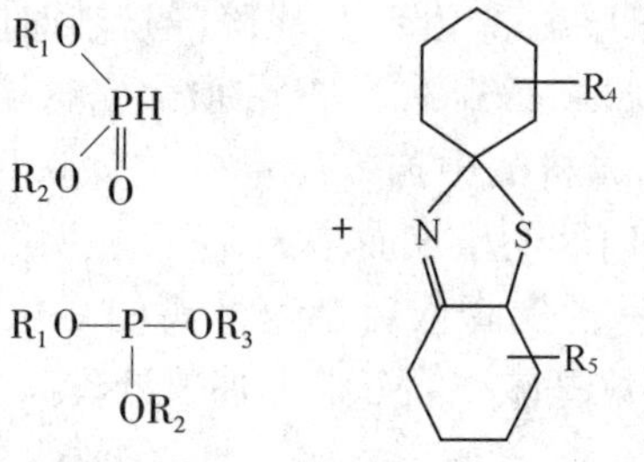

(a)　　(b)

图 2－11　亚磷酸酯－噻唑啉结构通式

(a)亚磷酸酯;(b)噻唑啉

复配时,亚磷酸酯与噻唑啉的质量比以 1:4～4:1 最佳。亚磷酸酯的烷基取代基碳原子数 1 到 10,但是 C1 到 C6 最适宜。噻唑啉化合物可由下面的反应得到:2 mol 的环已酮和 1 mol 的元素硫添加到以二甲苯为溶剂的反应容器中,氨气被通入该混合后的体系中,持续反应 2 h。该反应是放热反应,通气过程中,温度控制在最高 50℃,反应容器内压力保持在 0.4 MPa。反应结束后,将混合物从反应器中取出,通过蒸馏除去混合物中的水。通过分析认定,该反应产物就是 2, 2－环戊烷－4, 5－四亚甲基－1, 3－噻唑啉,产率大约为 75%。噻唑啉的烷基碳原子数 1 到 10,但是 C1 到 C5 最适宜,烷基取代数目为 0～4 的整数。二烷基和三烷基亚磷酸酯和噻唑啉复配在流体烃和石化产品的加工过程中,其抑制腐蚀活性的效果是非常好的,尤其是温度提高到 350～540 ℃或更高时。当腐蚀是由其他相似的有机酸引起时,该类缓蚀剂在 100～440 ℃或温度更高时,对于加工过程也是十分常有益的。复配缓蚀剂在使用时,它的使用量因实地操作条件和所要加工的原料情况不同而不同。因此,温度和酸腐蚀体系的特征与复配缓蚀剂的用量之间有一定的关系。

陈威等以烷基酮、单质硫及氨气为原料,制备了一系列的噻唑啉类缓蚀剂;采用静态失重法考察了不同噻唑啉衍生物磷系缓蚀剂对 A3 钢片缓蚀性能。结果表明,单独使用缓蚀剂时,丁酮合成噻唑啉效果最好,磷系缓蚀剂中亚磷酸三丁酯效果最好;噻唑啉与亚磷酸三丁酯复配后应用到山东石大科技集团有限公司减二线馏分油中,当腐蚀体系酸值为 3 mg KOH/g、缓蚀剂总质量分数为 205 μg/g 时,缓蚀效率效达到 100%。杨浩波等通过对海上油田的腐蚀原因及腐蚀机理进行分析,确定引起油田严重腐蚀的主要原因是高温条件下的二氧化碳腐蚀,由此有针对性地开发出一种高温缓蚀剂 TS－709H,它是由最新型的咪唑啉衍生物和季铵盐复合而成,缓蚀剂的主要组分咪唑啉衍生物在温度为 200 ℃以下都可以保持稳定。TS－709H的应用使油田的腐蚀控制得到了明显改善，可以使管汇集生产分离器处的腐蚀挂片的腐蚀速率保持在0.05 mm/a以下。

磷酸酯－有机多硫醚缓蚀剂缓蚀剂适用于200～400 ℃炼化环境，有机多硫分子量通常为300～600、硫含量为25%～50%（质量分数）缓蚀效果较好；有机多硫与磷酸酯系列中磷酸三丁酯复配缓蚀效果最好。二者复配使用的目的是为了增强磷酸酯在高温下的缓蚀效能，同时减少磷的用量。磷酸酯的加剂量为5～500 $mg \cdot L^{-1}$，有机多硫醚的加剂量为20～2 000 $mg \cdot L^{-1}$。

赵文娜等喹啉季铵盐和曼尼希碱季铵盐复配物作为缓蚀剂母体，通过复配增效剂，制备出了耐高温酸化缓蚀剂GC－203L。通过测定不同温度、不同加量，以及不同酸液类型及酸液浓度下GC－203L的动态腐蚀速率，对其缓蚀性能进行了评价，并对其缓蚀机理进行了探讨。GC－203L在质量分数为20%的盐酸、土酸中，150 ℃下钢片的动态腐蚀速率分别为3.2 $g/(m^2 \cdot h)$、45.3 $g/(m^2 \cdot h)$，耐温可达180 ℃，具有良好的缓蚀性能。

蒋文学等以芳香酮、醛和芳香胺为原料，用微波辐射法合成了一种高温酸化用缓蚀剂。采用正交试验法确定了缓蚀剂合成的最佳工艺条件：微波反应功率为800 W，介质的pH值为2，反应时间为15 min，反应物料配比（酮:醛:胺）为1:2:1.2。在质量分数为20%的HCl及土酸中加2.5%（体积分数）缓蚀剂，N80钢片在16 MPa、140 ℃条件下动态腐蚀评价达到行业一级标准。合成的缓蚀剂分子在钢片表面产生一层吸附膜达到缓蚀目的，并和复配物通过协同效应提高缓蚀性能。

2.3.2　钢筋混凝土体系缓蚀剂

钢筋混凝土金属结构件在服役过程中，由于受到环境中侵蚀性离子、CO_2、应力等因素作用，钢筋表面钝化膜易发生腐蚀破裂，腐蚀产物大量生成引起的内应力增加又会促进混凝土开裂，因此，抑制钢筋表面腐蚀、钝化膜破裂对延长钢筋混凝土结构件使用寿命具有很重要的意义。常见抑制钢筋表面腐蚀的方法主要有选择耐蚀性钢筋、添加缓蚀剂、涂层、电镀等。

Cl^-的侵蚀引起钢筋局部腐蚀是最有害的，也是混凝土中钢筋发生腐蚀最常见的原因。因此，钢筋缓蚀剂大都应具有抑制由Cl^-引起钢筋局部腐蚀的功能。对于Cl^-引起混凝土中钢筋的腐蚀，缓蚀剂可通过以下途径发挥作用：(1)提高钢筋表面钝化膜的抗蚀性；(2)在钢筋表面形成一层阻挡层；(3)阻止Cl^-的侵入；(4)增加混凝土中Cl^-结合的程度；(5)清除混凝土孔隙液中的溶解氧；(6)阻止氧的侵入。

在过去的几十年中，许多研究者对多种无机物、有机物的缓蚀效果进行了广泛研究，并且开发了多种商业缓蚀剂。

1. 无机缓蚀剂

无机缓蚀剂已具有60多年的研究历史，特别是亚硝酸盐类缓蚀剂，自20世纪60年代起被首次提出后，其缓蚀机理受到大量的研究人员的关注。目前研究认为，无机缓蚀剂一般通过无机酸根阴离子与钝化膜表面的 Cl^- 离子发生一定的竞争吸附，对[OH^-]/[Cl^-]氯离子阈值有一定的影响。由于具有一定的氧化性，亚硝酸盐被称作钝化膜型缓蚀剂。使用过程中，[NO_2^-]与[OH^-]、[Cl^-]的比值对其缓蚀效率起到决定性的作用，一般认为[NO_2^-]/[Cl^-]高于 0.5 时，亚硝酸盐能够良好地抑制钢筋腐蚀。

Tang 等研究了 $NaMoO_4$、$NaWO_4$、$NaNO_2$ 及 $C_6H_6O_{24}P_6Na_{12}$ 四种缓蚀剂对碳钢在模拟酸性介质用钢筋混凝土孔隙液中的缓蚀作用，其中，$NaMoO_4$ 在低浓度下具有促进钝化的作用，而 $NaWO_4$ 与 $NaNO_2$ 在较高浓度的添加量时表现出良好的钝化性能，$C_6H_6O_{24}P_6Na_{12}$ 的缓蚀效率较低。陈嵩等采用动电位极化曲线和电化学阻抗谱研究了焦磷酸钠在模拟混凝土孔溶液中对钢筋的保护作用。焦磷酸钠的加入导致混凝土中钢筋的腐蚀电位正移，主要通过抑制钢筋的阳极电化学过程起缓蚀作用。其缓蚀效果随焦磷酸钠浓度的增加而增大，在含 0.04 mol/L Cl^- 的混凝土模拟液中，当焦磷酸钠浓度为 0.03 mol/L 时，其缓蚀效率可达到 97.5%。

Tommasellit 研究了钼酸盐及亚硝酸盐对碳钢在受硫酸及硝酸污染的模拟混凝土体系中的缓蚀作用，研究表明两种缓蚀剂在低添加量时都有一定的缓蚀效率，其缓蚀效率与浓度正相关。无机缓蚀剂主要通过在钢筋表面与 Cl^- 竞争吸附、形成一层氧化膜对钢筋起到缓蚀作用，在钢筋混凝土结构件长期服役过程中，无机酸根会不断消耗，且该消耗无法逆转。杜荣归等通过含 NaCl 介质溶液的浸泡实验，利用电化学检测技术，观测和比较了 $NaNO_2$ 等 8 种无机缓蚀剂添加于混凝土中对钢筋的阻锈作用。结果表明，在本实验条件下，$NaNO_2$ 等缓蚀剂对钢筋有明显的阻锈作用。在 pH = 9.5，含质量分数为 10% 的 NaCl 的混凝土模拟液中，外加 $NaNO_2$ 后，混凝土中钢筋的腐蚀电位正移，腐蚀电流可下降至未加缓蚀剂的 1/6。缓蚀剂的加入不同程度地提高了钢筋耐点蚀的性能。在无机酸根含量持续降低的过程中，其形成的氧化膜表面会出现局部浓度不足，此时，无机酸根反而作为氧化剂对钢筋表面溶解起到促进作用，加速钢筋腐蚀破坏，被称作危险型缓蚀剂。同时，部分无机酸盐由于具有一定的毒性，对环境和健康有一定的损害，其使用受到了一定的限制。

2. 有机缓蚀剂

20 世纪 90 年代以来，发展了多种有机缓蚀剂，包括多种胺、链烷醇胺及二者的盐类，酯、醇、胺的乳化混合物，羧酸盐，羧酸酯和四铵盐等，以取代常用的以亚硝酸钙为基本成分的缓蚀剂。有机缓蚀剂既可用作添加型缓蚀剂，也可以用作迁移型缓蚀剂。其缓蚀机理得到了广泛研究。通常认为，有机分子的极性基团吸附在金属表面上，非极性的憎水基垂直于金属表面排列。一方面，这些憎水链排斥溶解在孔隙液中的侵蚀性物质；另一方面，又在金属表面形成一层致密的保护膜，从而起到保护作用。

缓蚀剂的使用能降低混凝土中自由 Cl^- 的含量或降低 Cl^- 的扩散速度，因此，可能影响

引起钢筋腐蚀的 Cl^- 浓度临界值。Ormellese 等分别研究了以醇胺、胺酯和链烷醇胺为基础的三种商业化有机缓蚀剂。结果表明，这些缓蚀剂均能推迟由 Cl^- 引起的钢筋腐蚀的发生，这与减小 Cl^- 的穿透速度有关。它们主要通过形成复杂的化合物，填充混凝土的孔隙，减少 Cl^- 的侵入。

迁移型缓蚀剂是较迟发展起来的一类新颖的缓蚀剂，主要包括一些有机物及单氟磷酸钠。其特点主要是饱和蒸气压极低，在混凝土中有很强的穿透性。迁移型缓蚀剂首先通过虹吸作用液相扩散，然后通过微孔和微裂缝进入混凝土中。而且其中有机活性成分的传输不仅可通过毛细现象和液相扩散，还可以通过气相扩散。

添加型缓蚀剂的商业化始于20世纪70年代，而迁移型缓蚀剂的应用主要始于80年代。特别值得关注的是含有各种胺和醇胺（如三乙醇胺、（单）乙醇胺、甲基二乙醇胺等），以及它们的盐类与其他有机和无机物的复合缓蚀剂。链烷醇胺类的缓蚀剂被归为迁移型缓蚀剂，因为它们可以穿过混凝土的孔隙而到达钢筋表面，在钢筋表面形成一层单分子的保护膜，同时抑制钢筋的阴极和阳极反应，减小钢筋腐蚀速度。因此，该类缓蚀剂属于混合型缓蚀剂。

匡尹杰等应用线性极化法和塔菲尔外推法，研究了乌洛托品、硫脲、8－羟基喹啉三种有机缓蚀剂在0.8 mol/L NaCl的模拟混凝土孔隙溶液中对R235钢筋的缓蚀效果。研究结果表明，当溶液的pH值为12.95时，8－羟基喹啉、乌洛托品对钢筋具有较好的缓蚀效果，硫脲几乎没有缓蚀效果；pH值降至10.95时，8－羟基喹啉基本失去缓蚀性；乌洛托品在高浓度时仍具有较好的缓蚀效果，硫脲和乌洛托品有协同作用，可以有效降低乌洛托品的用量。

单氟磷酸钠（MFP）是一种比较受重视并应用在钢筋混凝土结构中的迁移型缓蚀剂，它可有效阻止 Cl^- 侵蚀和混凝土碳化引起的钢筋腐蚀。Alonso 等认为单氟磷酸钠（Na_2PO_3F）的缓蚀机理与磷酸盐相似。但也有学者认为MFP对阴极过程有一定的影响作用。Ngala 等认为，在MFP加入混凝土后的初期，MFP溶液在混凝土中的穿透是不可能的，或是不足量的。真正起缓蚀作用的 Na_2PO_3F 在孔隙液中因含量不足而无法阻止腐蚀。在没有碳化的混凝土中，Na_2PO_3F 与含钙化合物反应形成 $Ca_2(PO_4)_3F$ 沉淀，沉积在混凝土孔隙中，从而阻止了侵蚀性物质的穿透。在已碳化的混凝土中，MFP溶液更易于穿透混凝土。Chaussaden 等研究表明，在碳化的混凝土中，MFP的穿透深度可达40 mm，并且当其到达钢筋表面时，能很好地对钢筋起到保护作用。在实际结构中，其渗透深度甚至大于30 mm。在中性条件下，MFP的缓蚀性能随浓度升高而增加。在模拟碳化混凝土孔隙液中，随着MFP浓度的增加，钢筋腐蚀速度减少不止一个数量级。

林碧兰等应用动电位极化、交流阻抗谱、Mott－Schottky曲线测量及扫描电镜观察，研究了缓蚀剂D－葡萄糖酸钠（SD）、苯并三氮唑（BTA）、亚硝酸钠（SN）对含质量分数为3.5%的NaCl模拟混凝土孔隙液（SCP溶液）中细晶高强钢筋（HRBF500钢筋）耐蚀性的影响，并与文献报道的此类缓蚀剂对碳素钢筋的缓蚀效果进行了比较。结果表明,在 SCP 溶液中添加 SD 后,HRBF500 钢筋的腐蚀过程受到抑制,阻抗增大,钝化膜为 n 型半导体,载流子密度降低,钢筋表面光整致密;添加 BTA 后,HRBF500 钢筋的各项电化学指标下降,钢筋表面布满腐蚀坑;添加 SN 后,HRBF500 钢筋的腐蚀过程也受到抑制。SD、SN 可作为 HRBF500 钢筋的缓蚀剂;BTA 不适合作为 HRBF500 钢筋的缓蚀剂,不同于其对碳素钢筋的缓蚀作用。

杨榕杰等应用电化学技术,结合扫描电子显微镜观测,研究 D-葡萄糖酸钠、钼酸钠和硫脲三组分复合缓蚀剂对模拟混凝土孔隙液中钢筋腐蚀行为的影响及其阻锈作用。结果表明,在质量分数为 3.5% NaCl 的模拟混凝土孔隙液中,复合缓蚀剂具有协同效应,对钢筋有良好的阻锈作用。当 D-葡萄糖酸钠、钼酸钠和硫脲浓度(单位:$mg \cdot L^{-1}$)分别为 750,250 和 500 时,对钢筋的缓蚀效率可达到 94.5%。应用软硬酸碱(HSAB)理论分析缓蚀机理,可认为三组分复合缓蚀剂在钢筋表面共同形成保护膜而阻止钢筋的腐蚀。

多功能型缓蚀剂是近年来新发展的一类缓蚀剂,一般是复合型缓蚀剂。例如,Nmai 等研究了一种水溶性的多功能型复合有机缓蚀剂,其主要成分是胺和脂肪酸酯。它通过双重机理发挥作用:一方面通过脂肪酸酯的憎水性质减小 Cl^- 的侵入;另一方面成膜性的胺组分和脂肪酸酯在钢筋表面形成增效的保护膜。水溶性缓蚀剂的另一优点是,它降低了混凝土的渗透率,从而减弱了侵蚀性物种(例如硫酸盐、酯、Cr)引起的腐蚀。

当上述多功能有机缓蚀剂加入混凝土中时,酯在碱性溶液中发生水解,形成羧酸和相应的醇。该反应在碱性条件下较易进行且难发生逆向反应。羧酸根阴离子在混凝土中很快转化为不溶性脂肪酸的钙盐。新生成的脂肪酸和它们的钙盐在混凝土中小孔内形成了一层憎水膜,其表面张力阻碍水流入孔隙,同时憎水性钙盐在孔隙内层的生成减小了孔隙的孔径,从而减弱了水溶性物质在混凝土毛细孔隙中的迁移。由于在添加过程中,缓蚀剂已均匀分布在混凝土中,因此它的憎水性分布在整个混凝土中。这样就增加了钢筋/混凝土界面 Cl^- 达到临界浓度值所需要的时间,从而起到缓蚀作用。

我国对混凝土中钢筋缓蚀剂的研究虽然起步较早,但发展较慢,至今还未得到广泛的应用。20 世纪 60 年代国内就有人对亚硝酸钠作为混凝土中钢筋缓蚀剂进行了试验。但是,单纯亚硝酸钠虽有较好的缓蚀作用,但因它是阳极型缓蚀剂,用量不足可加剧钢筋局部腐蚀,另外,还存在着前面所述的一些问题,因而没有被推广使用。后来,亚硝酸盐一般作为复合缓蚀剂的成分被使用。到 80 年代,我国原冶金部建筑研究总院和南京水利科研院分别研制开发了 RI 和 NS 系列复合缓蚀剂,获得了一定的应用。之后,陆续又有关于研究钢筋缓蚀剂的报道,包括无机缓蚀剂和有机缓蚀剂,还有复合缓蚀剂的研究和开发。但是,与国际上发达国家相比,国内对钢筋缓蚀剂的研究和应用较少,这与我国的发展状况和存在着的钢筋混凝土的腐蚀问题越来越严重的情况是不相适应的。开发非亚硝酸盐系列的环境友好缓蚀剂是一个重要的发展方向。

吴群等应用线性极化法、Mott-Schottky 曲线研究了钢筋钝化膜在含有亚硝酸钠和

D－葡萄糖酸钠复合缓蚀剂的模拟混凝土孔隙液中的电化学特性。结果表明,复合缓蚀剂的加入,使钢筋在含有氯离子的模拟混凝土孔隙液中耐蚀性提高;在外加亚硝酸钠的模拟混凝土孔隙液中,钢筋钝化膜在一定的电位区间内呈现 n 型半导体特性并具有单一施主浓度,而 D－葡萄糖酸钠的加入则增大了施主浓度。此外,钢筋钝化膜的耐蚀性和半导体性质受溶液中氯离子浓度的影响较大,加入一定浓度的氯离子可使钝化膜的施主浓度增大,耐蚀性降低。

董士刚等应用电化学阻抗谱和极化曲线测试技术,结合扫描电子显微镜、X 射线光电子能谱和拉曼光谱分析研究了表面活性剂聚乙烯吡咯烷酮(PVP)作为缓蚀剂对钢筋的缓蚀效应和机理。结果表明,PVP 对 pH 值为 11.0,含 0.5 mol/L NaCl 的模拟混凝土孔隙液中的钢筋具有良好的缓蚀作用,可有效抑制钢筋的腐蚀;PVP 浓度变化对钢筋腐蚀行为有显著的影响,当浓度为 25 mg/L 时,PVP 对钢筋的缓蚀效率达到 89.1%,PVP 通过在钢筋表面形成吸附膜来抑制钢筋的腐蚀。

刘峥等利用静态失重法、极化曲线等方法,在与传统缓蚀剂亚硝酸钠对照的基础上,检测和评价乙二醇和乙醇胺两种醇胺类有机缓蚀剂,对钢筋在含有 NaCl 的模拟混凝土孔溶液中的电化学腐蚀行为及其阻锈作用。极化曲线图表明模拟混凝土孔溶液 pH = 11.5 和加入缓蚀剂浓度为 3%(与孔溶液的体积比)时,醇胺类缓蚀剂对钢筋阻锈效果最好,钝化电位为 940 mV;静态失重法表明缓蚀剂为水泥质量的 3% 是防止混凝土钢筋发生点蚀最适宜的浓度,此时缓蚀效率达 94%;实验同时发现在以上条件下乙醇胺的缓蚀作用与亚硝酸钠相当,且乙醇胺与其他缓蚀剂有良好协同效应,能明显增强其对钢筋的阻锈能力。

当前应用于钢筋混凝土体系能够兼顾对钝化膜的保护性能,并能够在长时间内起到良好缓蚀作用的有机缓蚀剂研究相对较少,并且当前大多数有机缓蚀剂仅能够对均匀腐蚀起到一定的缓蚀作用,同时能够对局部腐蚀起到良好缓蚀作用的有机缓蚀剂较为匮乏,有机缓蚀剂对均匀腐蚀、局部腐蚀的作用机理尚不明朗,亟待研究。

2.3.3　海水环境中碳钢缓蚀剂

海水作为一种很有利用价值的自然资源,可以从中提取食盐、镁、溴、碘等重要物质,在淡水紧缺地区,也可以进行海水淡化,补充生活用水。另外海水广泛作为滨海电厂的循环冷却水,能够缓解淡水资源供不应求的紧张状态,降低生产成本。天然海水在所有这些利用领域必然涉及碳钢等金属设备的防腐问题。在海水环境中保护金属设备的方法有多种,添加缓蚀剂是一种工艺简便、成本低廉、适用性强的措施。最早有关海水中碳钢缓蚀剂的报道是英国的 Clay 于 1946 年提出的以甲醛作为海水中碳钢的缓蚀剂。20 世纪 50 年代至 60 年代国外科学家对海水介质中的缓蚀剂进行了大量的研究,发现铬酸盐、重铬酸盐、亚硝酸钠对海水介质中的碳钢及有色金属具有较好的缓蚀作用,但这些盐类所要求的用量均较高。该时期的缓蚀剂研究均是从提高缓蚀剂效率出发,没有考虑到环境污染问题。在地球生态环境日益恶化并对海洋资源有巨大依赖的今天,化学品的开发和利用越来越受到人们的关注,海水缓蚀剂的应用也是这样。因此,本着环境保护的原则,开发无毒无害、可生物降解的环境友好高效绿色缓蚀剂,已成为中外缓蚀剂方面学者的共识,并且在该领域已进行了不少探索。

解决海水的腐蚀性问题,研究开发在海水介质中适用的、对环境和生态不会产生不良影响的绿色缓蚀剂,必将是解决海水腐蚀的一种高效快捷的途径。只有解决了金属材料在海水中的腐蚀问题,才能大大拓宽海水的应用领域。

1. 无机缓蚀剂

(1)钨酸盐

钨酸盐是一种绿色环保型缓蚀剂,具有弱氧化性,是一种阳极型缓蚀剂。单一的钨酸盐对海水中碳钢的缓蚀效率随其浓度的增加而增加,当浓度低于 40 mg · L^{-1}时,会加速碳钢腐蚀。研究表明,钨酸盐对氧化膜起填充空隙和修补缺陷的作用。单一使用钨酸盐的成本较高。缓蚀剂中的钨酸盐不仅参与了表面膜的生成,而且促进了铁的氧化钝化,膜中极低的氯离子含量也说明了钨酸盐复合缓蚀剂对海水中碳钢腐蚀的有效抑制。钨酸钠与葡萄糖酸钠、硫酸锌、三乙醇胺的复配缓蚀剂对 Q235 钢的缓蚀效率可达 90.2%。

柳鑫华等采用失重法、电化学法对钨酸盐复合缓蚀剂的缓蚀性能及缓蚀机理进行了研究。结果表明,温度为 30 ~60 ℃、pH 值为 6 ~10、海水浓缩倍数在 0.5 ~2.0 时,添加复合缓蚀剂及不同杀菌剂对已腐蚀的试片缓蚀效率变化幅度不大,均有很好的适应性。钨酸盐复合缓蚀剂主要体现的是抑制阳极反应为主的混合型缓蚀作用,24 h 后的缓蚀效率比 40 min 后测得的缓蚀效率更高。

2007 年于静敏等通过正交设计试验复配出一种新型的钨系海水介质缓蚀剂配方。实验结果表明,天然海水中单一组分的钨酸钠浓度在 40 mg · L^{-1}以上时才有保护作用;复配后的最佳组成为 40 mg · L^{-1}钨酸钠、40 mg · L^{-1}聚天冬氨酸、3 mg · L^{-1} Zn^{2+}、10 mg · L^{-1} HEDP,该复配缓蚀剂的缓蚀效率在 90% 以上。另外他还从化学及电化学、点腐蚀、表面分析等方面介绍单一钨酸盐的缓蚀机理,它属于钝化膜、阳极型的缓蚀剂,当其浓度很低时起加速腐蚀的作用,属于“危险型缓蚀剂”,因此,单一钨酸盐作为水处理剂时使用浓度很高;其次讨论了钨酸盐与其他缓蚀剂复配时,钨酸盐的使用量得以降低,而且缓蚀效率也大大地提高。

(2)钼酸盐

单一的钼酸钠缓蚀剂也是一种弱氧化性的阳极抑制型缓蚀剂,在海水中能抑制碳钢的腐蚀,缓蚀效率随其浓度的增加而增大。钼酸根在金属表面的吸附,使膜由阴离子选择性变为阳离子选择性,从而促进钝化产生,但该膜不够均匀和致密,使用效果不够理想。将钼酸盐与六偏磷酸钠、硼砂、七水硫酸锌和羟基二磷酸(HEDP)进行复配,各组分在海冰融水中具有良好的协同作用,在2~5倍浓缩海冰融水中对Q235碳钢的缓蚀效率最高可达到99.35%。XPS试验结果表明,添加了缓蚀剂的碳钢表面形成了以氧化铁和有机铁络合物为主要成分的不溶性沉淀膜,钼与磷也参与成膜。

钼酸盐复合缓蚀剂对天然海水中A3碳钢具有良好的阻垢性能和缓蚀效果。缓蚀剂中的有机磷酸盐和葡萄糖酸盐具有阻垢性能,对海水中Ca^{2+}起络合分散作用,可阻止钙盐在金属表面的沉积,碳钢表面膜中钙元素含量低至0.08%。

郝震等研究了钼酸钠、葡萄糖酸钠及二者的复配物在氯化钠溶液介质中,对304不锈钢耐点蚀的缓蚀作用。通过对钼酸钠、葡萄糖酸钠按照不同配比进行复配得到了不同种类的缓蚀剂,然后采用极化曲线法分别测试在这两种缓蚀剂共同存在的条件下,304不锈钢在3.5%(质量分数)NaCl溶液中的点蚀电位变化情况。结果表明,单组分的钼酸钠和葡萄糖酸钠对在3.5% NaCl介质中的304不锈钢的点蚀具有一定的抑制作用,并且两种缓蚀剂有明显的协同缓蚀效应。当两者复配缓蚀剂的浓度配比为c(钼酸钠)∶c(葡萄糖酸钠)=2∶1时,缓蚀效果达到最佳,此时点蚀电位为436 mV。

柳鑫华等将A3钢浸于添加了钼酸盐复合缓蚀剂的海水中,研究了浸泡时间、缓蚀剂组分投加顺序、海水温度、氯离子浓度、pH值、杀菌剂类型对缓蚀剂缓蚀效果的影响。结果表明,试片在含有钼酸盐复合缓蚀剂的海水中浸泡40 min的阻抗谱直径比浸泡24 h的稍大,在空白海水中浸泡40 min和24 h的阻抗谱直径相差较大,即复合缓蚀剂对浸泡时间有一定的适应性;缓蚀剂组分投加时先加入钼酸盐,试片自腐蚀电位最大,阳极极化曲线斜率变化较明显,该缓蚀剂是以钼酸盐为主剂的复合型缓蚀剂;复合钼酸盐缓蚀剂在海水温度为30~60 ℃、pH值为6~10使用,缓蚀效率变化较小,对冷却水系统常用的杀菌剂也有良好的适应性,并适用于NaCl质量分数小于8%的海水循环冷却系统。

2007年芮玉兰等通过失重法、电化学法研究了钼系海水缓蚀剂的缓蚀效果。实验结果表明,在天然海水中,单一组分的钼酸盐对碳钢的缓蚀效率随着钼酸盐浓度的增加而增加。由于钼酸盐是阳极型缓蚀剂,当钼酸盐浓度低于30 mg/L时会加速碳钢的腐蚀。复配后的最佳组成为钼酸盐40 mg/L、Zn^{2+} 4 mg/L、葡萄糖酸盐50 mg/L、HEDP 10 mg/L,该复配缓蚀剂对海水中碳钢的缓蚀效率在90%以上。添加该缓蚀剂后碳钢表面形成以氧化铁为主,同时含有磷和钼的混合型沉淀膜。另外,他还采用失重法、电极化法和X射线光电子能谱(XPS)法对钼酸盐复合缓蚀剂的缓蚀性及缓蚀机理进行了研究。实验结果表明,单一钼酸盐对海水中碳钢的缓蚀效率随着钼酸盐使用浓度的增加而增加,但低浓度使用缓蚀效率较低。通过失重法确定了与钼酸盐有较好协同效应的缓蚀剂配方-钼酸盐、柠檬酸钠、有机磷酸盐(HEDP)和锌盐,当缓蚀剂各组分浓度分别为10 mg/L、40 mg/L、10 mg/L和4 mg/L时,该缓蚀剂对海水中碳钢的缓蚀效率超过93%。动电位极化曲线测试结果表明,单一钼酸盐缓蚀剂和钼酸盐复合缓蚀剂均为抑制阳极反应为主的阳极型缓蚀剂;X射线光电子能谱(XPS)实验结果表明,添加了缓蚀剂的碳钢表面形成了以氧化铁和有机铁络合物为主要成分，钼与磷也参与成膜的不溶性沉淀膜，有效抑制了海水对碳钢表面的腐蚀。

(3)硼酸盐及硅酸盐类

硅酸盐用作缓蚀剂由来已久，因为无毒、廉价、易得等优点，一直使用至今。硼系缓蚀剂对碳钢和铸铁有着良好的缓蚀作用，硼酸盐的缓蚀作用与介质中的含氧量有关。硅酸盐缓蚀剂的最佳使用 pH 值为 7.0 ~ 8.5，且能有效地防止 Cl^- 对金属的腐蚀，故较适用于海水环境中金属的防腐蚀。但是单一使用硅酸盐形成的是多孔性的沉淀膜，保护效果较差，现在多用作复合缓蚀剂的组成成分。

杨朝晖等用正交设计试验从锌盐、丹宁酸、对氨基苯磺酰胺、硼酸盐、磷酸盐、葡萄糖酸盐等缓蚀剂组分中筛选出葡萄糖酸钙、硫酸锌和磷酸盐三组分复配的缓蚀剂。结果表明，由 100 $mg \cdot L^{-1}$ 葡萄糖酸钙、200 $mg \cdot L^{-1}$ 磷酸盐和 300 $mg \cdot L^{-1}$ 硫酸锌组成的复配型缓蚀剂，在海水介质中碳钢的缓蚀效率可达到 89%。

(4)锌盐和葡萄糖酸盐

葡萄糖的化学结构式如图 2-12 所示。锌盐和葡萄糖酸盐广泛用于复配缓蚀剂的研究，如与聚天冬氨酸、2-羟基膦酰基乙酸、三乙醇胺、十二烷基硫酸钠、壳聚糖及其衍生物等进行复配，均能发生协同作用。由 250 mg/L 的葡萄糖酸钠和 75 $mg \cdot L^{-1}$ 的 Zn^{2+} 复配而成的缓蚀剂，其缓蚀效率可达 98%。碳钢缓蚀剂的临界浓度为 280 $mg \cdot L^{-1}$ 时，对海水中碳钢的缓蚀效率为 93.8%，且无局部腐蚀发生；预膜后缓蚀剂的临界浓度降至 210 $mg \cdot L^{-1}$，此时对碳钢的缓蚀效率为 93.1%。通过极化曲线分析可知该复合缓蚀剂是以抑制阳极过程为主的混合型缓蚀剂。

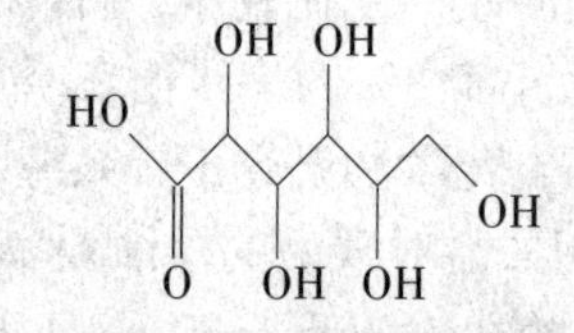

图 2-12 葡萄糖化学结构

1987 年，Khan 研究了锌盐与葡萄糖酸盐复配作为海水介质中碳钢的缓蚀剂，研究结果表明，286 $mg \cdot L^{-1}$ 葡萄糖酸钙与 130 $mg \cdot L^{-1}$ 醋酸锌复配时，可以使碳钢在 30 ~ 45 ℃ 的海水介质中的缓蚀效率达到 90% 以上。朱立群等为提高碳钢材料在动态热海水中的耐腐蚀性能，优选了葡萄糖酸钠等 3 种成分组成的复合缓蚀剂考察其缓蚀效果和作用机理。采用模拟海水成分及动态试验条件下测试缓蚀剂对碳钢的缓蚀效率，利用阳极极化曲线和扫描电镜研究复合缓蚀剂对钢铁材料在模拟海水中腐蚀过程的影响规律。结果表明，复合缓蚀剂各组分之间具有协同效应，在 80 ℃ 动态海水中对碳钢的缓蚀效率为 85.8%，在 25 ℃ 静态海水中对碳钢的缓蚀效率可达 94.5%。复合缓蚀剂提高动态热海水环境中钢铁耐腐蚀性能的主要原因是可在其表面形成一层致密的缓蚀钝化膜。

2012年王昕等研究了由聚天冬氨酸(PASP)、硫酸锌、葡萄糖酸钠与2－羟基膦酰基乙酸(HPAA)复配制的环境友好型海水缓蚀剂。通过正交试验确定最佳复配质量比为4:5:8:0:5。利用失重法、电化学法和扫描电镜法研究了此四元海水缓蚀剂在海水中对A3碳钢的缓蚀性能。结果表明。当海水缓蚀剂的用量为90 mg/L时,缓蚀效率达到97.26%,有效抑制了碳钢在海水中的腐蚀。该海水缓蚀剂具有优良的生物降解性能。28 d的生物降解率达到85.65%。

2. 有机缓蚀剂

有机缓蚀剂包含胺类、有机酸类、杂环类等。这些缓蚀剂一般含有带孤对电子的元素,如氮、氧、磷、硫等,这些原子的孤对电子与金属的空轨道进行配位,从而吸附在金属表面抑制其腐蚀。

(1)胺类

胺类是较为常用的一类有机缓蚀剂。按烃基长短,胺类可分为水溶性和油溶性缓蚀剂。分子量较小的胺为水溶性,分子量较大的胺为油溶性。胺类缓蚀剂大多对黑色金属有效,并具有良好的酸中和性能和一定的汗液中和置换性。聚苯胺由苯胺以化学或电化学方法合成,具有良好的电化学性能和化学稳定性。

有机胺中含有电负性较大的以氮元素为中心的极性基和碳、氢等原子组成的非极性基,极性基吸附在金属表面,改变双电层的结构,提高了金属离子的活化能;非极性基远离金属表面做定向排列,形成一层疏水的薄膜,阻碍物质扩散,从而抑制腐蚀,缓蚀剂的吸附符合Shawabkeh－Tutunji吸附模型。缓蚀效率随着缓蚀剂浓度和介质pH值的增大而增加,同时随介质温度和搅拌速度的增加而降低。水溶性聚苯胺是一种阳极型缓蚀剂,对盐酸溶液中的碳钢有较明显的缓蚀作用,缓蚀效率可达95%左右。

曹琨等合成N, N－双(1－苯乙醇)－乙二胺作为碳钢海水缓蚀剂,通过失重法、电化学法研究其在静态模拟海水溶液中对碳钢的缓蚀作用;并利用自制流动腐蚀模拟系统,研究湍流流速对碳钢在模拟海水溶液中及添加有缓蚀剂的溶液中的腐蚀速率的影响。从实验结果可以看出,在静态环境中缓蚀剂对碳钢的缓蚀效率达到93%以上,随着流速的增加,腐蚀速率较静态环境增大,缓蚀剂缓蚀性能也逐渐降低。

海上油田注水作业一般就近选择海水,但是海水的高含盐量及含氧量会严重地腐蚀输送管线和设备,为了解决这一问题,郭学辉以油酸、环烷酸、二乙烯三胺、环氧乙烷、氯乙酸钠、氯化苄、丙炔醇和环己胺等为原料合成缓蚀剂的主剂,然后再与多种表面活性剂复配成不同的缓蚀剂配方,筛选出七种具有较好效果的缓蚀剂,当温度为40 ℃,实验周期为120 h,缓蚀剂的用量为100 mg/L时,能够有效控制海水的腐蚀速率 <0.043 mm/a,缓蚀效率大于80%。

乌洛托品是一种传统的胺类缓蚀剂,具有广泛的应用,乌洛托品和苯并三氮唑混合体系在酸洗中具有更佳的缓蚀效果。肼、苯肼和2,4-二硝基苯肼在很微量的使用浓度时即可有效抑制腐蚀。缓蚀剂中含有的—NH—官能团中氮原子可吸附在金属表面,形成良好的保护,这类缓蚀剂是以阳极反应为主的混合控制型缓蚀剂。但单一使用时,其缓蚀作用比较有限,与阴极沉淀型缓蚀剂复配可明显增强缓蚀效果。

(2)硫脲及其衍生物

硫脲及其衍生物早在20世纪20年代初就已经用于金属酸洗,是一种较普遍应用的金属缓蚀剂。近几年来硫脲及其衍生物也开始作为盐水介质中的钢铁缓蚀剂的主要成分。硫脲衍生物主要有N原子上的取代衍生物如甲基硫脲、二甲基硫脲、四甲基硫脲、乙基硫脲、二乙基硫脲、正丙基硫脲、二异丙基硫脲、烯丙基硫脲、苯基硫脲、甲苯基硫脲和氯苯基硫脲。另外还有C原子上的取代衍生物如硫代乙酰胺等。目前,硫脲在缓蚀剂方面的研究已经较为成熟,应用广泛。

赵蕊等采用失重法、电化学阻抗法和极化曲线研究了二乙基二硫代氨基甲酸钠(SDEDTC)和硫脲(TU)对AZ91D镁合金在NaCl溶液中的缓蚀作用。结果表明,在质量分数为3.5%的NaCl溶液中,二乙基二硫代氨基甲酸钠的缓蚀效率存在浓度极值现象,在质量分数为0.1%时缓蚀性能最佳;硫脲对镁合金的缓蚀也存在浓度极值现象,缓蚀效率随着浓度增加先升高后降低,当质量分数为0.3%时,缓蚀性能最佳。二者的缓蚀机制都是抑制阴极反应,有较好的缓蚀协同效应,当复配比例为质量分数为0.3%的硫脲+质量分数为0.1%的二乙基二硫代氨基甲酸钠时,缓蚀效果最好,达到88%。

(3)有机酸类

有机磷酸及其盐类无毒性、污染小、缓蚀效率高,具有较大的pH值范围,且适用于要求高硬度和高温的场合,在水处理中应用较多。

硫代吗啉-4-基-甲基-膦酸和吗啉-4-甲基-膦酸两种缓蚀剂对天然海水中碳钢的缓蚀效果比较好,当缓蚀剂的添加量达5×10^{-3} mol/L时,二者的缓蚀效率分别可以达到98.7%和98%。

聚天冬氨酸(PASP)能被微生物降解为对环境无害的物质,被认为是一种较好的绿色缓蚀剂。PASP中有两种可提供配位电子的基团:酸性的羧基(—COOH)和碱性的亚氨基(—NH—)。线型高分子PASP可在水溶液中与金属离子形成络合物。但是单一使用PASP时,若想得到较高的缓蚀效率,一般用量较大。王昕等为同时解决碳钢与铜材在海水中的腐蚀问题,将聚天冬氨酸、苯并三唑等5种原料按一定的质量比复配成多功能海水缓蚀剂。利用失重法和电化学法研究了海水缓蚀剂在海水中对A3碳钢及H62黄铜的缓蚀性能。结果表明,当海水缓蚀剂用量为150 mg/L时,对碳钢与黄铜在海水中的腐蚀均有良好的抑制作用,碳钢缓蚀效率达到95.17%,黄铜缓蚀率达到93.67%。该海水缓蚀剂具有优良的生物降解性能,28 d后生物降解率达到82.6%。

聚环氧琥珀酸(PESA)同PASP一样,是目前国际公认的具有无磷、可生物降解特性的绿色水处理剂。PESA兼有缓蚀阻垢性能,热稳定性好,适用于高碱水系。但单一使用时,不能达到缓蚀要求。PESA与无磷、非氮化合物的缓蚀协同效应,能够得出最佳的缓蚀配方,PESA缓蚀作用的机理可能不在于羧基基团的引入,而是分子链中氧原子的插入,使其更容易生成稳定的五元环螯合物。复合缓蚀剂使得金属表面铁氧化物膜的覆盖率更高,更为致密,起到较好的保护效果,且由于聚环氧琥珀酸有很好的分散作用,也没有水垢沉积在试样表面,而且天然环烷酸有一定的杀菌作用,所以环烷酸可从抑制电化学反应和抑制生物腐蚀两个方面对海水中的碳钢起到保护作用。

王静等为开发适用于循环冷却海水/不锈钢体系的绿色缓蚀剂,采用电化学阻抗谱、极化曲线及表面腐蚀形貌分析,研究了聚环氧琥珀酸(PESA)、Na_2MoO_4在模拟2倍浓缩海水中对304不锈钢的缓蚀作用。结果表明,在模拟2倍浓缩海水中,PESA与Na_2MoO_4均能在304不锈钢表面形成保护膜,产生缓蚀作用;PESA为阳极吸附型缓蚀剂,单独使用时缓蚀效果有限;Na_2MoO_4为阳极沉淀膜型缓蚀剂,两种缓蚀剂同时作用,对抑制304不锈钢点蚀能够产生明显的协同增效作用,模拟2倍浓度海水中含100 mg/L PESA和10 mg/L Na_2MoO_4时,304不锈钢点蚀击穿电位比只含100 mg/L PESA时提升了约120 mV。

徐学敏利用电化学阻抗谱、极化曲线和M. S图研究了十二烷基苯磺酸钠(SDBS)在含硫离子和氯离子的模拟水中对不锈钢电极的缓蚀性能。结果表明,在含硫离子的模拟冷却水中加入SDBS可以使不锈钢电极的阻抗值增大,点蚀电位提高,不锈钢钝化膜的载流子浓度减小,SDBS有效地提高了不锈钢在含硫离子水体中的耐蚀性能,加入SDBS后甚至会出现过钝化,说明SDBS抑制了模拟水中氯离子对不锈钢的侵蚀。

(4)有机杂环类缓蚀剂

有机杂环类缓蚀剂的极性基团,具有接受电子的性质,缓蚀效果取决于金属给出的孤立电子对的强弱和烷基对金属的吸附能力,咪唑啉类化合物既具有良好的缓蚀性,又属于低毒物质,近几年其作为缓蚀剂的研究与开发受到了人们广泛的关注。咪唑啉对海水中低碳钢具有微生物腐蚀的抑制作用。咪唑啉分子可强烈吸附在金属的表面,即使添加浓度微量,也可有效地抑制海水中低碳钢的腐蚀。咪唑啉缓蚀剂与硫脲之间存在良好的缓蚀协同效应,可在钢表面形成更致密的缓蚀剂膜,缓蚀效果比单独使用咪唑啉缓蚀剂效果更好。缓蚀剂的吸附符合弗兰坎吸附模型和Langmuir吸附模型,这类缓蚀剂既抑制了阳极铁的氧化反应,又抑制了阴极的还原反应,而且随着缓蚀剂浓度的增加,腐蚀电位向正方向移动表现为抑制阳极反应为主的混合型缓蚀剂。

针对L921A合金钢在3.5%(质量分数)NaCl溶液中的腐蚀较为严重,陈振宁等研制了一种基于有机/无机复配的无毒、高效的缓蚀剂。结果表明,该缓蚀剂是一种阳极型缓蚀剂,其缓蚀效率达到97%以上。L921A合金钢在3.5% NaCl溶液中,其阻抗谱由一个高频容抗弧和低频感抗弧组成,具有两个时间常数,表明L921A合金钢在3.5% NaCl溶液中具有点蚀敏感性。当在3.5% NaCl溶液中添加缓蚀剂后,L921A合金钢的阻抗谱仅为单个容抗弧,只有一个时间常数。浸泡35 h后,其阻抗值由103 Ω·cm^2 增加到1.1×104 Ω·cm^2。此时,缓蚀剂在合金钢表面形成一层膜,其覆盖度达到约80%。

2009年Liu等通过使用极化曲线法和电化学阻抗谱研究了碳钢在饱和二氧化碳盐水中,一种新合成的咪唑啉缓蚀剂的加入对体系电化学行为的影响;在温度为25~55 ℃时,通过失重法评价了缓蚀剂的缓蚀能力。结果表明,缓蚀效率在80%以上,咪唑啉是一种混合型缓蚀剂。吸附在Q235钢表面的咪唑啉符合富兰克林等温线方程。

(5)绿色复合缓蚀剂

杜敏等采用电化学方法研究了自制的高效、绿色复合缓蚀剂(葡萄糖酸钙、硫酸锌和具有多个配位基团的酯类物质——OCTA)在海水介质中对碳钢的缓蚀作用过程。结果表明,单一的硫酸锌是阴极型缓蚀剂,葡萄糖酸钙和OCTA是阳极型缓蚀剂,复配的缓蚀剂是混合型缓蚀剂。复合缓蚀剂在碳钢表面的成膜过程初步认为是OCTA与葡萄糖酸根离子协同与溶液中金属阳离子发生络合反应,生成三维吸附膜,锌离子在阴极形成氢氧化锌沉淀膜,使得两种缓蚀剂膜优势互补,提高了膜的保护性能。

为提高碳钢材料在动态热海水中的耐腐蚀性能,朱立群等优选了葡萄糖酸钠等三种成分组成的复合缓蚀剂的缓蚀效果和作用机理,采用模拟海水成分及动态试验条件下测试缓蚀剂对碳钢的缓蚀效率,利用阳极极化曲线和扫描电镜研究复合缓蚀剂对钢铁材料在模拟海水中腐蚀过程的影响规律。实验结果表明,复合缓蚀剂各组分之间具有协同效应,在80 ℃动态海水中对碳钢的缓蚀效率为85.8%,在25 ℃静态海水中对碳钢的缓蚀效率可达94.5%。复合缓蚀剂提高动态热海水环境中钢铁耐腐蚀性能的主要原因是可在其表面形成一层致密的缓蚀钝化膜。

2.3.4 铁质文物保护缓蚀剂

缓蚀剂在铁质文物保护中的应用较早,但是这方面的系统研究还比较少。在铁器的缓蚀保护中曾使用过亚硝酸二环乙胺、碳酸环乙胺、亚硝酸二异丙胺及氨水等气相缓蚀剂。

1. 无机缓蚀剂

硅酸盐是一种环保型的缓蚀剂,研究水溶液中硅酸盐与铁表面氧化物的相互作用对铁器文物脱盐清洗液的实际应用有较大的指导意义。周浩等研究了羟基氧化铁对硅酸盐的吸附作用以及多种因素对$Fe/FeOOH/Na_2SiO_3$体系电化学行为的影响,并运用XRD技术分析研究了硅酸盐水溶液处理对钢铁表面氧化物形态的影响。结果表明,在$Fe/FeOOH/Na_2SiO_3$体系中,硅酸盐吸附在钢铁表面羟基氧化物上,反应生成了新的物质,形成了较为致密的缓蚀膜,可同时抑制钢铁的阴、阳极反应,且对阴极反应的抑制作用较强。

胡钢等采用动电位极化法、电化学阻抗法研究了铁质文物模拟试样在碱性溶液脱盐清洗过程中,钼酸盐缓蚀剂对其电化学行为的影响。通过X射线光电子能谱技术分析了脱盐清洗后试样表面锈层的组成。结果表明,在碱性脱盐溶液中添加钼酸盐缓蚀剂,能减小试样阳极腐蚀电流,大电极反应阻力,更有效地抑制试样在脱盐过程中的腐蚀。XPS分析结果表明,脱盐溶液中添加钼酸盐后,改变了锈层的组成,生成含有 Fe_2O_3、$FeMoO_4$ 和 MoO_3 的稳定沉积膜,提高了锈层的耐蚀性能,使文物基体在脱盐清洗过程中得到良好的保护。

2. 有机缓蚀剂

丁艳梅等采用乌洛脱品和胺类缓蚀剂制成一种新的气相缓蚀剂,用模拟大气腐蚀状态的薄液膜电化学测试技术研究了复合气相缓蚀剂对铸铁试样电化学行为的影响。并通过X射线衍射和X射线光电子能谱分析了复合气相缓蚀剂作用于模拟带锈文物所形成的锈层结构,并探讨了其缓蚀机理。结果表明,该复合气相缓蚀剂是一种阳极型的气相缓蚀剂,对模拟带锈文物有很好的缓蚀效果,该缓蚀剂可以促进铁质文物中的不稳定锈层向稳定锈层转化,抑制基体腐蚀的进一步扩展,对铁质文物具有很好的保护作用。

胡钢等通过浸泡实验检验了单宁酸、环已胺和钼酸钠复合缓蚀剂对带锈铁币的缓蚀效果,采用动电位极化曲线、交流阻抗法研究了铸铁电极在缓蚀剂作用下的电化学行为,并用X射线衍射技术分析了缓蚀作用对试样表面锈层的影响。结果表明,由单宁酸、环已胺和钼酸钠组成的三元复合缓蚀剂对带锈铸铁具有良好的协同缓蚀效果,铸铁电极腐蚀电位正移,且出现了有明显的钝化现象。带锈铁币经缓蚀处理后,表面锈层生成含有 Fe_2O_3、$\alpha-FeOOH$ 的稳定沉积膜,提高了锈层的耐蚀性能,且锈层颜色变化小,能满足铁质文物保护要求。

近年兴起的席夫碱缓蚀剂综合了传统缓蚀剂的优点,具有良好的缓蚀效果,但传统的溶剂法制备使用无水甲醇作为提取剂,毒性大。为此,王景勇在原有的溶剂法的基础上进行了改进,改用了无水乙醇作为提取溶剂,通过溶剂法制备了一种席夫碱缓蚀剂,并对其进行复配,以协同效应大大提高其缓蚀效率。通过盐雾试验、交流阻抗、极化曲线测试等方法评价其缓蚀性能,并与文物保护常用的钼酸盐缓蚀剂的缓蚀性能进行了对比,优选出最适用于文物保护的缓蚀剂。最终得到复配后席夫碱缓蚀剂的缓蚀效率达到92.89%,远远超过其他缓蚀剂,体现出优异的性能。

有机缓蚀剂在铁质文物保护中的研究还很有限。目前已知的有机缓蚀剂至少有141个品种,但多数有机化合物都有毒性。用于铁质文物的缓蚀剂要求毒性小、环境友好,对游客和博物馆工作人员健康安全不构成威胁。目前,开发具有多功能、高效、低毒、长效性能的缓蚀剂成为有机缓蚀剂的发展方向。同时,研发生物型缓蚀剂、新型缓蚀剂及有机缓蚀剂间的复配协同作用,将成为缓蚀剂发展的重要内容。

2.4 不锈钢缓蚀剂的发展方向

在研究复配缓蚀剂的协同作用时,由于各种化合物之间的反应机理非常复杂,影响因素繁多,建立机理模型有较大困难,采用正交实验方案在寻求多种缓蚀剂协同作用的最佳配方方面具有很大的局限性。然而电化学方法近年来在化学领域的应用有很大发展,它利用对极化曲线的分析和阻抗谱对实验数据的拟合,达到识别各影响因子之间复杂非线性关系及预测未知结果的目的。近些年我国对缓蚀剂的研究和应用发展很快,部分产品性能达到国际领先水平,但总体水平与国外还有差距。综上所述,今后对不锈钢缓蚀剂的研究重点则主要集中在:

(1)结合静态环境的腐蚀实验数据,对动态腐蚀环境进行系统的研究。最终研究出动态腐蚀环境下的复合型缓蚀剂。

(2)加强缓蚀剂的无毒化研究,减少对环境造成污染的缓蚀剂的使用,以减少缓蚀剂对环境和生态造成的不良影响。

(3)利用现有缓蚀剂品种进行复配实验,研究缓蚀剂之间的协同缓蚀机理,以提高缓蚀效果和减少使用量,并朝多功能化发展。

(4)利用现代先进的分析测试仪器对已复配出来的缓蚀剂进行测试,给出定性和定量的评价。

参考文献

[1] 陈立庄, 高延敏, 缪文桦. 有机缓蚀剂与金属作用的机理[J]. 全面腐蚀控制, 2005, 19(2): 25-28.

[2] 任呈强, 周计明, 刘道新, 等. 油田缓蚀剂研究现状与发展趋势[J]. 精细石油化工进展,2002, 3(10): 33-37.

[3] BENJAMIN A C, FREIRE J L, VIEIRA R D, et al. Burst tests on pipeline containing interacting corrosion defects[C]//Proc. 24th Int. Conf. on off shore Mechanics and Arctic Engineering, Halkidiki, Greece, 2005, 403-417.

[4] 郑磊, 杨虎. 丁烯酸酰胺型环保水基防锈剂的制备研究[J]. 安徽工程科技学院学报, 2009, 24(2): 30-32.

[5] 李润生. 金属腐蚀与防护[J]. 表面工程资讯, 2010, 10(4):49-49.

[6] JOVANCICEVIC V, RAMACHANDRAN S. Inhibition of carbon dioxide corrosion of mild

steel by imidazolines and their precursors [J]. Corrosion, 1998, 55(5): 449 -455.

[7] RAMACHANDRAN S,TSAIB L, BLANCO M, et al. Self - assembled monolayer mechanism for corrosion inhibition of iron by imidazolines[J]. Lanmuir, 1996, 12(26): 6 419 - 6 428.

[8] 连辉青, 刘瑞泉, 朱丽琴, 等. 噻唑衍生物在酸性介质中对 A3 钢的缓蚀性能[J]. 应用化学,2006, 23(6): 676 -681.

[9] LI X L, YUE W, WANG S, et al. Preparation of tungsten film and its tribological properties under boundary lubrication conditions [J]. China Petroleum Processing and Petrochemical Technology, 2014(3): 84 -91.

[10] LV X T,HARI - BALA,LI M G,et al. In situ synthesis of nanolamellas of hydrophobic magnesium hydroxide[J]. Colloids and Surfaces A,2007,296(1 -3):97 -103.

[11] 纪娟,孙建军,黄菲,等. 食品添加剂乙基麦芽酚的合成工艺研究[J]. 北京化工大学学报(自然科学版),2009,36(3):83 -86.

[12] ZHANG X Y, WANG F P, HE Y F, et al. Study of the inhibition mechanism of imidazoline amide on CO corrosion of Armco iron [J]. Corrosion Science, 2001, 43 (10): 1417 -1431.

[13] 郭卫. 咪唑啉缓蚀剂的合成及其缓蚀性能的研究[D]. 乌鲁木齐:新疆大学, 2004.

[14] 邓杨. 苯并三氮唑类衍生物的合成及其应用研究[D]. 长沙:中南大学,2010.

[15] PASSMAN F J,ROSSMOORE H W. Reassessing the health risks associated with employee exposure to metalworking fluid microbes[J]. Lubrication Engineering,2002,6:30 -38.

[16] 李桂燕. 烷基硫醇自组装膜腐蚀防护性能的电化学研究[D]. 济南:山东大学, 2006.

[17] SOLMAZ R, KARDAS G, YAZLCI B , et al. Adsorption and corrosion inhibitive properties of 2 - amino - 5 - mereapto - 1, 3, 4 - thiadiazole on mild steel in hydrochloric acid media[J]. Colloids and Surfaces A: Physicochemical and Engineering Aspects, 2008, 312(1):7 -17.

[18] 徐慧, 王新颖, 刘小育. 聚苯胺/聚吡咯复合薄膜的制备及其抗腐蚀性能研究[J]. 腐蚀科学与防护技术, 2012, 24(2): 127 -131.

[19] 邓杨. 苯并三氮唑类衍生物缓蚀剂的合成及其应用研究[D]. 长沙:中南大学, 2010.

[20] 刘智勇, 贾静焕, 杜翠薇, 等. X80 和 X52 钢在模拟海水环境中的腐蚀行为与规律[J]. 中国腐蚀与防护学报, 2014, 34(4): 327 -332.

[21] 苏丹丹, 杨晓, 贾庆明. 聚苯胺膜对 X70 钢防腐性能的研究[J]. 化学工业与工程, 2010, 27(3): 233 -236.

[22] 龙晋明，王少龙，王静. Q235钢表面电化学合成导电聚苯胺膜的研究[J]. 材料保护，2003，36(12)：23－26.

[23] LIM V W L, KANG E T, NEOH K G, et al. Determination of pyrrole－aniline copolymer compositions by X－ray photoelectron spectroscopy[J]. Appl Surface Sci, 2001, 181(3－4)：317－326.

[24] 侯保荣. 海洋腐蚀环境理论及其应用[M]. 北京：科学出版社，1999.

[25] GABRIELLA L－G, MESZAROS G, LENGYEL B, et al. Electrochemical and quantum chemical studies on the formation of protective films by alkynols on iron[J]. Corrosion Science, 2003, 45：1 685－1 702.

[26] 郭卫，刘瑞泉，王吉德，等. 一种酸洗缓蚀剂的合成及缓蚀性能研究[J]. 化学研究与应用，2004，16(6)：851－853.

[27] 周海晖，许岩，罗胜联，等. 我国防腐蚀涂料的现状及其发展[J]. 表面技术，2002，31：5－8.

[28] 杨骚. 成品油储罐内涂层新技术[J]. 石油化工腐蚀与防护，2001，18(2)：43－45.

[29] 王少龙，龙晋明，王静. 低碳钢基体上电沉积聚苯胺膜及耐蚀性研究[J]. 腐蚀与防护，2004，25(4)：142－146.

[30] MAHDAVIAN M, TEHRANI－BAGHA A R, HOLMBERG K. Comparison of a cationic gemini surfactant and the corresponding monomeric surfactant for corrosion protection of mild steel in hydrochloric acid[J]. Journal of Surfactants and Detergents, 2011, 14：605－613.

[31] TANG L, LI X, MU G, et al. The synergistic inhibition between hexadecyl trimethyl ammonium bromide (HTAB) and NaBr for the corrosion of cold rolled steel in 0.5 M sulfuric acid[J]. Journal of Materials Science, 2006, 41(10)：3 063－3 069.

[32] SUN F L, LI X G, ZHANG F, et al. Corrosion mechanism of corrosion－resistant steel developed for bottom plate of cargo oil tanks[J]. Acta Metallurgica Sinica, 2013(3)：257－264.

[33] 孔德生，万立骏，陈慎豪，等. 金属表面缓蚀剂自组装单分子膜的STM研究进展[J]. 腐蚀与防护，2003，10：415－420.

[34] 张大全. 绿色化学及其技术在缓蚀剂研究开发中的应用[J]. 材料保护，2002，35(1)：29－30.

[35] 曹楚南. 腐蚀电化学原理[M]. 北京：化学工业出版社，2004.

[36] 孙秋霞. 材料腐蚀与防护[M]. 北京：冶金工业出版社，2001.

[37] JAFARI Y, SHABANINOOSHABADI M, GHOREISHI S M. Poly(2－chloroaniline) electropolymerization coatings on aluminum alloy 3105 and evaluating their corrosion

protection performance[J]. Trans Indian Inst Met, 2014, 67(4):511 - 520.

[38] BENJAMIN A C, FREIRE J L, VIEIRA R D, et al. Burst tests on pipeline containing closely spaced corrosion defects [C]//. 25th Int. Conf. on off shore Mechanics and Arctic Engineering, Hamburg, Germany, 2006.

[39] 曾宪光, 龚敏, 罗宏. 环境友好缓蚀剂的研究现状和展望[J]. 腐蚀与防护, 2007, 28(3): 147 - 150.

[40] 路亮, 侯文鹏, 关士友, 等. 聚吡咯的绿色化学制备及其环氧树脂符合涂料层对 Q235 钢的防腐性能[J]. 化工进展, 2013(3): 617 - 623.

[41] 王慧龙, 郑家燊. 环境友好缓蚀剂的研究进展[J]. 腐蚀科学与防护技术, 2002, 14(5): 275 - 279.

[42] 李国希, 曾静, 高桂红, 等. 溶剂对导电聚吡咯防腐蚀性能的影响[J]. 湖南大学学报(自然科学版),2014,41(7):97 - 102.

[43] 薛守庆,薛兆民. 二次掺杂聚吡咯/ 聚噻吩膜的制备及其光电性能[J]. 发光学报, 2016, 37(9):1 125 - 1 130.

[44] 薛守庆. 聚吡咯/聚苯胺复合型导电聚合物防腐蚀性能[J]. 应用化学, 2013, 30(2): 204 - 208

[45] 薛守庆,姚长滨,薛兆民. 不锈钢表面 Schiff 碱自组装分子膜的制备及性能[J]. 应用化学, 2013, 30(3): 350 - 354.

[46] 薛守庆, 刘庆华. 固相法制备聚噻吩/聚吡咯/二氧化钛膜及电化学腐蚀性能[J]. 应用化学, 2016, 33(1) :98 - 103.

[47] XUE S Q, LIU Q H. Preparation and anti - corrosive performance of polypyrrole composites redoped with zinc phosphate[J]. Optoelectronics and Advanced Materials - rapid Communications, 2015, 9(11 - 12): 1 483 - 1 486.

第3章　铝基材料缓蚀剂

铝是一种比较活泼的金属元素，有延展性；易溶于稀硫酸、硝酸、盐酸、氢氧化钠和氢氧化钾溶液，难溶于水；相对密度为2.70g/cm^3；熔点为660 ℃；沸点为2 327 ℃；商品常制成棒状、片状、箔状、粉状、带状和丝状，极易在空气中被氧化，但可以生成一层致密而坚硬稳固的保护性薄膜，从而成功抑制了外界因素对内部造成的进一步氧化。如果酸液具有了强氧化性，便可以把铝氧化成致密的氧化物 Al_2O_3，并且这种氧化物具有很高的附着力和硬度，同时保护了金属的内部。但是处于非氧化性酸中的 Al_2O_3 薄膜很容易受到 H^+ 的破坏，形成可溶性 Al^{3+} 的腐蚀产物，就失去了抗腐蚀能力。铝基材料质轻、导电、导热性好。

铝是地壳中含量最丰富的金属元素，应用极为广泛。航空、建筑、汽车三大重要工业的发展，要求材料特性具有铝及其合金的独特性质，这就大大有利于这种新金属铝的生产和应用。近年来，铝及铝合金在某些领域应用广泛，说明传统铁基材料已逐步被取代，为了使铝基材料具有良好的表面性能和更便于进一步加工，铝基材料的处理过程中也常常涉及酸洗环节。但是由于铝过于活泼，在酸洗过程中因为腐蚀而损失较多的铝，使得工业上酸洗废液中出现较高浓度的 Al^{3+}，而导致严重的环境污染和金属资源的浪费。在传统行业中，铝基材料在日常生活中应用的范围越来越大，所以对铝基材料缓蚀剂的研发就变得十分活跃，缓蚀剂在酸洗过程中的研究和开发也进行了很多的科研工作。但通常将铝材缓蚀剂划分为两类，一类是表面氧化型，如具有强氧化性的铬酸盐类物质；一类是表面吸附型，如六次甲基四胺、苯基吖啶、硫脲、糊精、烟酸、甲苯基硫脲衍生物、苯甲酸衍生物等，这两类缓蚀剂的缓蚀效果都十分显著。

最近几年推出的酸洗缓蚀剂如钼酸盐系列，缓蚀效率最高可以达到96%。此外，为了减少缓蚀剂的毒害性和污染性，较大毒性的缓蚀剂已被市场淘汰，通过几种缓蚀剂之间的协同作用来提高缓蚀率和减少缓蚀剂对人类及环境的危害性，缓蚀剂的使用量也受到了绝对的重视和控制，并且在其相关研究方面也有了初步进展。

3.1　铝用缓蚀剂的分类

根据铝腐蚀的特征及缓蚀剂缓蚀机理的不同，将铝缓蚀剂分成三类。

3.1.1　吸附型缓蚀剂

在铝的表面上，缓蚀剂分子依靠物理吸附及共价键的化学吸附，形成牢固的吸附膜，将介质与铝表面隔离开来,从而抑制了铝的腐蚀。常用的含氮有机物(胺、亚胺、腈、偶氮化合物等)、含硫化合物(硫脲、硫醇、噻吩等的衍生物)、含氧有机化合物(醛、丁醇、癸二酸盐、酯、酮等的衍生物)均属于吸附型缓蚀剂。这类缓蚀剂适用于酸性物质。

3.1.2 扩散型缓蚀剂

缓蚀剂分子作用于铝的全部表面,使局部微电池的内阻增大,腐蚀电流降低,铝的腐蚀受到抑制。动物胶、阿拉伯胶、海枣酸钠、琼脂等高分子有机物均属于这个类型。扩散型缓蚀剂适用于碱性物质。

3.1.3 表面变化型缓蚀剂

与铝进行化学反应,反应产物覆盖于铝的表面上,如铬酸盐、硅酸盐、磷酸盐等无机化合物均属这一类型,表面变化型缓蚀剂适用于中性介质。

另外,具有螯合作用的一些有机物,如试铜铁灵、甘氨酸、羟基喹啉等均属于表面变化型缓蚀剂。它们与铝进行反应生成难溶性的螯合物,覆盖于铝的表面,也可以抑制碱性介质中铝的腐蚀。

3.2 一般介质中的铝缓蚀剂

3.2.1 硝酸溶液中铝缓蚀剂

20 世纪 40 年代,已发现铬酸盐在各种浓度的硝酸溶液中可以抑制铝的腐蚀,加入质量分数为 0.1% 的铬酸盐,缓蚀效率可达到 99.8%,几乎完全抑制了铝的腐蚀。同时被开发的还有六亚甲基四胺(乌洛托品),它可以用作质量分数为 2% ~5%,10% 及 20% 的硝酸溶液中铝用缓蚀剂。20 世纪 50 年代至 60 年代,研究了一些抑制发烟硝酸对铝腐蚀的缓蚀剂,首先是六氟磷酸铵,同时注意到质量分数为 0.1% ~1.0% 的锌盐也可以减缓发烟硝酸的腐蚀。20 世纪 80 年代所开发的铝在硝酸中缓蚀剂主要是苯甲酸及其衍生物,结果发现,三羟基苯甲酸缓蚀效果最佳。同时还开发出 1 - 对甲氧苯基 - 3 - 亚氨甲基氨硫脲作为稀硝酸中的铝用缓蚀剂,效果很好。

3.2.2 盐酸溶液中铝缓蚀剂

在盐酸中使用弱氧化性阳极缓蚀剂钼酸盐、钨酸盐则表现有一定的缓蚀效果。目前工业上使用吸附型有机缓蚀剂作为盐酸中铝用缓蚀剂,效果较为理想。盐酸中铝用缓蚀剂最早开发于20 世纪30 年代,当时发现9 - 苯基吖啶(图3 -1)、硫脲、2 - 苯基喹啉都可以抑制盐酸中铝的腐蚀。早期的研究开发中,主要是一些单个的化合物。20 世纪 60 年代以后,研究开发的领域似乎变得向整类有机物发展,并取得较好的效果。20 世纪 70 年代后期开发的盐酸中铝用缓蚀剂种类已很多,有人对数百种盐酸中铝用缓蚀剂做了评价。20 世纪末陆续有人研究了从天然植物或农副产物中提取缓蚀剂。

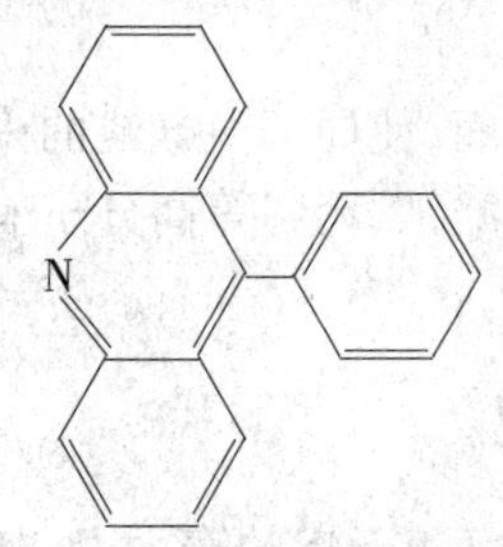

图 3－1　9－苯基吖啶

近年来有些人将表面活性剂用于铝在盐酸中的缓蚀,如非离子表面活性剂聚乙二醇辛基苯基醚(OP)在较高浓度时,可形成单分子吸附层,发生化学吸附将铝与介质隔开,起到缓蚀作用。还有些人将阳离子表面活性剂氯代十六烷基吡啶用于铝在盐酸中的缓蚀,其原因是表面吸附。

韦玉堂等以葡萄糖酸盐、醇胺磷酸酯、苯并三氮唑(BTA)、表面活性剂、添加剂等合成了盐水介质铝缓蚀剂,并用腐蚀失重法进行了评价。在质量分数为 2.5% 的盐水介质中,葡萄糖酸钙∶苯并三氮唑∶硫酸锌∶醉胺磷酸醋∶十二烷基苯磺酸钠(质量比) = 1.0∶1.0∶0.6∶0.2∶0.05,50 ℃时, 铝缓蚀率可达 95% 以上。

木冠南等用失重法研究阴离子表面活性剂十二烷基硫酸钠(SDS)、氯代十六烷基吡啶(CPC)、聚乙二醇辛基苯基醚(OP)对盐酸介质中的铝有一定的缓蚀作用,发现 30 ℃和 40 ℃时,在一定浓度范围内,两者产生了明显的缓蚀协同作用,缓蚀效率可达 90% 左右。根据此实验结果,讨论了产生协同效应的原因,并且发现十二烷基硫酸钠(SDS)对硫酸中纯铝的点蚀具有良好的缓蚀作用。Rehim 等研究了阴离子表面活性剂十二烷基苯磺酸钠(SDBS)在 1.0 mol HCl 溶液中对纯铝和铝合金的缓蚀行为,发现腐蚀抑制行为是通过表面活性剂在金属表面的吸附而不改变腐蚀过程机理达到的。SDBS 主要表现为一种阴极型缓蚀剂,且缓蚀效率随浓度的升高而增大,随温度的升高而降低,SDBS 在临界胶束浓度附近缓蚀效果最好。

徐有松等以乙二胺和水杨醛为原料合成一种具有高效缓蚀性能的席夫碱。利用失重法研究盐酸介质中该席夫碱在不同温度和浓度下对铝的缓蚀作用。结果表明,在质量分数为 5% 的盐酸体系中,该席夫碱吸附在铝表面,从而对铝有缓蚀作用。吸附规律服从 Langmuir 吸附等温式。随着温度升高,吸附能力减弱,缓蚀效率下降。吸附过程是放热过程,熵值增大,自由能减小。

雍厚辉等以N,N′-二(4-羟基苄叉)乙二胺双希夫碱作为缓蚀剂,通过失重法、动电位极化曲线、电化学阻抗谱评定了该缓蚀剂在HCl溶液中对5052铝合金的缓蚀作用。实验结果表明,该缓蚀剂在1.0 mol/L HCl溶液中对5052铝合金具有很好的缓蚀效果,且缓蚀效率随着缓蚀剂含量的增加而增大;动电位计划测量表明,该缓蚀剂在5052铝合金表面的吸附属于物理和化学的混合吸附,并遵循Langmuir吸附等温式。

20世纪80年代中期,A. S. Fouda等研究了硫脲及其衍生物对铝在2M盐酸溶液中的缓蚀作用,其中缓蚀效果最好的是N-烷基硫脲。具体的缓蚀效率的先后顺序为:N-烷基硫脲>苯基硫脲>硫脲≥N-N′-二乙基硫脲>N,N′-二甲基硫脲。

3.2.3 硫酸溶液中的铝缓蚀剂

通过近几十年来对硫酸缓蚀剂的研究发现,铝的腐蚀受阳极过程控制,阳极型缓蚀剂铬酸盐表现出良好的缓蚀效果。从20世纪30年代末起,铬酸盐由于具有强烈的强氧化性能,被用于浓硫酸中作为铝用缓蚀剂,起到了良好的效果。但在稀硫酸中目前尚未发现理想品种的缓蚀剂。过去曾使用过锰酸钾,但其缓蚀效率仅为60%~80%,使用亚砷酸钠缓蚀效率也只有70%左右,近年来推出的钼酸盐系缓蚀剂的缓蚀效率最高达90%以上,加之具有环境污染小、毒性小等优点,具有广阔的使用前景。其他经过研究的还有甲基吡啶酸(图3-2)、吖啶、苯甲酸衍生物、遛鸟衍生物、尿素等。

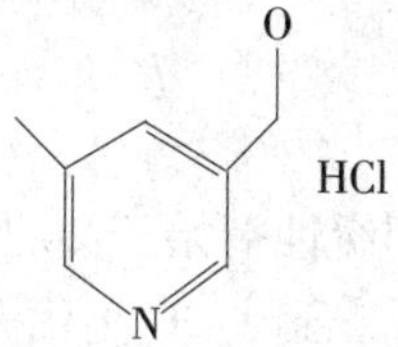

O

HCl

N

图3-2 甲基吡啶酸

3.2.4 磷酸溶液中铝缓蚀剂

目前,在磷酸溶液中最有效的缓蚀剂仍是铬酸盐。早在20世纪30年代中期,就已发现在质量分数为20%~80%的磷酸溶液中,使用质量分数为0.5%~1.0%的铬酸盐溶液即可十分有效地抑制磷酸对铝的腐蚀,这一阶段的产品主要为无机盐类。到20世纪80年代末期,提出的磷酸溶液中用作铝用缓蚀剂的有氨基酚类,其中邻氨基酚的缓蚀效果好,对氨基酚最差。另外提出的还有吡啶、吐温-85、吐温-20、十二烷基硫酸钠、氯代十六烷基吡啶、甲基吡啶及钼酸钠、氯化铵、硅酸钠等。最近提出的还有8-羟基喹啉、二苯硫脲、聚乙二醇等,研究方向已经转向以有机化合物为主。

3.2.5　碱性介质中铝缓蚀剂

从缓蚀剂的发展历程来看，早期多使用硅酸盐、铬酸盐和高锰酸盐等无机盐作为碱性介质中铝用缓蚀剂。此后，开始使用明胶和阿拉伯树脂等有机高分子化合物作为铝在碱性溶液中的缓蚀剂。近来又注意于研究有机螯合剂作为铝的缓蚀剂，有些有机螯合剂对铝的腐蚀有明显的抑制效果，其发展前景颇为乐观。

1. 无机缓蚀剂

早在 20 世纪 20 年代，研究人员就以硅酸钠、磷酸钠及碳酸钠等非氧化性无机盐作为铝在碱性溶液中的缓蚀剂，并认为这些无机盐的缓蚀机理在于它们和铝的反应产物共沉积于铝表面上并具有较强的附着性能。后来，在应用上，除广泛使用非氧化性无机盐外，也开始使用氧化性无机盐（铬酸钠、高锰酸钾）。在这两类无机盐缓蚀剂中，无毒、不会引起环境污染的非氧化性的硅酸钠受到重视并具有较广泛的应用。硅酸钠不仅用于纯碱和烧碱溶液中，而且还可以用于硫化钠溶液及碱性过氧化氢溶液中。

到了 20 世纪 70 年代至 80 年代，相关工程技术人员及学者主要研究了锡酸钠在碱液中对铝的缓蚀作用，发现在 5 mol/L 的氢氧化钾溶液中，加入 0.05 mol/L 的锡酸钠时，缓蚀效率可以达到 87%。在 20 世纪 80 年代中期，选用了高锰酸钾、过酸盐、过锝钨酸盐、铬酸盐及钒酸盐等具有氧化性的无机盐作为碱性溶液中铝用缓蚀剂，结果表明，高锰酸钾、铬酸盐和钒酸盐效果较好。

2. 有机缓蚀剂

有机化合物作为碱性溶液中铝用缓蚀剂始于 20 世纪 20 年代末期，当时应用的主要有阿拉伯胶、琼脂、糊精等天然有机物质。到了 30 年代，发现在质量分数为 4% 的氢氧化钠溶液中，加入质量分数为 18% 葡萄糖，可使铝的腐蚀得到几乎完全的抑制。直到 20 世纪 50 年代至 60 年代，各国注意研究开发有机化合物作为铝在碱性溶液中的高效缓蚀剂。近年来品种增多，性能有所提高。50 年代中期发现白蛋白及酪蛋白等有机蛋白类物质可以抑制碱性溶液中铝的腐蚀。60 年代发现了对氨基酚类衍生物、13－二酮类、邻羟基偶氮磺酸类、茜素衍生物和萘衍生物都可以作为碱性溶液中铝的缓蚀剂。70 年代以后，这方面的研究取得了更多的成果，发现的可作为碱性溶液中铝用缓蚀剂的物质主要有以下几种。

（1）藻酸钠（图 3－3）

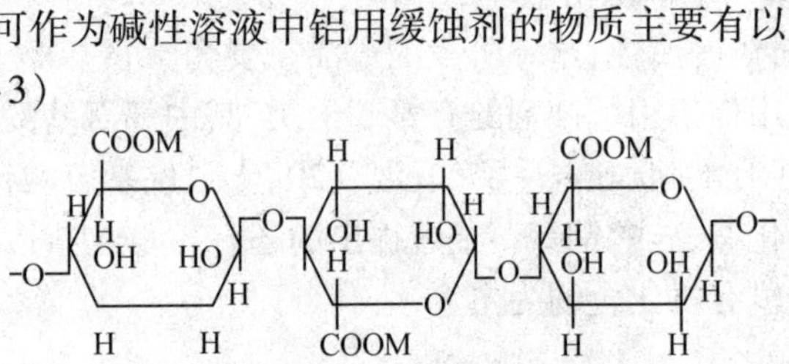

图 3－3　藻酸钠

藻酸钠具有吸湿性，平衡时所含水分的多少取决于相对湿度。干燥的海藻酸钠在密封良好的容器内于25 ℃及以下温度储存相当稳定。聚合度（DP）和分子量与海藻酸钠溶液的黏性直接相关，储藏时黏性的降低可用来估量海藻酸钠去聚合的程度。高聚合度的海藻酸钠稳定性不及低聚合度的海藻酸钠。据报道海藻酸钠可经质子催化水解，该水解取决于时间、pH值和温度。藻酸丙二醇酯溶液在室温下、pH值为3～4时稳定；pH值小于2或大于6时，即使在室温下黏性也会很快降低。当时发现的藻酸钠作为质量分数为0.2～0.6 mol/L的氢氧化钠溶液中的铝用缓蚀剂效果要比以往使用的糊精、动物胶好得多。因为其在铝的表面上极易形成一层覆盖膜，特别是在阳极区吸附之后，可使阳极极化增高，使腐蚀电流降低。另外，如果向藻酸钠中添加质量分数为2%的$Na_2B_4O_7$及K_2SeO_4时，还可以使缓蚀效率提高到90%以上。

（2）氨基酸

目前，氨基酸可作为1 mol/L氢氧化钠溶液中的铝用缓蚀剂。在甘氨酸、苯甲酸氨基己酸、胱氨酸（图3－4）、丙氨酸、精氨酸、赖氨酸、羟基脯氨酸等数种氨基酸缓蚀剂中，以胱氨酸的缓蚀效果最好。杨标等采用静态失重法与电化学阻抗谱评价4种氨基酸对7B50超高强度铝合金的缓蚀行为，并通过腐蚀形貌表征氨基酸的缓蚀机理。结果表明，氨基酸浓度越高、温度越低，氨基酸对铝合金的缓蚀效率就越高。添加氨基酸后，溶液中铝合金的表观活化能均增大，其中，半胱氨酸和蛋氨酸的表观活化能最高，这归因于—SH或—SCH_3基团对铝合金表面优良的吸附作用。在4种氨基酸中，0.05 mol/L的半胱氨酸中含—SH基团的缓蚀效率最高，室温下高达94.7%；蛋氨酸（Met）的次之，主要是由于—SCH_3的空间位阻效应所致；苯丙氨酸（Phe）的缓蚀性能较差；低浓度的组氨酸（His）缓蚀能力相对不佳，而高浓度的His在较高温下仍保持着较高的缓蚀效率，这说明His的缓蚀效率受温度的影响较小。因此，His相应的表观活化能也较低。浸泡实验后的金相结果表明，添加氨基酸后会不同程度地抑制铝合金的晶间腐蚀和点蚀。

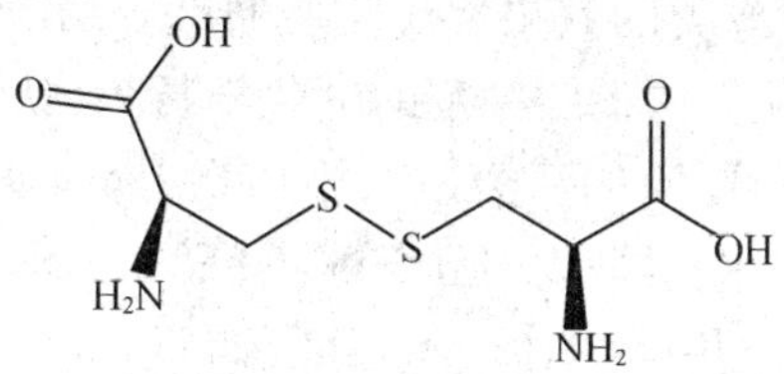

OH O S S O OH H_2N NH_2

图3－4　胱氨酸

（3）多糖类物质

多糖类（Polysaccharide）是构成生命的四大基本物质之一，广泛存在于高等植物、动物、微生物、地衣和海藻等中。多糖类物质也被用于碱溶液中的铝用缓蚀剂，可抑制质量分数为0.2～1 mol/L氢氧化钠溶液中铝的腐蚀，缓蚀效率最高可达90%。高分子多糖类物质分子中的羟基与铝作用引起化学吸附是缓蚀作用的原因。而单糖类物质亲水性过强,没有缓蚀能力。进行过实验的多糖类物质有黄蓍胶、阿拉伯树脂、琼脂、糊精、明胶等。实验结果表明,黄蓍胶的缓蚀效果最好。

羧甲基壳聚糖是一种环境友好的重要衍生物,陈德英等采用失重法及电化学方法研究了羧甲基壳聚糖(CM-chitosan)在1 mol/L HCl溶液中对铝(2024)的缓蚀作用。失重和电化学测试均表明,当羧甲基壳聚糖浓度达到200 mg/L时缓蚀效率最高,可达88.54%。进一步的拟合计算表明,羧甲基壳聚糖在铝表面的吸附基本遵循修正的Langmuir吸附等温式。

(4)酚类及其衍生物

酚类化合物广泛存在于自然界中,酚类及其衍生物也被用于碱液中铝用缓蚀剂。在0.1 mol/L氢氧化钠溶液中缓蚀性能顺序如下:水杨醛>邻氯酚>邻苯二酚>邻甲酚>酚>邻硝基酚>邻甲氧基苯酚>邻烯丙基酚。

陈玉等实验采用失重法研究了腰果酚对铝在NaOH溶液和HCl溶液中,在不同的腰果酚用量、温度、NaOH浓度(或HCl用量)和反应时间条件下缓蚀作用的变化规律,为工业上铝的腐蚀防护提供帮助。实验结果表明,腰果酚对铝在NaOH溶液和HCl溶液中都有良好的缓蚀作用,且在较低温度下缓蚀作用更好;缓蚀作用随着腰果酚用量的增加而增强,当腰果酚用量达到一定量时,缓蚀作用不再增强或增强不明显。

(5)有机染料

有机染料也被用作碱溶液中铝及铝合金缓蚀剂,在20~60 ℃、0.1 mol/L氢氧化钾溶液中条件下,常见的有机染料缓蚀性能顺序如下:碱性红>亚甲蓝>刚果红>荧光黄>酚酞>甲基橙>曙红>茜素红。

(6)醛

醛是醛基(—CHO)和烃基(或氢原子)连接而成的化合物。在碱性溶液中可以抑制铝的腐蚀。在一般情况下,芳香醛类的效果要优于脂肪醛。Krishnan报道了一系列的脂肪族醛和芳香族醛作为铝在氢氧化钠中的缓蚀剂的电化学行为,认为芳香族醛的缓蚀效率一般要比脂肪族的高。在1 mol/L的NaOH溶液中,添加0.1 mol/L的醛类化合物,对铝阳极的缓蚀效率为:苯甲醛(63%)>水杨醛(60%)>糠醛(58%)>邻-苯甲醛(51%)>对-苯甲醛(49%)>肉桂醛(47%)>甲醛(41%)>乙醛(26%)>巴豆醛(16%)。

当溶液中添加钙离子时,铝的腐蚀得以抑制,缓蚀效率为61%。若将钙离子与上述醛共同添加到溶液中时,缓蚀效率得到极大的提高,获得如下的结果:Ca^{2+}+水杨醛(88%)>Ca^{2+}+肉桂酸、糠醛(83%)>Ca^{2+}+苯甲醛(80%)>Ca^{2+}+甲醛、对-苯甲醛(72%)>Ca^{2+}+邻苯甲醛(58%)>Ca^{2+}+乙醛(41%)>Ca^{2+}+巴豆醛(38%)。

康永等合成一种聚乙二醇酯改性席夫碱缓蚀剂,考察其对铝的缓蚀性能。以3,5-二溴水杨醛、对氨基苯甲酸为原料,经溶液法,合成了3,5-二溴水杨醛缩对氨基苯甲酸席夫碱,利用红外光谱、紫外光谱对其结构进行表征与确认。利用硼酸酯化法合成聚乙二醇(1000)单月桂酸酯,测定其酸值、皂化值分别为 34 mg/g KOH、112 mg/g KOH。以 N, N - 二甲基甲酰胺为溶剂,对甲苯磺酸为催化剂,在常压下,反应温度为 130 ℃,合成聚乙二醇改性 3, 5 - 二溴水杨醛缩对氨基苯甲酸席夫碱缓蚀剂。以纯铝片为研究对象,运用分子自组装技术,在铝表面自组装成膜,利用电化学技术、失重法和扫描电子显微分析法探讨聚乙二醇酯改性席夫碱自组装膜在 0.5 mol/L 盐酸溶液中对铝的缓蚀作用。结果表明,当缓蚀剂浓度为 100 mg/L 时,自组装时间为 30 min,对铝的缓蚀效果最佳。

醛类缓蚀剂的缓释效果有如下几个特点:

(1)缓蚀效率并不随分子量的增加而增大;

(2)化合物与它们的溶解度无关;

(3)考虑到 π 键因素,芳香醛缓蚀效率高于脂肪族醛的缓蚀效率;

(4)钙离子使醛类化合物的缓蚀效率提高的原因可能是形成了某种复杂的化合物,改变了醛的吸附引起的。

3.2.6　中性介质中铝合金缓蚀剂

铝在中性盐溶液中的腐蚀行为,主要取决于溶液中的阴、阳离子的特性。当溶液中含有 F^-、Cl^- 等卤素阴离子时,由于这些离子的半径小、穿透性强,很容易破坏氧化膜而产生点蚀。

王成等通过电化学方法和扫描电镜技术研究了碳酸钠对铝合金在氯化钠溶液中的缓蚀作用。实验结果表明,碳酸钠通过在铝表面形成氧化膜来抑制铝的腐蚀,当碳酸钠的浓度为 0.025 ~ 0.150 mg/g 时,碳酸钠对铝的缓蚀效果最好。

王成等研究了油酸钠和有机胺在氯化钠溶液中对铝的缓蚀作用及机理。电化学极化曲线表明,当油酸钠的浓度较低时,其缓蚀效率随浓度增加而增大至最大值;随后油酸钠浓度再增大,其缓蚀效率却基本恒定。最佳油酸钠浓度为 0.20 mg/g。扫描电镜(SEM)观察与研究发现,经油酸钠缓蚀的铝合金表面形貌,腐蚀轻微,表面平整,与未加缓蚀剂而被腐蚀的铝合金表面形貌明显不同。油酸钠的缓蚀机理主要是抑制铝合金的阳极反应。正丁胺、异丙胺(图 3 - 5)和二乙胺对铝都有较好的缓蚀效果,其中异丙胺缓蚀效果最好,这表明有机胺在一定程度上抑制了铝的点蚀。

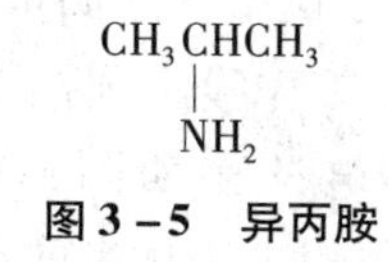

图 3 - 5　异丙胺

赵海军研究了汽车铝质热交换器的点蚀进展,为了延长铝质汽车热交换器的使用寿命,总结了铝质热交换器的点蚀机理及其影响因素,并总结了采用铬酸盐作为铝用缓蚀剂的缓蚀机理。结果表明,铬酸盐可以在铝合金表面形成 Al_2O_3 和 Cr_2O_3 氧化物保护薄膜来防止铝腐蚀。改善氧化膜致密性、增加氧化膜厚度和提高氧化膜绝缘性能,都有助于提高铝的抗腐蚀性能。

卢建红等研究了柠檬酸三钠和氟硅酸钠对铝在氟化氢铵溶液中的缓蚀性能。实验结果表明,铝在氟化氢铵溶液中的腐蚀速度随腐蚀时间的增加而增加,随着氟化氢铵浓度的增加而增加,它们之间呈抛物线的关系。柠檬酸三钠和氟硅酸钠分别对铝有很好的缓蚀作用。

近年来大量文献报道,将有机物与无机物复配后使用,能很好地抑制铝合金的腐蚀。

王晓艳等采用集气实验、极化曲线方法研究发现,乙二胺四乙酸单独添加对铝的缓蚀作用不明显,共同添加氢氧化钙和乙二胺四乙酸对铝的缓蚀作用显著。实验结果表明,钙离子与乙二胺四乙酸没有参与氧化膜的生成,是通过吸附而起缓蚀作用的。碱土金属离子和乙二胺四乙酸是界面型缓蚀剂。同时,氧化锌和添加剂 DE 对铝共同作用。实验结果表明,氧化锌可以明显抑制铝的腐蚀,DE 对铝没有缓蚀作用,但它可以使锌在铝表面的沉积形貌更平整,增强锌沉积层与铝表面的结合力,从而起到增强氧化锌缓蚀作用的效果。此外,还研究了氧化锌和聚乙二醇对铝在碱溶液中的缓蚀作用,随着聚乙二醇分子量的增加,缓蚀作用增强。

邵海波等研究了钙离子与酒石酸根离子在碱溶液中之间的协同作用。实验结果表明,单独添加钙离子时有良好的缓蚀效果,单独添加酒石酸盐时缓蚀效果不明显,同时添加钙离子与酒石酸盐时缓蚀效果明显提高,说明缓蚀剂是通过吸附在铝表面起作用的,这表明它们是界面型缓蚀剂,而非相间型缓蚀剂。

李光宇等选用无机酸盐、有机酸盐等 6 种水溶性缓蚀剂,采用液相半浸腐蚀试验研究水溶液中缓蚀剂对 7075 铝合金防腐蚀性能的影响,并通过极化曲线测试研究缓蚀剂的缓蚀作用。结果发现,质量分数为 0.3% 的钼酸铵对铝合金有良好的缓蚀性;质量分数为 0.05% 的多聚磷酸钠、质量分数为 0.05% 的三聚磷酸钠对铝合金有良好的缓蚀性,随着添加量的增多,缓释效果变差;质量分数为 1% 的琥珀酸钠、质量分数为 1% 的柠檬酸钠或质量分数为 1% 的草酸钠对铝合金有一定的缓蚀性,但是草酸钠添加不足时,反而会加剧腐蚀。

袁朗白等研究了二正丁胺和硝酸钠在盐酸介质中对铝缓蚀的影响。研究结果表明,在一定温度、一定浓度条件下,硝酸钠和二正丁胺之间产生了明显的缓蚀协同效应。产生这种协同作用的原因可能是:硝酸根离子首先吸附到铝表面形成钝化膜,同时降低铝表面的正电荷,使得二正丁胺离子更易发生静电吸附,吸附膜变得更牢固,从而使缓蚀效率显著提高。因此,二正丁胺与硝酸钠复配后,可以成为优良的铝用缓蚀剂。

葛科等采用电化学方法研究了盐酸介质中 I^- 和癸胺对铝的协同缓蚀作用。由于碘离子具有半径大、易变形和特征吸附能力强等优点,因此可以将碘离子和有机胺复配用作酸性介质中的铝用缓蚀剂。实验结果表明,癸胺和 I^- 复配后对铝有较好的协同作用,其中癸胺对铝的缓蚀起主要作用。

周俊等采用失重法研究了在盐酸溶液中油酸钠对铝的缓蚀作用。实验结果表明,油酸钠对铝在盐酸溶液中有较好的缓蚀效果,其缓蚀效率随着油酸钠浓度的增大而增大,随着盐酸浓度的增大而下降,随着实验温度的升高而下降。但是油酸钠对铝的缓蚀效率不高,研究发现,将油酸钠和硫酸高铈复配后,缓蚀效率明显提高,这表明油酸钠和硫酸高铈之间存在协同缓蚀作用;研究还发现油酸钠在铝表面的吸附不符合 Langmuir 吸附等温式,而油酸钠和硫酸高铈复配后在铝表面的吸附符合 Langmuir 吸附等温式。

3.3 海水介质中的铝缓蚀剂

本节主要介绍采用浸泡法与线性极化等试验方法,对 2024 - T3 铝合金在 0.1 mol/L 氯化钠水溶液中添加各种化合物以测定它们的缓蚀效率与点蚀情况。

3.3.1 铬酸钠

铬酸钠具有完全的保护作用,是所有化合物中抑制能力最强的,曾用放射性示踪剂研究其抑制机理,证实铬酸盐是一种氧化型缓蚀剂,Cr_2O_3 被结合进钝化膜。硝酸盐在浓度较高时是一种有效的缓蚀剂,但在一定浓度或在一定的 Cl^-/NO_3^- 比例下,它会加速腐蚀。高氯酸盐在高浓度下还能提供轻缓的保护作用,但在低浓度时没有保护作用。硫酸盐也能抑制铝的腐蚀。

3.3.2 柠檬酸盐与酒石酸盐混合体系

柠檬酸盐与酒石酸盐混合体系在低温下螯合铝离子的能力较强,但温度升高,螯合能力下降。它螯合铝离子的能力与溶液的 pH 值有关。柠檬酸盐与酒石酸盐的阴离子易于与铝形成可溶的螯合物加速腐蚀,因此此类缓蚀剂在使用时要严格控制好体系的温度及 pH 值。

3.3.3 其他有机缓蚀剂

壬二酸对铝是一种缓蚀剂,苯并三唑也是一种缓蚀剂,铜铁灵与喹哪酸可以和铝生成不溶的化合物,故有缓蚀作用。草酰胺与红氨酸能在铝表面上形成浅绿色胶膜,有一定的缓蚀作用。但上述化合物的缓蚀效率受到其溶解性的严格限制。

Billyd Oakes 报道,海水淡化闪蒸设备 5 种铝合金的缓蚀剂试验,试验在 121.9 ℃的有溶解氧的海水中进行。5 种铝合金为 5052、1100、3003、5554 和 6061。其中,只有 5052 在没有添加缓蚀剂时显示出较高的耐蚀性。如添加 50 mg/L 重碳酸盐离子,1100 合金可满足脱盐工艺条件(需调节 pH 值)。添加 100 mg/L 铬酸盐离子,对 1100,3003 和 5554 合金在 121.9 ℃海水中具有很好的耐蚀性。

DOW 化学公司用铬酸盐-重碳酸盐缓蚀剂控制 1100,3003,5052,5554 和 6061 铝合金的腐蚀,大都具有低的腐蚀速度。在含有 1100 合金的添加铬酸盐-重碳酸盐的动态试验中、腐蚀速度从 2.54 mm/a 减少到 0.254 mm/a,无疑是优良的缓蚀剂。在淡水系统中,重铬酸锌盐(如 $ZnCr_2O_7$)对保护铝很有效,可减轻在同一系统中由于铝与异金属偶接而引起的问题,它能有效抑制铝和铜偶接引起的电偶腐蚀与溶解铜引起的加速腐蚀。铬酸锌盐甚至能成功地减少高铜铝合金(如 2024)的侵蚀。也有报道,2-硫基苯并噻唑(图 3-6)与 2-硫基苯并咪唑能抑制铝在水中的腐蚀。姜琴等采用电化学方法研究了一种绿色缓蚀剂(2-硫基-5-邻取代苯基-1, 3, 4 噻二唑)对 2024 铝合金的缓蚀作用。并采用量子化学半经验算法对该缓蚀剂进行了几何全优化。结果表明,该缓蚀剂能有效抑制铝合金点蚀,缓蚀效率达 92%,是混合型缓蚀剂;该缓蚀剂是以活性中心优先吸附的方式与铝合金作用。

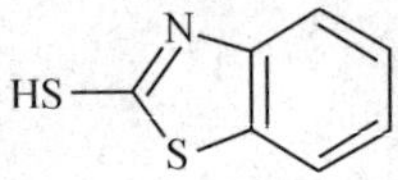

HS N S

图 3-6 2-硫基苯并噻唑

3.4 铝负极缓蚀剂

3.4.1 无机及稀土类缓蚀剂

早期人们主要是用无机物质作为铝及其合金在中性溶液中的缓蚀剂,其中铬酸盐的缓蚀效率尤为突出,但是由于 Cr(Ⅵ)容易在生物体内富聚,有致癌作用,且环境的不友好,容易污染水源,很多国家已经禁用。为此,许多学者开始寻找一种环境友好型的能够代替铬酸盐的高效缓蚀剂。

钼酸盐被用作许多类金属的缓蚀剂,其缓蚀效果比较理想。田连朋等探索了新的不含有害物质的铝合金阳极氧化膜绿色封闭技术,新方法使用了铈盐化学处理和钼盐溶液电化学处理相结合的工艺。对比了不同封闭方法对 L3 铝合金阳极氧化膜在 NaCl 溶液中耐蚀性的影响,包括氟化镍封闭、重铬酸钾封闭和铈-钼盐封闭。利用动电位极化法研究了封闭后阳极氧化膜的腐蚀行为。利用扫描电子显微镜(SEM)观察了封闭后阳极氧化膜的表面形貌和成分。结果表明,铈-钼盐封闭工艺可以为铝合金阳极氧化膜在NaCl溶液中提供较高的耐蚀性。

钒酸钠作为铝及其合金的缓蚀剂研究还不是很多,它是一种活化-钝化型缓蚀剂,在缓蚀剂作用初期,钒酸盐对金属的阴极过程有促进作用,能够加速金属的溶解,使得金属表面形成一层致密的钝化膜而抑制金属腐蚀,而钒也以氧化物或氢氧化物的形式沉积在金属表面起到防腐作用。钒酸盐的氧化态很多,化合价分别是+5,+4,+3和+2,而作为缓蚀剂其主要以+5价和+4价两种氧化态存在。

王鹏利用中子和X射线反射方法研究钒酸盐在2024铝合金表面形成钝化膜的结构、疏水性及缓蚀膜的形态。结果发现,铝合金表面在稀释10倍的含有10 mmol/L的$NaVO_3$及3 mmol的$K_3[Fe(CN)_6]$等其他辅助物质的前驱体溶液中浸泡30 s就能形成一层无裂纹的钒酸盐转化膜(VCC膜),阴极过程反应提高了局部的pH值导致VCC膜沉淀。通过分析VCC膜发现它是疏水性膜,并且VCC膜底部<100 Å处的疏水部分是主要起缓蚀作用部位。同时发现$K_3[Fe(CN)_6]$的加入能够加速VCC膜的形成,它主要是加速Al氧化成Al^{3+},从而加快阴极过程,有利于钒酸盐在阴极过程得到电子,并且阴极过程的局部pH值变化有利于VCC膜沉淀,所以$K_3[Fe(CN)_6]$是钒酸盐作为缓蚀剂的很重要的一个辅助药品,可以弥补单独使用钒酸钠时的缓蚀效果不够理想的缺陷。钒酸盐成膜物质不是水合物质,而主要是其氧化物如V_2O_5及V_2O_2。

K. H. Yang研究钒酸钠作为缓蚀剂在金属表面转化膜对金属的保护作用及其形貌特征,从钒的浓度、金属浸泡的时间及金属浸泡的温度三个因素对其展开研究。研究结果表明,钒转化膜的厚度随着钒的浓度变大或浸泡时间变长而变厚,但是浸泡时间过长的话,由于金属表面的裂纹的密度升高,金属的腐蚀能力反而升高。

薛守庆发现,浸泡温度对钒转化膜的缓蚀能力没有显著的影响;80 ℃下金属在30 g/L的偏钒酸钠溶液中浸泡10 min,钒转化膜对金属的缓蚀能力最强,可以成为铬酸盐的良好取代缓蚀剂。

目前无机类缓蚀剂研究比较多的就是稀土类缓蚀剂。在20世纪,澳大利亚航空实验室首次将稀土盐作为铝合金的缓蚀剂进行了研究,其中Hinton利用失重法将A7075铝合金浸泡在浓度为0.1 mol/L的NaCl溶液中21天,发现加入少量的Ce盐就可以使铝合金的腐蚀速率大幅度地降低,然后比较了Ce^{3+}、La^{3+}等其他稀土元素的缓蚀性能,结果表明Ce^{3+}盐类的缓蚀效果最好。Hinton利用XPS和SEM研究了铈盐在铝合金表面转化膜的性能,结果表明,在浸泡过程中,铈盐主要是以氢氧化铈的形式先沉积在铝合金的晶界处,然后再在整个铝合金表面沉积形成一层保护膜,部分区域的保护膜的平均厚度大于0.3 μm,其他区域一般是0.2 μm。

A. K. Mishra等研究了不同浓度的$CeCl_3$和$LaCl_3$作为AA2014铝合金在质量分数为

3.5%的 NaCl 溶液中的缓蚀剂,极化电阻测试表明,随着缓蚀剂浓度的增加,极化电阻有明显的增加,说明缓蚀剂的缓蚀效率随其浓度升高而明显升高。EIS 测试显示加入 1‰(体积分数)的缓蚀剂总电阻比未加缓蚀剂增加许多,且双电层和铝表面的保护膜的电阻也明显增加,说明铝合金的腐蚀行为降低,电化学测试结果表明,$CeCl_3$ 的缓蚀效率比 $LaCl_3$的缓蚀效率要好。扫描电子显微镜(SEM)结果显示,$CeCl_3$和 $LaCl_3$缓蚀剂主要是通过在铝合金的阴极区域沉淀其氢氧化物或者氧化物,从而抑制整个腐蚀速率。

顾宝珊应用电化学阻抗谱(EIS)连续测试 B95 铝合金表面稀土转化膜在质量分数为 3.5%的 NaCl 溶液中铈盐转化膜的破坏过程,通过阻抗值的变化研究 B95 铝合金表面稀土转化膜在质量分数为 3.5%的 NaCl 溶液中的腐蚀行为,采用等效电路的方式对测试的 EIS 进行解析。通过转化膜腐蚀过程阻抗谱特征研究,建立了 B95 铝合金表面 Ce(Ⅲ)转化膜腐蚀破坏的 3 个阶段模型:浸泡早期、浸泡中期和浸泡后期。浸泡早期,铝合金表面稀土转化膜被电解质溶液湿润,水开始渗透进转化膜;浸泡中期,电解质溶液渗透转化膜被破坏,同时与转化膜自修复相互竞争,转化膜破坏/再钝化;浸泡后期,转化膜破坏超过转化膜自修复,铝合金基体开始逐渐腐蚀溶解。同时,该模型可以定量预测转化膜表面腐蚀发展的程度。

A. K. Mishra 利用极化电阻及 EIS 方法研究不同浓度的 $LaCl_3$和 $CeCl_3$在质量分数为 3.5%的 NaCl 溶液中缓蚀作用,结果表明,$LaCl_3$比 $CeCl_3$有更好的缓蚀作用,尽管两者在浓度为 1‰时缓蚀作用都有明显的提高。SEM 测试结果表明,当 Ce^{3+}和 La^{3+}的浓度较低时,其氧化物或氢氧化物沉淀在阴极区域,通过抑制阴极过程而抑制整个腐蚀过程,当 Ce^{3+}和 La^{3+}达到一定浓度时,其氧化物或氢氧化物沉淀在整个铝金属表面,从而抑制铝的腐蚀 Ce^{3+}和 La^{3+}在铝负极表面的氧化物或氢氧化物沉淀膜形貌不太相同,其中 Ce^{3+}呈现多样性的沉淀膜,而 La^{3+}则形成精细的球状沉淀膜。

邓英等为了提高铝合金材料的表面性能,使其具有较高的硬度和耐磨性,利用激光熔覆技术在 6063 铝合金表面制备了添加稀土氧化物 CeO_2 的 Ni60 合金熔覆层。分析了激光熔覆 CeO_2 + Ni60 熔覆层的宏观形貌、显微组织及硬度, 研究了其摩擦磨损性能, 并与未添加稀土的 Ni60 合金熔覆层和铝合金基体进行了对比研究。结果表明, 加入质量分数为 2%的 CeO_2 可降低 Ni60 熔覆层表面起伏, 获得较好的熔覆层宏观形貌, 同时有效地减少 Ni60 熔覆层中的裂纹、孔洞和夹杂物,促进晶粒细化,提高熔覆层的组织均匀性;添加质量分数为 2%的 CeO_2 的 Ni60 熔覆层比未加稀土的 Ni60 熔覆层组织更加均匀, 晶粒较细小,气孔等组织缺陷更少, 熔覆质量较好;在相同深度位置的显微硬度,质量分数为 2%的 CeO_2 + Ni60 熔覆层明显高于 Ni60 熔覆层,质量分数为 2%的 CeO_2 + Ni60 熔覆层最高硬度可达 HV0.051180,是 6063 铝合金基体平均硬度的 8.4 倍;在相同磨粒磨损条件下,质量分数为 2% CeO_2 + Ni60 熔覆层试样的耐磨性是铝合金基体的 7.1 倍, 激光熔覆 Ni60 可以显著降低铝合金表面摩擦系数，而添加稀土元素 Ce 能提高 Ni60 熔覆层的摩擦系数稳定性，从而改善耐磨性能。

I. Aziz 等利用 EIS 测试方法研究了 35 ℃时 Ce 转化膜对 SiCp/5A06 和5A06 铝合金在 3.5% NaCl 溶液中浸泡 1 h 的电化学参数的变化。结果表明，电荷迁移电阻(R_t)及表面膜电阻都有所增大，转化膜使铝合金的耐蚀性提高。同样利用 EIS 测试发现在 45 ℃下，铝在 1 000 μg/g $CeCl_3 \cdot 7H_2O$ 的质量分数为 3.5% 的 NaCl 溶液中浸泡 60 min，在 100 ℃干燥 30 min 后形成的 Ce 的转化膜对铝的防腐作用最好。SEM 和 EDS 测试证实了 Ce 的缓蚀作用主要是通过在阴极金属间化合物和 SIC 颗粒出沉淀一层铈氧化物/氢氧化物，抑制了阴极过程，从而抑制整个金属的腐蚀过程；XPS 测试显示 Ce 的转化膜主要有 Ce_2O_3组成，同时含有 $Ce(OH)_3$、$Ce(OH)_4$及 CeO_2。

雷雪峰等以平均粒径为 15 μm 的球状铝粉作基体，采用流变相反应与热处理相结合的方法合成了 Co_3O_4 - Al 复合材料，并通过 XRD、SEM、粒度分布及充放电循环等手段对材料进行了分析测试。结果表明，采用该法合成的 Co_3O_4 为纳米颗粒，且均匀地包覆在铝球表面。Co_3O_4 的加入改善了纯铝负极的循环稳定性。当 Co_3O_4 含量为 3%（质量分数）时，复合材料的充放电比容量及循环性能最优。

3.4.2 有机类缓蚀剂

有机类缓蚀剂主要是含有 N、O 等有孤对电子的元素的各类有机物质，例如酒石酸、3 - 氨基 1，2，4 - 三唑、氟康唑等，有机类缓蚀剂的作用机理主要是在金属表面形成一种沉淀膜型和吸附膜型来抑制金属腐蚀，沉淀膜型主要是有机分子离子与金属表面或溶液中的金属离子反应或络合后在金属表面沉淀形成保护膜。吸附膜型缓蚀剂又分为化学吸附和物理吸附，化学吸附的机理一般是：缓蚀剂分子中含有带孤对电子的原子（如 N、O 等）能与金属原子的 d 空轨道形成配位键而吸附在金属表面；物理吸附的机理是：缓蚀剂分子与溶液中的离子形成鎓离子，带电荷的鎓离子会吸附在带有相反电性的金属表面而形成吸附膜，抑制金属的腐蚀。

中国科学院深圳先进技术研究院功能薄膜材料研究中心唐永炳研究员及其研究团队联合中国科学院物理研究所谷林研究员成功研发出一种具有核壳结构的铝碳纳米球复合材料，并应用于高效、低成本双离子电池。这种新型结构有效解决了铝负极材料在充放电过程中的体积膨胀、循环性能差等问题。相关研究成果已在线发表于能源材料顶级期刊 Advanced Energy Materials 上。

Zheludkevich 等利用极化直流和 EIS 测试方法研究了 1,2,4 - 三唑、1,3 - 氨基 - 1,2,4 - 三氮唑、苯并三氮唑和 2 - 硫基苯对 2024 铝合金在中性含 Cl^- 溶液中的缓蚀行为，利用开尔文扫描探针显微镜和原子力显微镜技术表征了在腐蚀过程中的沃尔特电位分布和表面形貌的演变。

V. Palanivel 等研究了在铝表面硅烷膜中引入缓蚀剂后在 0.5 mol/L NaCl 溶液的腐蚀行为,引入的缓蚀剂都是环境友好型有机分子及无机分子铈盐;研究了单个缓蚀剂在 0.5 mol/L NaCl 溶液中的缓蚀作用,然后研究缓蚀剂引入硅烷膜后的缓蚀效率。缓蚀剂和硅烷的协同效应使得铝表面膜更加完善。

Sherif 等利用 EIS、开路电位 - 时间曲线(OCP)、循环伏安法等电化学方法,SEM 表面分析技术及石英晶体分析(QCA)技术研究了 1,4 - 萘醌(NQ)作为铝在含溶解氧和去溶解氧的 0.5 mol/L NaCl 溶液中的缓蚀剂。测试结果表明,无论是在含有溶解氧还是去溶解氧的介质中,NQ 缓蚀剂都显著地提高了铝的腐蚀和点蚀电位,降低了阳极区域的腐蚀电流密度。表面极化电阻随着 NQ 的浓度升高而增大,NQ 的最佳浓度在含溶解氧和去溶解氧的含 Cl^- 介质中都是 1.0×10^{-3} M。QCA 技术表明 NQ 是铝表面膜的重要成分,SEM 测试表明 NQ 缓蚀剂抑制了铝严重的点蚀问题,并降低至 -675 mV。

李松海等研究了喹啉荧光化合物作为 2024 - T3 铝合金在 3.5% NaCl 溶液中的缓蚀剂,其中用到的物质有 8 - 羟基喹啉(8HQ)和 8 - 羟基喹啉 - 5 - 磺酸(HQS)。结果表明,8HQ 主要是通过在铝合金表面形成一层 $Al(HQ)_3$ 覆盖了铝合金表面的活性点,同时抑制了铝合金的阴极和阳极过程,而 HQS 由于比 8HQ 多含有—HSO_3 基团,会破坏氧化铝保护膜,加速铝合金的阴极过程,使得阴极局部区域 pH 值过高而形成沉淀膜,抑制阴极过程。

李光宇等选用含磷型缓蚀剂、杂环型缓蚀剂、硅系缓蚀剂及脂肪酸衍生物缓蚀剂,采用液相全浸腐蚀试验法研究水基切削液中缓蚀剂对 7075 铝合金防腐蚀性能的影响,并通过扫描电子显微镜(SEM)和能量色散谱(EDS)观察金属表面形态及元素分布。结果发现,硅系缓蚀剂 AL 是一种极为高效的铝抑制剂,但是配伍性能较差;含磷型缓蚀剂对铝合金有良好的缓蚀作用,是一类优良的铝合金缓蚀剂;高含量 2 - 硫基苯并噻唑钠和马来酸三甘醇酯对铝合金有一定的缓蚀作用。

张俊等采用液相全浸腐蚀试验方法评定有机杂环型、脂肪酸型、硼酸胺型和含磷型等 7 种水溶性缓蚀剂对铝合金的防腐蚀性能的影响,并通过扫描电子显微镜(SEM)和能量色散谱(EDS)观察金属表面形态及元素分布。结果表明,苯并三氮唑和脂肪酸型缓蚀剂在微乳化切削液中对铝合金无缓蚀作用;2 - 硫基苯并噻唑钠在高浓度时对铝合金具有一定缓蚀作用;硼酸胺对铝合金不仅无缓蚀功效,增大剂量使用时还会加重腐蚀;而含磷型缓蚀剂对铝合金则有良好的缓蚀作用,其中以磷酸酯(JP)防腐蚀效果最为突出,是一种优良的铝合金缓蚀剂。

3.5　铝阳极在 NaCl 溶液中的缓蚀剂

3.5.1　有机缓蚀剂

有机缓蚀剂多不是长链分子而是含 O、S、N、P 官能团的复杂结构分子，其缓蚀机理可能有如下两种。

1. 沉淀膜型缓蚀剂

缓蚀剂分子上的反应基团和腐蚀过程中生成的金属离子相互作用而形成沉淀膜吸附在金属表面阻滞腐蚀过程。如 L. Garrigues 对 8-羟基奎啉的研究，认为它与 Al^{3+} 螯合生成不溶性配合物沉淀。这类缓蚀剂并不多。

2. 吸附膜型缓蚀剂

这种分子内亦含有电负性较高的 O、N、P、S 等亲水基团（一般有机缓蚀剂为此类），它们吸附在金属表面活性点处，如王成、江峰、王福会课题组研究的乙酸丁酯、有机胺、油酸钠等有机物，E. M. Sherif 等研究的 1,5-萘二酚、1,4-萘二醌等，整个金属表面形成有机薄膜，同时降低阴、阳极过程，如三唑和噻唑的衍生物、吲哚及其衍生物、苯硫脲类化合物等。

也有研究者考虑了非缓蚀作用的有机物与有缓蚀作用的金属离子的复配产生的缓蚀效果。陈建华就研究了等物质的量配比的硫酸锌与苯并三唑对铝合金在中性氯化钠溶液中孔蚀的抑制作用。研究结果表明，硫酸锌主要是阴极缓蚀剂，而苯并三唑单独使用时无缓蚀作用，且对阳极有一定的促进作用。但两者等物质的量混合加入，阴极电流显著降低，活性溶解被完全抑制，孔蚀电位向高电位方向移动数十毫伏，显示出混合抑制性缓蚀剂的特征。

而属于表面活性剂的有机缓蚀剂多是长链大分子，它们常用于酸性溶液中，属于吸附膜型缓蚀剂。以乙氧基脂肪酸酰胺为例，长链中的 n 个—[—CH_2—CH_2—O—]— 中的 O 吸附在金属表面，碳氢部分像刷子般朝向溶液，形成一层疏水性保护层，阻碍与腐蚀有关的电荷、物质转移，降低腐蚀速率。吸附过程符合 Langmuir 等温吸附原理。A. Y. ElOCPre 对乙氨基脂肪酸酰胺的阳离子表面活性剂研究也证实如上的机理，并进一步证实了分子吸附状态：(1)由于正电的存在，可导致阳极表面吸附力的减弱；(2)水分子与碳氢分子的排斥力又使得碳氢分子更易朝向金属表面。这种作用使得表面活性剂分子水平吸附，故需考虑链长，链越长，覆盖率越高，缓蚀效率越高。

3.5.2　稀土缓蚀剂

人们研究了各种稀土缓蚀剂，这类缓蚀剂多在中性稍偏酸性介质中使用。最终稀土铈与镧脱颖而出，成为国内外研究最多、缓蚀效率高的缓蚀剂，使用较多的是 $CeCl_3$ 和 $LaCl_3$。也有研究者采用 $Ce(NO_3)_3$ 和 $Ce_2(SO_4)_3$，其缓蚀效果不如 $CeCl_3$ 和 $LaCl_3$ 的好，主要是因为铈的缓蚀作用被氧化性的阴离子所掩蔽了。

由于 Ce_2O_3 覆盖了大部分氧化还原的阴极表面区域，减少了阴极电流而抑制了腐蚀。这种缓蚀剂属于阴极氧化膜型缓蚀剂。研究表明，铈的缓蚀效率好于镧的缓蚀效率，原因是铈形成的氢氧化物有较低的溶解度。而铈在较长时间内起作用，镧则在较短时间内起作用，原因有可能是三价铈转化为四价铈有较长的过程，实际上，四价铈在 pH = 3 时就能生成不溶性沉淀，而后两式在阴极表面较高的 pH 值下才发生。四价铈沉积在阴极区，提供了额外的缓蚀过程。

Danó 和 Damborenea 研究了不同浓度的 $LaCl_3$ 与 $CeCl_3$ 在质量分数为 3.56% 的 NaCl 溶液中对铝合金 AA8090 的缓蚀作用，得出了 1 000 mg/L 的 $CeCl_3$ 与 250 mg/L 的 $LaCl_3$ 有最大的缓蚀率，而且 $CeCl_3$ 在阻滞晶间腐蚀方面比 $LaCl_3$ 更有效。A. Aballe 等分析了 $LaCl_3$、$CeCl_3$ 及 $LaCl_3$ 与 $CeCl_3$ 的复配对铝合金 AA5083 在 NaCl 溶液中的腐蚀影响。他们发现稀土氯化物对铝合金的缓蚀阻抗与通常使用的基于 Cr 的化合物对铝合金的缓蚀阻抗相同；并且他们进一步观察到了 500 mg/L 的 $LaCl_3$ 对铝阳极的极化阻抗比质量分数为 3.5% 的 NaCl 溶液对铝阳极的极化阻抗大两倍，500 mg/L 的 $CeCl_3$ 对铝阳极的极化阻抗则比质量分数为 3.5% 的 NaCl 溶液对铝阳极的极化阻抗大四倍，250 mg/L $LaCl_3$ 与 250 mg/L $CeCl_3$ 复配对铝阳极的极化阻抗比质量分数为3.5% 的 NaCl 溶液对铝阳极的极化阻抗大 6 倍。他们总结出合适比例的 $LaCl_3$ 与 $CeCl_3$ 复配比单独使用 $LaCl_3$ 或者 $CeCl_3$ 对铝阳极有更好的缓蚀作用。

唐立斌等用失重法和电化学方法研究了 La^{3+} 与 NO_3^- 对铝的缓蚀作用。研究表明，铝在加有 La^{3+} 的盐酸介质中，腐蚀受到轻微抑制，并且 La^{3+} 浓度对铝缓蚀的影响不显著。而若盐酸溶液中同时存在有 La^{3+} 与 NO_3^-，铝的腐蚀则大大地受到抑制，表面覆盖度与缓蚀剂浓度的关系符合 Langmuir 等温吸附方程，动电位极化实验表明 La^{3+} 与 NO_3^- 主要抑制了铝腐蚀的阴极反应，La^{3+} 与 NO_3^- 的存在与否并未改变 H^+ 阴极放电的机理。不同浓度 HCl 介质中，La^{3+} 与 NO_3^- 在相同腐蚀时间下对铝的缓蚀率不同；在一定浓度 HCl 介质中，La^{3+} 与 NO_3^- 在不同腐蚀时间下对铝的缓蚀率亦不同。

其存在的缓蚀机理是：稀土离子从复配盐中分离，在高活性的金属相间对局部阴极区起缓蚀作用（稀土离子与 OH^- 结合，在金属的阴极区生成沉淀膜），而有机物与金属相间溶解的 Al 腐蚀产物反应，起到阳极缓蚀作用（与 Al^{3+} 螯合生成不溶性配合物沉淀，覆盖在阳极区）。研究还证明了 $Mm(dpp)_3$ 的缓蚀效果比传统使用的铬酸更好，且在较宽的 pH 值范围内较 $Ce(dpp)_3$ 稳定，这是由于 $Mm(dpp)_3$ 较难分离，由于 O_2 还原为 OH^-，高活性的相间局部 pH 值升高，导致起阳极缓蚀作用的二苯磷酸转移到阴极表面，故在铝基底周围会更大程度地呈现阳极缓蚀，而 $Ce(dpp)_3$ 对酸碱度较敏感，多表现出阴极缓蚀特征。

3.5.3　铝阳极缓蚀剂研究存在的不足

稀土盐化合物作为铝合金的新型缓蚀剂，表现出优良的性能：低毒、环保、高效，而且它对各种铝合金在水溶液环境中的均匀腐蚀和孔蚀都表现出很好的抑制作用，和 Cr(Ⅵ)的缓蚀效果相当，铈已经被公认为稀土中最好的缓蚀剂。近些年来，与稀土相关的文献大多研究了稀土在水溶液中对铝及其合金的缓蚀行为。一些学者还研究了稀土转化膜，用来替代在工业上广为应用的铬转化膜，也取得了不错的结果。但在看到稀土优良性能的同时，我们也要看到它的不足：

(1)国内外对铝燃料电池中铝阳极的缓蚀剂研究较少；

(2)缓蚀剂的加入对电池放电性能的影响研究较少；

(3)由于目前研究方法及研究手段限制，稀土缓蚀剂还没有投入实际应用，大规模工业化还需要进一步的努力。

3.6　碱性溶液中的铝合金阳极缓蚀剂

对于铝合金阳极的电化学性能来说，电解液体系是一个不可忽视的重要影响因素。目前，国内外在铝电池电解液中添加缓蚀剂的研究主要集中在中性 NaCl 溶液中，而对碱性溶液中的缓蚀剂研究较少。1964 年，加藤正义研究了阿拉伯胶、可溶性淀粉、琼脂等高分子多糖类化合物作为碱性溶液中铝用缓蚀剂，试验结果表明，缓蚀效率在 80% 以上，但不足是多糖类一旦水解为单糖类时，则会促进铝腐蚀。1990 年，D. D. Macdonald 等研究了 Al－0.2Ga－0.1In－0.1Tl 合金在 50 ℃、4mol/L KOH 溶液中的缓蚀剂种类，发现 Na_2SnO_3 和 K_2MnO_4 等有较好的缓蚀效果。1992 年，V. Kapali 等报道，在含有锡酸钠和柠檬酸钠的碱性电解质中，可以使用纯度为 99.8% 的铝与铅、镓、铟制成的铝合金阳极，这种阳极也可以用于添加 ZnO 的碱性电解质。1994 年，印度的 R. S. L. Gnana 等研究人员认为钙盐与柠檬酸盐生成的物质，能维持铝合金电极附近溶液的 pH 值稳定，所以在溶液中添加钙盐与柠檬酸盐可降低阳极极化。

从文献研究可以看出，碱性铝电池阳极缓蚀剂主要有两大类：一类是无机缓蚀剂；另一类是有机缓蚀剂。

3.6.1　无机缓蚀剂

锡酸盐是常用的碱性铝空气电池电解液添加剂。在碱性溶液中，SnO_3^{2-} 被还原成 Sn，在铝表面上形成多孔状沉淀，表面沉积的 Sn 具有较高的析氢过电位，使铝电极的析氢腐蚀受到抑制；同时李学海通过实验和分析认为，SnO_3^{2-} 对铝阳极有活化作用，其作用机理可能是由于 Sn(Ⅳ)在氧化膜表面取代 Al^{3+} 并产生一个空穴，使氧化膜电阻明显降低。此外，SnO_3^{2-} 水解产生的胶态 $Sn(OH)_4^-$，可作为沉淀 Al(OH)的晶核，使过饱和的铝酸盐在电解液中分解结晶析出或沉淀下来，减少其对电池性能的影响。刘小峰通过实验发现：向 4 mol/L KOH 溶液中添加 0.03 mol/L 的 Na_2SnO_3 能够有效减少 Al－Ga－Pb－Bi 铝合金在碱性溶液中的腐蚀，其缓蚀效率达 60%～70%。

曾晓旭等通过集气、动电位极化曲线、恒流放电、扫描电镜和 X 射线能谱等方法研究了纯铝在含有锡酸钠的 4 $mol \cdot L^{-1}$ 氢氧化钾的甲醇－水（甲醇和水的体积比为 4:1，下同）混合溶液中的腐蚀和阳极溶解行为。实验结果表明，锡酸钠的添加通过具有较高析氢过电位的金属锡在电极表面的沉积，极大地抑制了铝在 4 $mol \cdot L^{-1}$ 氢氧化钾的甲醇－水溶液中的腐蚀，而由于在锡沉积层中裂纹的出现，导致较高浓度锡酸钠的缓蚀作用有所降低。恒流放电结果表明，铝在含有锡酸钠的 4 $mol \cdot L^{-1}$ 氢氧化钾的甲醇－水溶液中的恒流放电性能明显改进，而且铝阳极的放电性能随着锡酸钠含量的增大而逐渐提高。在 20 $mA \cdot cm^{-2}$ 的放电电流密度下，铝阳极在含有 10 $mmol \cdot L^{-1}$ 锡酸钠的电解液中显示了电位相对较低且较平坦的放电平台。万伟华等发现铝阳极在碱性电解液中的析氢腐蚀严重、阳极利用率低。选择 K_2MnO_4 和[$Ca_3(C_6H_5O_7)_2 + CaSnO_3$]作为 4 mol/L KOH 电解液的添加剂，研究它们对铝阳极行为的影响。结果表明，两种添加剂的引入均降低了析氢反应，使腐蚀电位负移和阳极利用率分别提高到 81.0%（6.3×10^{-4} mol/L K_2MnO_4）和 56.3% 饱和 $Ca_3(C_6H_5O_7)_2$ 和 $CaSnO_3$ 各 10 mL。

李学海等用恒电流放电技术和扫描电子显微镜（SEM）研究了添加缓蚀剂 Na_2SnO_3 的含量和反应产物 $NaAlO_2$ 的浓度对 Al/AgO 电池在 20% NaOH 溶液中的电压、析氢速率和铝阳极表面形貌的影响。结果表明，在 NaOH 溶液中添加 Na_2SnO_3，可以降低铝阳极的析氢速率，减少铝的阳极极化，改变铝阳极的腐蚀形貌；加入 $NaAlO_2$ 阻碍了铝阳极的溶解，降低了 Al/AgO 电池的电压，不利于 Sn 的析出，使铝阳极的析氢速率增大。

K_2MnO_4 也是效果较好的铝缓蚀剂之一。研究发现，向溶液中加入 K_2MnO_4 后，溶液的颜色从绿色逐渐转变为棕色，这可能是 MnO_4^{2-} 被还原成 MnO_2 或 Mn。MnO_2 或 Mn 沉积在铝阳极表面，使活性表面与腐蚀介质隔离开来，并且能有效阻止铝颗粒的脱落，由此产生对铝腐蚀的缓蚀作用。

卢凌彬等研究 K_2MnO_4 对 Al－In 合金的影响，认为 MnO_2 可能优先于水将中间价态离子 Al^{3+} 氧化为高价态，从而控制了 Al^{3+} 与水反应生成 $Al(OH)_3$，抑制析氢腐蚀的发生。同时通过该反应在铝表面形成了含有 MnO_2 和 $A1_2O_3$ 的膜，减少了铝合金与腐蚀介质的接触面积，阻碍了金属铝和铟微粒的脱落，从而有效抑制了析氢反应的进行，并使合金的自腐蚀电位负移。

In^{3+}在中性或碱性溶液中,对铝电极有缓蚀和活化的双重作用,并且随In(Ⅲ)浓度增加而加强。一方面In(Ⅲ)的加入能降低析氢腐蚀,在碱性介质中,In(Ⅲ)被还原为单质In,沉积在铝电极表面。In的析氢过电位比铝高,这就提高了铝电极表面的析氢过电位,使铝电极的阴极析氢自腐蚀受到抑制。另一方面在电解液中加入In^{3+}或者在铝中加入In合金,铝电极的活性随In(Ⅲ)浓度增加而加强。可能的机理是:In在溶液中会重新分配在晶界、金属与氧化物界面或氧化物层内,使得铝表面氧化膜受到破坏,从而影响铝的动力学、析氢动力学、氧化层离子的导电率等。

李学海等研究发现$In(OH)_3$在碱液中可以在铝合金表面形成一层稀松的网状物覆盖物,能很好地阻止铝合金电极析氢反应,从而起到缓蚀作用;并从电化学性能和析氢性能综合判定在电解质体系中单独加入0.005 mol/L的$In(OH)_3$时缓蚀效果最好。马正青等介绍了两种Al、Pb、In、Ga、X(X为Mg、Sn)系新型铝合金阳极材料;用恒电流方法和动电位方法研究了新型合金阳极在碱性氯化钠介质中的电化学性能,分析了介质pH值、介质温度、极化电流密度对电极电位的影响;用金相显微镜、扫描电子显微技术观察了铝合金的微观组织和阳极溶解后的表面腐蚀状态。结果表明,新型铝合金阳极材料开路电位较纯铝稍低,自腐蚀速率急剧降低、电极表面腐蚀溶解均匀,新型铝合金在碱性氯化钠介质中不能形成钝化膜,阳极极化明显减少,在碱性氯化钠(25% KOH + 3.5% NaCl)介质中大电流密度($800mA/cm^2$)下新型合金阳极材料(1#、2#)的稳定电极电位可分别达到 -1.35 V和 -1.45 V。

卤素离子在溶液中对铝电极的影响也十分重要。在碱性介质中,卤素离子能破坏铝表面氧化膜溶解与自我修复的动态平衡,表面反应活性点暴露,使铝表面发生点蚀。同时卤素离子能和金属阳离子形成可溶性络合物促使金属离子溶入溶液,起到活化作用,并且随其浓度的增加铝的活性增强、电位负移。另外,点蚀产生的小坑有利于In^{3+}、Zn^{2+}等的沉积,它们与卤素离子组成的复合缓蚀剂具有很好的缓蚀效果。刘小锋发现向4 mol/L KOH电解液中添加0.02 mol/L的LiCl也能抑制Al-Ga-Pb-Bi合金阳极的自腐蚀速率,缓蚀效率为40%左右。这主要是由于铝盐及AlOOH能较好地吸附Al^{3+}离子,同时Al^{3+}离子能促进凝胶状AlOOH在铝合金表面凝聚,从而起到一定的缓蚀作用。其他金属或金属离子如Zn(Ⅱ)、Ga(Ⅲ)等无机物也能够减小铝的腐蚀。唐有根等研究发现在碱性溶液(4 mol/L NaOH)中添加$ZnCl_2$后,Al-In-Zn合金电极的腐蚀电压负移了70 mV,阳极极化减小,同时$Zn(OH)_2$在极化过程中覆盖在电极表面,减少了电极与碱液的接触,使得析氢腐蚀速率减小。王俊波等发现碱性甲醇-水溶液中加入ZnO后,在铝电极表面形成具有较高析氢过电位的锌沉积层,从而有效降低铝电极的析氢腐蚀;并且随着其浓度的增加,缓蚀作用增强。研究还发现,单独添加氧化锌时,在铝电极表面上析出的金属锌呈多孔疏松态,很容易从铝表面脱落。沉积的锌层与铝电极表面的这种弱的附着力影响其在碱性铝电池电解液中的应用,一般需要与适当的有机化合物组成复合缓蚀剂使用。由 ZnO 与 HT(羟基色胺)组成的复合缓蚀剂,能有效改进锌沉积质量,显著减小析氢腐蚀速率,使铝电极表现出良好放电性能。

王晓艳通过集气实验、极化曲线和电化学阻抗谱等方法研究了碱土金属离子与乙二胺四乙酸(EDTA)对纯铝在 4 $mol \cdot L^{-1}$ KOH 溶液中的协同缓蚀作用。实验结果表明,铝在含有 0.02 $mol \cdot L^{-1}$ EDTA 和饱和 $Ca(OH)_2$、$Sr(OH)_2$ 的溶液中具有最小的腐蚀速率。EDAX 分析表明,碱土金属离子和 EDTA 没有参与到铝表面氧化膜的组成中,说明缓蚀剂是通过吸附在铝表面起作用的,这表明它们是界面型缓蚀剂,而非相间型缓蚀剂。

韩成利研究发现三聚磷酸钠具有良好的防腐性能。采用失重法研究了氢氧化钠溶液中三聚磷酸钠在不同温度和浓度下对铝的缓蚀作用,发现三聚磷酸钠在铝表面上的吸附是产生缓蚀作用的重要原因,且吸附规律服从 Langmuir 吸附等温式。用 Sekine 方法处理实验数据,获得了吸附过程相关的重要热力学参数。吸附过程是吸热过程,且熵值增大,随温度升高,吉布斯自由能减少,缓蚀率增大。

三聚磷酸钠的缓蚀机理一般为:三聚磷酸钠中的磷原子都以 sp3 轨道杂化轨道成键,分子结构呈四面体,同时中心原子磷原子上还有空的 3d 轨道。氧作为电子给体可以和铝离子络合,也可以同铝离子配位形成多中心络合物。当腐蚀介质在界面上的积累到一定量时,三聚磷酸根离子与腐蚀产物(如 Al^{3+})络合,并在铝电极表面上形成一层致密的保护膜,从而阻碍腐蚀介质对铝基体的进一步腐蚀,同时生成的三聚磷酸铝通过“自修复作用”对破坏了的保护膜进行修复,从而起到缓蚀作用。

钙盐与柠檬酸盐、酒石酸盐、含氮有机化合物(如 EDTA)等之间的协同作用也可以产生很好的缓蚀效果。研究发现,在碱性溶液中,单独添加碱土金属离子能很好地抑制铝电极的析氢腐蚀,其中钙离子的效果最好。但是钙盐及 CaO 在碱性溶液中的溶解度都很小,而且在碱性溶液很容易吸收空气中的 CO_2 生成碳酸盐,使钙离子沉淀,进一步减少其含量。由于受这些因素的影响,钙离子的缓蚀效果不太理想,限制了它在碱性溶液中的实际应用。但如果将其与有机化合物进行复配,形成络合物,使钙离子在溶液中以络离子的形式存在,不仅可以增大钙离子在碱性溶液中的溶解度,而且通过协同作用,能有效改善其对铝电极的缓蚀作用。

3.6.2 有机缓蚀剂

早在 20 世纪 20 年代末,有些有机化合物如阿拉伯胶、琼脂、糊精,就作为碱性溶液中的铝用缓蚀剂得到了应用。经过近百年的发展,其品种日益增多,缓蚀性能在不断改善。目前其种类很多,主要有藻酸钠、氨基酸、多糖类物质、酚类及其衍生物,某些有机染料、醛类、肼和腙、芳香酸类,以及一些天然有机化合物。

S. M. Hassan 等研究发现苯甲酸及其衍生物能有效抑制酸性和碱性溶液中铝的腐蚀,其缓蚀效率由小到大的顺序为：扁桃酸 < 苯甲酰胺 < 苯甲醛 < 苯酚 < 苯乙酮 < 苯乙酸萘酐 < 偏苯三酸酐，但较相应的酸的缓蚀效率低。它们通过一步式吸附在铝表面而发挥作用，铝在含这些缓蚀剂的溶液中的失重或析氢与时间呈线性关系，腐蚀速率随着缓蚀剂浓度的增大而降低，而且在碱液中的缓蚀效率要高于酸性甲醇溶液中的。

K. Ramakrishnaiah 和 N. Subramanyan 研究发现在 1 mol/L NaOH 溶液中，一些含氮有机物：甲酰胺、吡啶、芦竹碱、联吡啶、哌啶、苯甲酰基哌啶二苄基二硫化物与钙协同作用时，可以大大提高它们对碱液中的 2S 铝合金的缓蚀效率。余家康等研究发现，含氮有机环鎓盐氯代十六烷基吡啶（CPC）对铝有较高的缓蚀性能；通过对电化学数据进行分析发现，CPC 为同时抑制阴阳极反应的几何覆盖型静电吸附缓蚀剂，整个分子吡啶环平卧吸附在铝电极表面，十六烷基指向溶液。K. G. Slymos 等研究发现含 Cr 的碱液中杂氮硅烷对铝及铝合金的缓蚀效率较高。这是由于其水解产物间氯苯、三乙醇胺、硅氧烷多聚物的协同作用而产生保护作用。

李学坤等以油酸、二乙烯三胺为原料，氧化钙为脱水剂，氯化苄为季铵化试剂，经酰胺化 - 环化、季铵化合成了新型咪唑啉季铵盐缓蚀剂，并研究了在碱液中的铝合金的缓蚀效率。响应面法优化了油酸与二乙烯三胺物质的量之比、环化时间和环化温度等合成关键工艺条件，采用红外光谱和可见光吸收光谱法分析产品结构，以动电位扫描极化曲线法评价缓蚀效果。以 0.05 mol 油酸为基准，氧化钙 0.10 mol，氯化苄 0.06 mol，季铵化时间 2.5 h，季铵化温度 55 ℃ 条件下，优化结果为 n（油酸）∶n（二乙烯三胺）= 1∶1.18，环化温度 162.8 ℃，环化时间 5.55 h，在 50 ℃ 缓蚀剂浓度 200 mg/L、15% 盐酸溶液中缓蚀率可达 94%，该缓蚀剂的吸附行为符合 Langmuir 吸附等温式，为自发放热过程，50 ℃ 下吸附平衡常数为1.027 7 × 105 L/mol，吉布斯自由能为 -41.75 kJ/mol，吸附热能为 -54.07 kJ/mol，熵值为 -38.11 J/(K · mol)，属于以化学吸附为主的过程。与同类合成工艺相比较，环化温度明显降低，产物具有优异的缓蚀性能。

G. A. M. Abdel 等研究发现在 2 mol/L NaOH 溶液中添加十六烷基三甲基溴化铵（CTAB）对铝的腐蚀有抑制作用，并且当添加浓度达到其临界胶束浓度时，缓蚀效率最高。同时他们对其作用机理进行了探讨，认为表面活性剂通过分子中的极性基团进行电荷转移与铝电极表面形成配位键，进行化学吸附。剩余的分子及非极性的疏水基团整齐地伸向溶液，通过“准取代过程”形成一层紧密的保护膜，将腐蚀介质与铝电极隔离开来，抑制铝的腐蚀。Al - Rawashdeh NAF 等研究了阳离子表面活性剂十六烷基三甲基氯化铵（CTAC）对铝的缓蚀效率，发现 CTAC 的浓度、腐蚀介质的浓度及温度均影响缓蚀行为。并且发现 CTAC 在 HCl 中的吸附符合 Temkin 等温线，在 NaOH 中符合 Langmuir 等温线；其在 NaOH 中的缓蚀效率较 HCl 中的好，但在两种介质中升温均会导致缓蚀效率和表面覆盖率降低。

酚类及其衍生物也被用于碱液中铝的缓蚀剂。在 0.1 mol/L 氢氧化钠溶液中缓蚀性能顺序为：水杨醛 > 邻氯酚 > 邻苯二酚 > 邻甲酚 > 酚 > 邻硝基酚 > 邻甲氧基苯酚 > 邻烯丙基酚。

宋玉苏等结合恒电流集气试验和表面分析手段研究了强碱性介质中影响铝阳极析氢作用的因素,分析了铝阳极的合金化、电解液浓度、工作温度和抑氢物质对材料析氢性能的影响。研究发现,在碱性介质中具有苯基、氨基、羟基的邻氨基苯酚易在铝阳极表面吸附,能有效减少 OH^- 与铝表面的接触,使腐蚀受到抑制。邻氨基苯酚在铝表面的吸附量随其浓度的增大而增加,对析氢腐蚀的抑制作用也随之增强。同时通过研究锡酸盐与邻氨基苯酚的协同作用发现:锡酸钠和邻氨基苯酚的加入对铝合金电极在强碱性溶液中的"正差效应"无影响。邻氨基苯酚的加入能减少析氢腐蚀,提高阳极效率;而添加的锡酸钠在阳极表面还原成金属锡,在增强铝电极的活性的同时,降低了邻氨基苯酚的不利影响。复合缓蚀剂效果明显,复合缓蚀剂最佳配比为:邻氨基苯酚 0.4 mol/L + 锡酸钠 0.06 mol/L。

醛在碱性溶液中可以抑制铝的腐蚀。Krishnan 研究了铝电极在添加一系列脂肪族醛和芳香族醛的 1 mol/L 的 NaOH 溶液中的电化学行为,实验结果显示,当醛类化合物的添加量为 0.1 mol/L 时,对铝电极的缓蚀效率为:苯甲醛(63%)> 水杨醛(60%)> 糠醛(58%)> 邻苯甲醛(51%)> 对苯甲醛(49%)> 肉桂醛(47%)> 甲醛(41%)> 乙醛(26%)> 巴豆醛(16%),缓蚀效率与醛的分子量无线性关系,并且与醛的溶解度无关。但由于芳香族醛拥有大 P 键,其缓蚀效率一般比脂肪族的高。同时,通过研究醛类与钙的协同作用对碱液中的铝的腐蚀抑制作用发现:钙离子与上述醛共同添至溶液中时,缓蚀效率得到极大的提高,其原因可能是由于钙和醛形成了某些复杂的化合物,使醛的吸附发生了改变。

R. Rosliza 发现香兰素对铝合金的腐蚀有良好的抑制作用,在溶液中添加香兰素后,在铝电极表面形成的薄膜能有效地降低铝的腐蚀,并且随着其浓度的增加,缓蚀性能增强。K. A. Olusegun 等以长舌草提取物作为 NaOH 中铝的绿色缓蚀剂,得到了较好的缓蚀性能,其缓蚀效率随提取物的浓度增加而增大。当提取物添加体积比浓度为 52% 时,叶子提取物的缓蚀效率为 97%,高于种子提取物的 94%。G. A. M. Abdel 等发现 Damsissa 提取物是一种很好的铝缓蚀剂,在碱液中添加提取物后,铝电极的阳极溶解和阴极析氢都受到了明显抑制,为混合型缓蚀剂,其缓蚀效率随提取物浓度的增大而增大,但温度升高缓蚀效率降低。研究还发现,其在含有 Cl 碱液中,具有更好的缓蚀效果。E. E. Oguzie 研究虎尾兰叶子萃取物在 2 mol/L KOH 溶液对铝电极的缓蚀行为。通过实验发现该萃取物在碱性溶液中对铝有较好的缓蚀作用,萃取物在铝表面进行物理吸附,其吸附特征近似符合弗罗因德利克理论。当有卤素离子存在时将与其发生协同效应,能显著提高缓蚀效率,卤素离子对缓蚀效率影响顺序为:$I^- > Br^- > Cl^-$。

3.6.3 发展趋势

随着公众环境保护和安全意识的加强,缓蚀剂的开发和利用也要本着环境保护的原则,向无毒无公害、可生物降解、绿色化和环境友好型方向发展。经过近些年来不断地深入研究与实践,人们提出了两个方面的问题:一是要求科学设计对生态环境不构成破坏作用的新型缓蚀剂有效成分;二是开发多功能型缓蚀剂新品种。随着科学技术的不断进步和发展,缓蚀剂科学技术也得到了发展和进步,国内外的腐蚀和防腐工作者在缓蚀剂的研究方向上做了大量的工作,为缓蚀剂研究及应用提出了以下几个方向:

(1)利用现代先进的分析测试仪器和计算机,深入了解金属腐蚀的基本原理,从分子和原子相互作用水平上研究缓蚀剂分子在金属表面上的行为及其作用机理、缓蚀剂之间的协同作用原理,并运用化学和物理联合作用的方法,进行缓蚀剂的研究和开发。

(2)利用微生物的生理活动或模拟海洋动植物的天然自我保护机能进行缓蚀剂研究。

(3)探索从天然植物、海产动植物中提取分离缓蚀剂组分并进行化学改性,提高缓蚀剂性能。例如,从虾、蟹皮壳中提取甲壳素,改性制取无毒无害的缓蚀剂;再如,从我国盛产的松香中,可以提炼出一些有用的缓蚀剂有效组元。

(4)探索从药品、食品、副食品、农副产品中提取缓蚀剂组分,如研究开发脂肪酸、氨基酸、葡萄糖酸、叶酸、抗坏血酸、丹宁酸、山梨酸、肉桂醛及其衍生物等含氮、氧化合物的环境友好有机缓蚀剂,并进行复配或改性处理研制新型缓蚀剂,实现资源的充分利用。

(5)进一步对钼酸盐、钨酸盐、硼酸盐、改性硅酸盐和铈盐等无机缓蚀剂进行研究,弄清缓蚀机理,特别是有关有机缓蚀剂与无机缓蚀剂的协同作用机理,研究出性能更好的复合缓蚀剂,提高其缓蚀性能。

(6)运用量子化学理论进行分子设计,合成高效多功能环境友好型高分子有机缓蚀剂。同时,加强人工合成多功能型低毒或无毒的有机高分子型缓蚀剂的研究工作。

(7)加强对因引入缓蚀剂而产生的污染物的处理,以减少缓蚀剂对环境和生态的不良影响。

(8)注意开展有机缓蚀剂与无机缓蚀剂及有机缓蚀剂与有机缓蚀剂之间的组分复配实验研究工作,研制出性能更好的缓蚀剂。

(9) 研究苛刻环境和复杂要求下具有优良综合性能、可与其他防护手段联合使用的无污染型缓蚀剂。

参考文献

[1] 中国腐蚀与防护学会《金属腐蚀手册》编辑委员会. 金属腐蚀手册[M]. 上海:上海科学技术出版社,1987.

[2] KAESCHE H. 金属腐蚀[M]. 2版. 吴荫顺,译. 北京:化学工业出版社,1984.

[3] FONTANA M G . 腐蚀工程[M]. 左景伊,译. 北京:化学工业出版社,1982.

[4] 吴荫顺,郑家桑. 电化学保护和缓蚀剂应用技术[M]. 北京:化学工业出版社,2003.

[5] 安百刚，张学元，宋诗哲，等. LY12 铝合金在酸雨溶液中的阻抗研究[J]. 中国腐蚀与防护学报,2003,23(3):167 - 170.

[6] 邵海波. 铝在碱性溶液中的电化学行为及其缓蚀剂的研究[D]. 杭州:浙江大学, 2004.

[7] 张明杰，邱竹贤，王洪宽. 铝电解中的电极过程[J]. 东北大学学报(自然科学版)，2001, 22(2):123 - 126.

[8] ABALLE A, BETHENCOURT M, BOTANA FJ, et al. Inhibition of the corrosion process of alloy AA5083 (Al - Mg) in seawater by cerium cations [J]. Materials and Corrosion, 2001, 52: 344 - 350.

[9] DABALA M, ARMELAO L, BUCHBERGER A. Irene calliari cerium - based conversion layers on Aluminum Alloys[J]. Applied Surface Science, 2001, 172:312 - 322.

[10] REHIM A, HASSAM H H, AMIN M A. Corrosion and corrosion Inhibition of Al and some alloys in sulphate solutions containing halide ions investigated by an impedance technique[J]. Applied Surface Sciencc, 2002, 187:279 - 290.

[11] 黄亮，黄元伟，王晨，等. 含稀土元素的 Mg - Al 合金在 NaCl 溶液中腐蚀产物膜的研究[J]. 中国腐蚀与防护学报, 2002, 22(3):167 - 171.

第4章　铜基材料缓蚀剂

铜元素是一种金属化学元素,铜也是人类最早发现的金属,是人类广泛使用的一种金属,属于重金属。铜是人类最早使用的金属。早在史前时代,人们就开始采掘露天铜矿,并用获取的铜制造武器和其他器皿,铜的使用对早期人类文明的进步影响深远。铜是一种存在于地壳和海洋中的金属。铜在地壳中的含量约为0.01%,在个别铜矿床中,铜的含量可以达到3%~5%。自然界中的铜,多数以化合物即铜矿物存在。铜矿物与其他矿物聚合成铜矿石,开采出来的铜矿石经过选矿而成为含铜品位较高的铜精矿。铜是唯一的能大量天然产出的金属,也存在于各种矿石(例如黄铜矿、辉铜矿、斑铜矿、赤铜矿和孔雀石)中,能以单质金属状态及黄铜、青铜和其他合金的形态用于工业、工程技术和工艺上。

随着铜及其合金在现代工业中越来越广泛的应用,铜的腐蚀保护也成为腐蚀学科的研究重点之一。为了提高铜及其合金的抗蚀性能,人们一直在研究和开发新型、高效的铜缓蚀剂,合理使用缓蚀剂是防止金属及其合金在环境介质中发生腐蚀的有效办法,缓蚀剂技术由于具有比较高的经济效益和良好的防腐效果,已经成为防腐技术中应用最广泛的方法之一,尤其在化学清洗、石油产品生产加工、工业用水、大气环境、仪器仪表制造等领域,缓蚀技术已成为最主要的防腐蚀手段。自组装技术的诞生,为研究和开发新型防腐剂提供了新方法,在金属腐蚀和防护领域中的研究具有非常重要的理论价值和广阔的应用前景。

铜具有良好的导热性,能够广泛应用于热交换系统。热交换器在工作时,接触冷热介质,并在其表面逐渐沉积污垢,同时影响了热交换效率,所以需要定时对使用过一段时间的热交换器进行清洗。铜基材料具有优良的化学稳定性,通常情况下,如酸液较为单纯,则不会对铜基材料产生腐蚀,但如果酸液具有强氧化性,如硝酸等,则会对铜产生腐蚀作用。一般地,在铜材料换热器表面出现的积垢最主要的是碳酸盐,采用常规的酸洗手段便可以处理。但是碳钢材料在与换热器相配套的情况下,腐蚀产物容易形成难溶的铁磁性污垢逐渐沉积在换热器的表面,此时强氧化酸或复配酸,可以满足清洗要求,但是在进行此类清洗的同时,必须注意铜基材料的缓蚀问题。大多数人认为,铜基材料的缓蚀作用,主要决定于缓蚀剂吸附的范围和金属表面所具有的性质。

到目前为止,能够在铜表面起到缓蚀作用的化合物大多是含N的胺型、吡啶型和氮唑型,以及含N、S的噻唑型缓蚀剂,但是在实际应用中都存在着不同的局限性。因此,科研人员都在致力于探索出一条新的途径来生产副作用小、缓蚀性能好的缓蚀剂。一些相关文献提出了丁基并三唑(BBT)及甲基苯并三唑(TT)缓蚀剂,拟通过分子利用相互修复作用在吸附表面形成相对稳定的表面膜,而通常缓蚀剂所发挥的缓蚀作用都会与在其金属表面的吸附量有着很大的关系,更由于存在协同作用,当使用此类缓蚀剂时,加入少量就可以形成较为稳定的保护膜。相关文献利用胺、含氮化合物、含硫化合物和无机盐,通过复配的方法,研制出一种新型缓蚀剂,对铜基材料在强氧化型酸中的缓蚀率显著提高,不会有任何点蚀、选择性腐蚀、晶间腐蚀等非均匀腐蚀出现在黄铜制品表面。

一般情况下,铜基材料缓蚀剂能够在其表面吸附成膜的有机物,往往具有表面活性,且带有极性的基团(以 N、S、O、P 为中心)具有较大电负性存在于缓蚀剂分子中,还有一些烷基属于非极性的,并由 C、H 组成,此结构造就了铜表面疏水薄膜的形成,膜越稳定,缓蚀率则越高。一些研究证实,当缓蚀剂分子中含有的氮原子较多时,对铜基材料的酸洗缓蚀性能较为良好。

4.1 一般介质的缓蚀剂

4.1.1 无机盐类缓蚀剂

无机盐类缓蚀剂主要用于铜在中性溶液中的缓蚀。从 20 世纪 20 年代起,砷的化合物作为铜系金属缓蚀剂开始使用。后来应用的有亚硫酸钠、硫化钠、铬酸钠等。为了保护铜不受海水和冷却水的腐蚀,也使用过硅酸盐、铬酸盐、六偏磷酸钠、偏磷酸钠和硝酸钠等作为缓蚀剂。随着工业应用和研究的不断深入,相继出现磷酸盐系列、铁盐系列和无机复配系列缓蚀剂。20 世纪 80 年代以来,无机类缓蚀剂的研究主要侧重于生态环境无污染的无机化合物。其中,钼酸盐、钨酸盐及它们的复配是目前应用较好的环保型缓蚀剂。

1. 钼酸盐缓蚀剂

钼酸盐属氧化反应钝化膜型缓蚀剂。1939 年,首次公开关于钼酸盐缓蚀作用的专利;1945 年,又有关于它对环境无害的报道。钼酸盐对铜有缓蚀作用,其毒性极低,对环境污染很小,是一种有发展前途的缓蚀剂。但是钼酸盐缓蚀剂单独使用时,其性能并不理想,用量大、成本高;若通过与其他的缓蚀剂复配使用,可大大提高其缓蚀效率。以钼酸盐为主,通过添加锌盐、有机酸、葡萄酸的复配缓蚀剂已成为被广泛关注和使用的缓蚀剂。

采用单一钼酸盐与各种复配钼酸盐钝化液对 T2 铜与 QCr0.5 铜合金表面进行钝化处理,分别运用电化学法、硝酸点滴实验、中性盐雾实验、SEM、XRD 等手段对不同钝化膜的微观结构与耐蚀性能进行研究,并与铬酸盐钝化结果进行对比。结果表明,过氧化氢与聚天冬氨酸(PASP)作为添加剂,可以提高钼酸盐的钝化效果,尤其是两者同时加入时显著促进了钝化膜的形成,使两种钢材的溶解及表面形貌的腐蚀程度降低到最低限度,形成以 Cu 的氧化物为主的钝化膜,显著提高试样的耐蚀性。相比未钝化试样,钝化试样表面光泽较好。

钝化试样经过盐雾实验后,表面腐蚀坑较少,存在一定的金属光泽,特别是T2铜的钝化效果最好,其PASP + H_2O_2复配钝化后的自腐蚀电流密度仅为3.10×10^{-6} A/cm^2,近似于铬酸盐钝化的9.06×10^{-7} A/cm^2,达到了与铬酸盐钝化类似的效果。肖靖等通过采用静态失重法研究钼酸钠与苯并三唑复配对铜在40 ℃时的长江水介质中的缓蚀情况,并分析温度和时间对铜缓蚀剂的影响。研究结果表明:(1)BTA单独使用时,对铜缓蚀性能随BTA浓度的增加而增强。在40℃下,BTA单体浓度为40～60 mg/L时对铜的缓蚀效果较好。(2)钼酸盐与BTA复配使用时,最好的复配浓度为30 mg/L + 40 mg/L。(3)钼酸盐与BTA复配40 ℃时比60 ℃下对铜的缓蚀效果好。

2. 钨酸盐缓蚀剂

钨酸盐属钝化型缓蚀剂,在中性、弱碱、酸性溶液中都具有缓蚀作用。钨酸盐几乎无毒、对环境和人体没有危害。与钼酸盐相似,钨酸盐单独使用时缓蚀效率不高,而且当其浓度低时,与铬酸盐一样会加快铜及其合金的腐蚀。因此,要想提高其缓蚀效果,其投入量也较大。然而,钨酸盐的氧化能力比较弱,可与众多有机缓蚀剂进行复配以提高其缓蚀效率。徐杰群采用交流阻抗法和极化曲线法,研究了两种环境友好型水处理药剂聚冬天氨酸和钨酸钠的单一配方以及复配对质量分数为3%的NaCl溶液中铜的缓蚀效果。研究表明聚冬天氨酸和钨酸钠各自的单一配方对于铜均具有一定的缓蚀效果,其中聚冬天氨酸在浓度为40 mg/L时效果最佳,钨酸钠在浓度为350 mg/L时效果最佳。当二者复配使用时,在缓蚀剂总浓度为40 mg/L时,聚冬天氨酸与钨酸钠配比为15时效果最佳,具有协同效应。在缓蚀剂总浓度为350 mg/L时,聚冬天氨酸与钨酸钠配比为71, 51, 31, 15, 17时具有明显的缓蚀效果,且具有协同效应,其中以配比71为最佳。

3. 锌盐缓蚀剂

锌盐缓蚀剂属沉淀膜型缓蚀剂,一般用于碱性溶液中。Zn^{2+}与OH^-反应生成$Zn(OH)_2$沉淀膜,沉积在微观腐蚀电池的阴极区,从而抑制阴极反应的发生,起到缓蚀作用。但是,由于锌盐对水体生物有毒害作用,使其使用受到限制。目前主要是将锌盐与其他缓蚀剂进行复配,以获得较好的缓蚀效果。

4.1.2　有机化合物缓蚀剂

有机缓蚀剂大多是含有N、O、S、P等极性基团或不饱和键的有机化合物,极性基团和不饱和键中的π键可进入Cu的空轨道形成配位键;而非极性基团则亲油疏水,这些有机物在铜基材表面定向吸附。特别是发生“二次化学作用”后,形成保护性的吸附膜,从而阻止水分和腐蚀性物质接近铜合金表面,起到缓蚀作用。有机缓蚀剂种类较多,按照使用方式和化合物结构可分为唑类缓蚀剂、聚合物膜型缓蚀剂和自组装膜型缓蚀剂三类。

1. 单一有机缓蚀剂

(1) 硫基苯并噻唑缓蚀剂

通常用作保护金属的不被腐蚀的有机化合物为杂环的有机化合物,它们含有 N、S、O、P 原子。早在 20 世纪 40 年代,即已发现硫基苯并噻唑(MBT)作为铜系金属缓蚀剂的优异性能,如图 4-1 所示。孙旭辉考察了磁处理与缓蚀剂 2-硫基苯并噻唑(MBT)是否具有协同缓蚀作用,采用腐蚀失重法,测试恒磁场、交变磁场、缓蚀剂 MBT,以及磁处理与 MBT 结合作用下紫铜挂片的腐蚀速率,并通过 SEM、XRD、ATR-FTIR 等分析方法研究了缓蚀作用机理。研究结果表明,恒磁场缓蚀作用较小,而交变磁场具有一定缓蚀作用,其缓蚀机理是生成致密氧化物膜覆盖在金属表面。交变磁场能够降低水分子的极性,给水分子以能量和活性,从而增加了有机缓蚀剂 MBT 在水中的溶解度,在铜片上吸附的 MBT 量也相应增加了。因此,交变磁场与 MBT 具有协同缓蚀作用,达到同等缓蚀效能,协同作用可使得 MBT 用量减少 60%。由于 MBT 是溶解在氢氧化钠溶液中,用量少则引入的碱含量随之降低,客观上降低了发电机内冷液的电导率。铜在溶液中首先被溶液中的氧气氧化成不致密的 Cu_2O 层。Cu_2O 层一旦形成,便与溶液中的 MBT 形成配合物,并形成一层致密的 Cu(I)-MBT 膜,从而阻止了 Cu 的进一步被氧化。在膜的外面,还存在着一层松散的吸附层,其中包括发生氧化还原反应后 MBT 的还原产物。但是,由于 MBT 的水溶解性较差,易析出,且具有难闻的异味和一些毒性,抗氧化性和抗氯性较差,人们已经较少使用它作为铜的缓蚀剂。

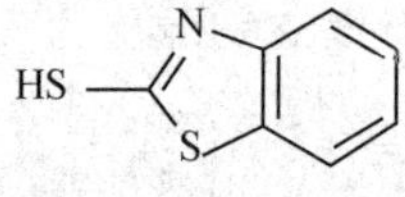

HS N S

图 4-1　硫基苯并噻唑

(2)苯并三氮唑及其衍生物缓蚀剂

20 世纪 50 年代初期,苯并三氮唑(BTA)成为一种最有效和常用的铜及其合金的缓蚀剂。分子结构如如图 4-2 所示。

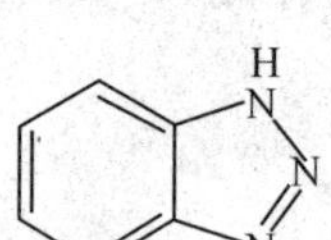

H N N N

图 4-2　苯并三氮唑(BTA)

BTA 有优越的抗氯性能,分子中 N 原子上的孤对电子以配位键与 Cu 相连,相互交替形成链状聚合物膜。M. Statake 研究了利用飞行时间光谱(Tofsims)研究铜上 BTA 形成的表面膜分子结构,BTA 缓蚀作用是由于在近中性溶液中铜表面上形成了 Cu(I)-BTA 聚合物复合膜。Tofsims 谱表明,BTA 处理的铜表面膜是由较短的 Cu(I)-BTA 聚合物组成。

针对 Cl^- 离子对 Cu 的腐蚀，郝彦忠研究了用开路光电压的变化来反映铜的腐蚀行为及缓蚀剂 BTA 的抗氯缓蚀行为，实验发现金属表面的 Cu_2O 为 P 型半导体，浸泡一定时间后，开路光电压由正变负，即光响应由 P 型光响应转变为Ⅳ型光响应，表明铜电极受到 Cl^- 的侵蚀，在铜板电极表面形成了含有 CuCl 在内的复杂相。随着 BTA 的增加，Cu(Ⅰ) - BTA 膜变得越致密越厚，缓蚀作用越好，表现为开路光电压越来越小，阻挡了 Cl^- 的侵蚀。

康冰洁等对比三氮唑(TA)和苯并三氮唑(BTA)两种缓蚀剂的缓蚀性能，明确两种缓蚀剂在铜表面的吸附类型，并从实验和分子模拟角度解释其吸附机理。采用动电位极化曲线法测试两种缓蚀剂的缓蚀效率，采用吸附等温拟合方法确定两种缓蚀剂的吸附类型，采用分子模拟中的量子化学计算方法计算两种缓蚀剂在铜表面的吸附能、形变电荷密度和分波态密度等参数，深入揭示其吸附机理。结果显示，在不同浓度下，BTA 的缓蚀效率均大于 TA。两种缓蚀剂浓度与覆盖度的关系符合 Langmuir 吸附模型，其吸附自由能介于 -37 ~ 35 kJ/mol。BTA 在铜表面的吸附能绝对值(顶位为 4.41 eV，桥位为 4.36 eV)要大于 TA 的吸附能绝对值(3.28 eV)，吸附过程发生了明显的电荷转移，电子云处于两个成键原子之间，且 N 原子 s、p 轨道与 Cu 原子 d 轨道发生重叠。中性和质子化形式的两种缓蚀剂分子均可在铜表面发生平行吸附。结论是由于 BTA 在铜表面的吸附能力强于 TA，因此 BTA 的缓蚀性能优于 TA。两种缓蚀剂在铜表面既能发生化学吸附，又能发生物理吸附。化学吸附是由于 N 原子的 s、p 轨道与 Cu 原子 d 轨道相互作用所致，物理吸附是由于中性分子的范德华相互作用和质子化分子的静电相互作用所致。

为找到使用范围广、缓蚀率更高的缓蚀剂，研究人员开发和研究了一系列新型的 BTA 的衍生物。研究发现，BTA 的衍生物对铜具有优异的缓蚀性能，但是三唑环(TTA)上的氢被甲基取代后，不利于该分子在铜表面形成稳定的保护膜，缓蚀效果将大大降低，而在苯环上引入烷基后则可增强缓蚀效果。TTA 比 BTA 在分子结构上多一个非极性的甲基，所以其形成的单分子层膜的疏水性更好，而且甲基的存在对基体分子与 Cu 之间的反应没有干扰。因此，TTA 的缓蚀性能优于 BTA，其缓蚀行为更持久，而且与 BTA 混合使用效果更好。TTA 苯环上的甲基还使溶解氧向金属表面扩散的能垒增加。另外，甲基可能使 N 原子上的电子云增加，从而使其与铜原子的配位能力增强，但是如果形成的单分子层膜一旦破裂，而溶液或周围介质中不能有足够的 TTA 分子补充，Cu 很快被腐蚀，需要在系统中维持一定浓度的 TTA 来修复脱落的保护膜。但是 TTA 的用量存在着一个限度问题，

宋九龙等为了提高纯铜表面的耐腐蚀性采用苯并三氮唑(BTA)与甲基苯并三氮唑(TTA)复配，对纯铜进行钝化，并分析钝化温度、时间及 pH 值对纯铜钝化效果的影响。分别运用电化学法、硝酸点滴实验、中性盐雾实验、SEM 等手段对不同钝化液钝化膜的微观结构与耐蚀性能进行研究，并与铬酸盐钝化结果进行对比。结果将 4 g/L BTA、4 g/L TTA 复配，辅以氧化剂 20 mL/L H_2O_2，对纯铜以 pH 值为 4、钝化时间 3 min、钝化温度 40 ℃、自然

风干老化1 d的钝化工艺处理后，可以生成明显的钝化膜。其表面致密，耐蚀性较好，在盐雾试验中腐蚀缓慢，其平均腐蚀速率为0.76 mg/d，自腐蚀电流密度仅为1.566 0 $\mu A/cm^2$，缓蚀效率达到81.9%，接近铬酸盐钝化的抗腐蚀效果。在适宜的钝化工艺下，经过BTA与TTA复配钝化后，可以在基体表面生成Cu/Cu2O/Cu(Ⅰ)BTA聚合物保护膜，同时TTA的非极性甲基形成的单分子层膜的疏水性更好，两者共同作用形成较为致密的钝化膜覆盖在铜基体表面，明显提高纯铜表面耐蚀性。

BTA及其衍生物是缓蚀效果最好的缓蚀剂之一，但主要缺点是有一定的毒性，因而后续工作主要致力于研究环保型咪唑类衍生物。研究表明，咪唑类衍生物对大气和酸性条件下的铜具有优异的缓蚀性能。

(3)噻二唑衍生物

噻二唑衍生物(图4-3)在酸性及中性介质中对铜均有很好的保护作用，而且对已发生腐蚀的铜表面仍然具有一定的保护能力。于萍通过AES、极化曲线及失重实验，研究并研制了改性噻二唑(DMTD)的缓蚀作用，并与BTA、MBT和MBTA的性能进行了对比。结果表明，DMTD具有较好的水溶性，化学结构与硫基苯并噻唑类似，价格低，并且缓蚀性好，比MBT具有更好的使用性能，是一种混合抑制型缓蚀剂，对阴极和阳极过程均有影响，能在铜表面形成完整的保护膜，对铜材具有较好的缓蚀作用。高立新等进一步改善了噻二唑衍生物的结构，结合了苯并三唑和噻二唑的结构优点，将二者通过硫烷基化反应连接起来，合成含有两个苯并三唑单元和一个噻二唑单元的有机分子内聚集物(SBTA)。通过采用失重法、电化学极化曲线法和电化学阻抗谱法进行分析，发现在3%的NaCl溶液中SBTA对铜电极的阴、阳极电化学过程均有明显的抑制作用，是混合型缓蚀剂，能同时以其分子内的三唑环和噻二唑环与铜表面作用，发生多中心的吸附，从而具有较好的缓蚀效果。

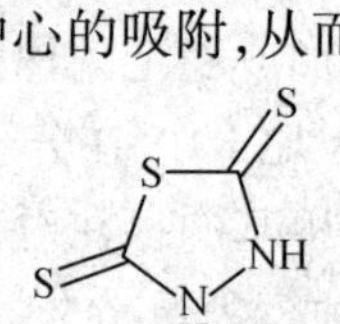

图4-3　2-硫基噻二唑

钱建华等通过电化学测试和分子动力学模拟研究了5-硫基-2-氨基-1,3,4噻二唑(AMT)和5-甲基-2-氨基-1, 3, 4噻二唑(MATD)在硫-乙醇溶液中对金属铜的缓蚀性能。电化学测试表明，缓蚀剂的加入有效降低了铜电极的腐蚀电流密度，抑制了铜电极的腐蚀，两种缓蚀剂的缓蚀效率大小为：AMT > MATD。量化计算和分子动力学模拟得到了缓蚀剂分子的活性位点和在铜(111)面的吸附形态，两种缓蚀剂的缓蚀效率的理论评价与电化学测试结果相一致。高立新等通过硫烷基法反应，制备了含有苯并三唑和噻二唑单元的分子内聚集物（SBTA）。采用失重法、电化学极化曲线法和电化学阻抗谱法，研究了在

3% NaCl 和 0.5 mol/ L H_2SO_4 溶液中 SBTA 对铜的缓蚀作用，通过 FT - IR 方法考察了铜表面的腐蚀产物。结果表明，SBTA 在质量分数为 3% 的 NaCl 溶液中的缓蚀效果优于 0.5 mol/ L H_2SO_4 溶液中的缓蚀效果。

(4)2 - 硫基苯并噁唑(MBO)

2 - 硫基苯并噁唑(图 4 - 4)是一种成膜性缓蚀剂，MBO 能够同时抑制阴极和阳极过程。在 NaCl 存在的条件下，迅速在铜表面形成致密的缓蚀膜，在成膜的过程中，通过 MBO 中的 N 和 S 原子与一价铜的化学作用形成缓蚀膜。严川伟等利用光电子能谱，红外光谱和扫描隧道显微镜，对 Cu 在含有 NaCl 的 MBO 溶液中处理后形成的缓蚀膜进行了研究。研究表明，MBO 分子可能通过 S 和 N 原子与一价铜离子键合，S 和 N 原子在缓蚀膜构成中起重要作用。原位的 STM 表明，Cl^- 的存在可使 MBO 在铜的表面形成致密的三维膜。而且比较 MBT、BTA 和 MBO 在 NaCl 介质中对铜的缓蚀效果，发现 MBO 的缓蚀效率为 99.4%，优于 BTA(97.3%)，远高于 MBT(20.5%)。

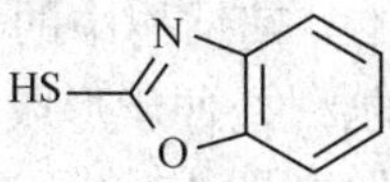

图 4 - 4　2 - 硫基苯并噁唑

(5)咪唑类衍生物

咪唑(图 4 - 5)类衍生物具有环境亲和性，水溶性好，其缓蚀作用是由于杂环上的电子与铜作用。R. Gasparac 等对一系列的咪唑类衍生物对中性氯化钠溶液中铜的缓蚀性能进行了研究。其研究结果表明，咪唑类分子在铜表面是物理吸附，含有苯环和不含有苯环的衍生物缓蚀机理不同。有苯环时抑制阳极电化学反应，无苯环时抑制阴极电化学反应。段腾龙等以 1 - 甲基咪唑、1，4 - 丁烷磺内酯和浓硫酸为原料，用乙醚洗涤合成了 1 - 甲基 - 3 - (4 - 硫酸基丁基)咪唑硫酸盐(4 - BMIM)缓蚀剂。采用动电位极化和交流阻抗技术研究了 4 - BMIM 在质量分数为 5% 的 HCl 溶液中对铜的缓蚀性能及作用机理。实验结果表明，缓蚀效率随着缓蚀剂浓度的增加先增大后降低，当浓度为 0.03 mol/L 时，缓蚀效率最高；同一浓度下，随着温度的升高缓蚀效率降低。动电位极化表明咪唑离子的加入对铜的阴、阳极腐蚀过程均有抑制作用，是混合型缓蚀剂。热力学计算结果表明咪唑离子液体吸附在铜表面，其吸附机制为自发进行的物理吸附，并且在铜/溶液界面的吸附遵循 Langmuir 吸附等温式。

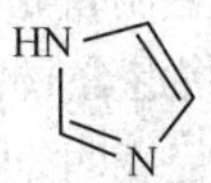

图 4 - 5　咪唑

刘晓林等采用了电化学阻抗、极化曲线和循环伏安等方法研究了 2 - 十一烷基 - N - 羧甲基 - N - 羟乙基咪唑啉(UHCI)在质量分数为5%的 HCl 溶液中对铜的缓蚀行为。结果表明,UHCI 对铜有明显的缓蚀作用,随着缓蚀剂浓度的增加,其缓蚀率增大。但当缓蚀剂质量浓度达到 0.15% 后,再增加缓蚀剂浓度,缓蚀效率不再提高;该缓蚀剂是一种混合型缓蚀剂,同时抑制了阴极还原和阳极氧化过程。量子化学计算结果表明,缓蚀剂分子主要通过 O(14)提供电子与金属原子成键,在金属表面发生化学吸附。

还有人研制出一种高效的螯合型铜用缓蚀剂——二硫基噻二唑(DMTDA),对黄铜在中性介质中有优异的缓蚀效果,而且对已发生腐蚀的铜表面仍然具有一定的保护能力,是一种混合抑制型缓蚀剂。随着对唑类化合物研究的深入,肯定会有更多的唑类化合物成为铜及其合金缓蚀剂。

(6)羧酸缓蚀剂

羧酸缓蚀剂合成工艺简单、生产成本低、在海水中的溶解度高、无毒,可大大节省缓蚀剂的用量,降低海水中铜缓蚀剂的成本。其结构中的极性基团吸附在金属表面上,改变了双电层结构,提高了金属离子化过程的活性,便于形成络合物, 较长的烷烃支链起到了结构屏蔽作用,使氧分子进入金属表面困难,如图 4 - 6 所示。董全玉等用挂片失重法及电化学极化曲线的方法,研究了一种羧酸类缓蚀剂与苯并三氮唑在海水中的协同效应,并与 BTA 在海水中对紫铜的缓蚀性能加以比较。结果表明,该类缓蚀剂与 BTA 复配后显示了比 BTA 更好的缓蚀性能。该类缓蚀剂制备工艺简单,从而降低了在海水中铜缓蚀的成本。

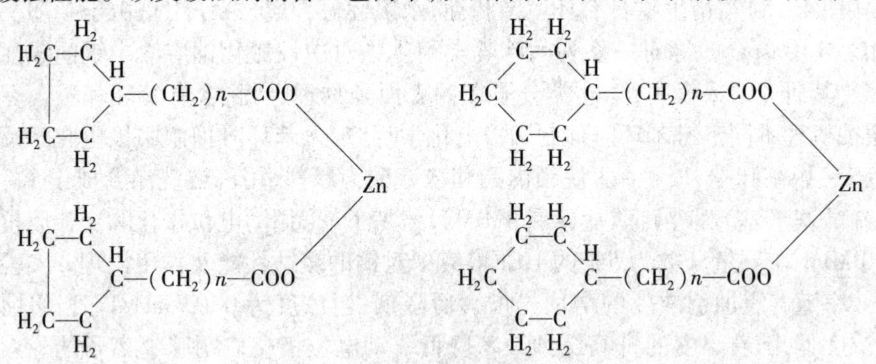

图 4 - 6　环烷酸锌

(7)硫脲和氨磺酸盐缓蚀剂

王春涛等用自组装技术在铜电极表面上制备了纯烯丙基硫脲自组装膜,并以十二烷基硫醇进一步修饰得到混合自组装膜。最后, 将混合膜覆盖的铜电极浸入 NaCl 溶液中,进行交流电处理。电化学交流阻抗谱和极化曲线测定表明,经过交流电处理后,在 0.5 mol · dm^{-3} NaCl 溶液中,电荷传递电阻增大,腐蚀电流密度下降,膜的最大覆盖度为 98.6%,对金属铜腐蚀的缓蚀效率为 98.5%。而且,不论交流电处理与否,混合自组装膜在较宽的电极电位范围内均表现出很强的稳定性。范洪波在新型缓蚀剂的合成与应用中专门论述和分析了此类缓蚀剂。认为从结构上分析，S原子提供孤对电子的能力应比N和O强，而且在含N的基础上引入S元素，二者之间可能存在分子内缓蚀增效作用，与金属表面的结合应更强，并做了大量的实验验证。王永磊等以硫脲和硫氰酸钾作为复合缓蚀剂的组分，采用静态失重法、Tafel极化曲线及电化学阻抗谱分别研究了该复合缓蚀剂在质量分数为10%的硝酸、质量分数为10%的硫酸及质量分数为10%的盐酸溶液中对黄铜、紫铜的缓蚀行为。复合缓蚀剂中硫脲和硫氰酸钾的质量比及复合缓蚀剂的添加量对黄铜、紫铜的缓蚀率影响较大。结果表明，在上述三种酸洗溶液中，复合剂中硫脲和硫氰酸钾的最佳质量比均为6:4；其中，10%硝酸溶液中，复合缓蚀剂最佳的添加量为0.09%（体积分数），而在质量分数为10%的硫酸和质量分数为10%的盐酸溶液中，复合缓蚀剂最佳的添加量为0.15%。Tafel极化曲线也表明复合缓蚀剂的加入可以明显地降低黄铜和紫铜在盐酸、硫酸和硝酸溶液中的腐蚀电流密度，在黄铜和紫铜的表面形成良好的缓蚀保护膜，具有优良的抑制阴极和阳极反应的作用。

(8)聚合物膜型缓蚀剂

聚合物膜型缓蚀剂是以高分子聚合物作缓蚀剂或通过缓蚀剂组分在界面反应形成聚合物膜而起到缓蚀效果，如聚乙烯吡啶、聚乙烯胺、聚乙烯哌啶、聚乙炔等。B. Trachli等对硫基苯并咪唑在铜表面电氧化聚合的动力学及聚合物膜层的缓蚀效果进行了研究。结果表明，2-硫基苯并咪唑首先吸附到铜的表面，进而发生了阳极氧化聚合，然后溶液中更多的单体分子吸附到聚合物膜上参与阳极氧化聚合；电化学阻抗谱研究表明，铜表面形成的聚合物薄膜在0.5 mol/L的NaCl溶液中的缓蚀效率为99%以上。聚氨基薄膜具有较好的缓蚀效果，如果与BTA复配能进一步增强膜层的缓蚀效果。

(9)自组装膜型缓蚀剂(SAMs)

自组装技术由Sagiv于1980年首次报道。自组装单分子膜是由自组装技术形成的结构稳定、堆积紧密、对基材适用性强、防腐效果好的单分子膜，如图4-7所示。SAMs的厚度为纳米级，小于光波波长，不会出现脱裂、老化、变色等不良现象，所以在抑制铜及其合金的腐蚀变色方面具有较好的应用前景。自1983年Nuzzo成功制备烷基硫化物在金表面的自组装单分子膜后，SAMs的体系逐渐发展和成熟，在铜合金表面形成烷基硫醇的SAMs报道也随之增多。1992年，Libinis等副研究了硫醇的链长、端基、浓度等对铜耐蚀性能的影响规律。然而，硫醇类化合物有毒，且在制备过程中挥发出难闻气味，目前很多研究都转向环保型自组装体系，如利用硅烷偶联剂在铜表面制备SAMs，已成为提高铜耐蚀性能的研究热点。Aramaki等引用三氯硅烷改进铜表面的烷基硫醇SAMs，使铜材耐蚀性能大大提高。

由于直接加入缓蚀剂起不到理想的缓蚀效果，缓蚀前对铜元件进行成膜处理能大大减少缓蚀剂的用量，提高缓蚀效果。因此，成膜处理越来越得到人们的重视。

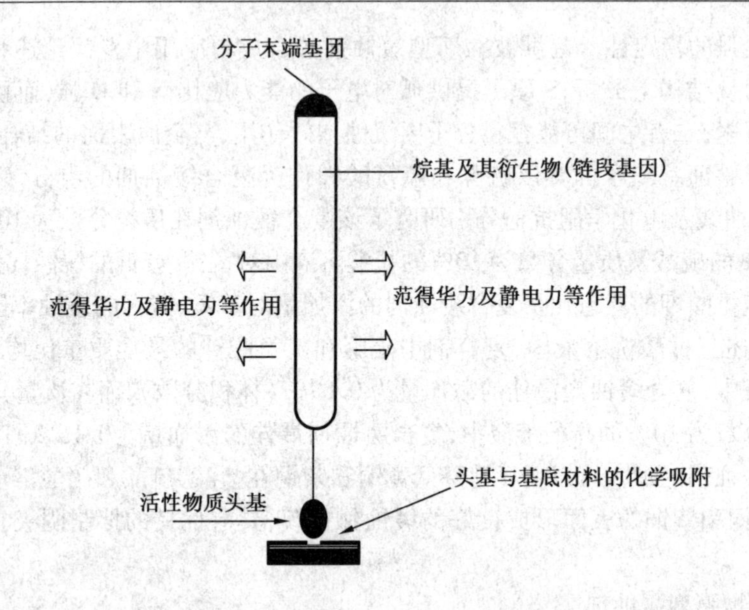

图 4-7　自组装分子膜与基体的吸附

(10)天然高分子缓蚀剂

从天然植物中分离出的松脂和薰衣草油作为抑制酸液体中铜腐蚀的腐蚀剂是铜在酸液体的缓蚀剂的早期应用。后来发现,一些胶体物质如阿拉伯胶、蛋白质、明胶、糊精和马铃薯淀粉对盐酸溶液中的铜具有较好的缓蚀效果。此外,采用涂覆润滑油脂的方法来防止腐蚀性气体反应或延缓腐蚀的发生。

聚合物缓蚀剂易在被腐蚀物表面形成单层或多层致密的保护膜,因而相对于低分子缓蚀剂而言具有高效、持久和环保等优点,已成为当前缓蚀剂领域的研究热点之一。目前,伴随环保意识的增强及人们对生活品质的更高要求,开发绿色环保型高分子缓蚀剂具有重要意义。

2. 缓蚀剂的复配协同效应

缓蚀剂技术的近代发展,与研究缓蚀剂之间的协同效应是分不开的,缓蚀协同效应是缓蚀剂研究领域中的热点、重点和难点。利用协同作用,可以克服缓蚀剂自身的缺陷,减少负面效应,获得较好的效果,缓蚀剂的研究方向也集中在了缓蚀剂复配的缓蚀机理。

对铜缓蚀剂的复配主要的研究集中在对 BTA 的复配上。旷亚非等用 ESCA 和电化学技术研究后认为,NaCl 介质中 BTA 和 MBT 复配时能够相互促进其界面作用,降低了界面微分电容,增大相应的吸附和成膜能力,并形成具有多层结构的表面防护层,起到了优良的协同缓蚀效应。李自托等利用电化学和失重法研究了 DG-1 与 BTA 复配缓蚀剂对黄铜的缓蚀作用,并同BTA单独使用时比较,缓蚀率更高,而且对局部腐蚀和点蚀均有更好的抑制作用。张大全等采用失重法考察了质量分数为3%的NaCl溶液中咪唑和苯并三唑对Cu的缓蚀作用,电化学极化曲线研究表明,苯并三唑对Cu电极的阳极过程有抑制作用,咪唑对Cu电极的阴极过程有抑制作用,咪唑和苯并三唑的复配使用显著增加了对Cu电极阴极和阳极电化学过程的抑制作用。BTA被用作铜及其合金的缓蚀剂具有较好的缓蚀效果,缺点是有毒且用量大,绿色环保型复配缓蚀剂的研究和应用是铜合金缓蚀剂发展的必然趋势。

4.2 绿色铜缓蚀剂

随着环保意识的加强,传统缓蚀剂已经无法满足工业绿色化发展的需要。开发易生物降解、价格低廉、高效的绿色缓蚀剂是近年来铜缓蚀剂研究的热点。近些年,绿色铜缓蚀剂的发展主要集中于一些天然有机物大分子,如聚天冬氨酸,聚环氧琥珀酸等。这些绿色铜缓蚀剂一般都是从天然动植物中提取的高分子聚合物,具有易生物降解、价格低廉、原料来源广等优点。与传统的绿色缓蚀剂相比,单一绿色铜缓蚀剂的缓蚀效率相对较低,特别是在一些苛刻的腐蚀环境中,还不能满足工业应用的要求。目前主要通过缓蚀剂之间的复配增效等方法来提高绿色缓蚀剂的缓蚀效果。徐群杰等采用电化学阻抗和极化曲线法研究了绿色缓蚀剂聚天冬氨酸(PASP)对铜在200 mg·L^{-1}的NaCl溶液中的缓蚀性能和吸附行为。结果表明,在20 ℃时,PASP使用的最佳浓度为15 mg·L^{-1},缓蚀率可达到78.3%,PASP的吸附明显降低了Cl^-的侵蚀,属于阳极型缓蚀剂。随着温度的升高,PASP的缓蚀性能下降。在50 ℃时,PASP的缓蚀率下降至40.4%。PASP的吸附行为服从Langmuir吸附等温式,是自发的、放热的过程,属于化学吸附。

4.2.1 聚天冬氨酸缓蚀剂

聚天冬氨酸(PASP)属于聚氨基酸中的一类。聚天冬氨酸因其结构主链上的肽键易受微生物、真菌等作用而断裂,最终降解产物是对环境无害的氨、二氧化碳和水。因此,聚天冬氨酸用途广泛。在水处理、医药、农业、日化等领域都能找到它的用途。作为水处理剂,它的主要作用是阻垢和/或分散,兼有缓蚀作用。作为阻垢剂,特别适合于抑制冷却水、锅炉水及反渗透处理中的碳酸钙垢、硫酸钙垢、硫酸钡垢和磷酸钙垢的形成。对碳酸钙的阻垢率可达100%。聚天冬氨酸同时具有分散作用并可有效防止金属设备的腐蚀。聚天冬氨酸与有机磷系缓蚀阻垢剂存在协同作用,常与乙烯基聚合物分散剂(如聚丙烯酸、水解聚马来酸酐、丙烯酸-丙烯酸乙酯-衣康酸共聚物等)、膦系化合物缓蚀阻垢剂(如HEDP、ATMP、PBTCA等)等复配成高效的、多功能的缓蚀阻垢剂,同时还具有良好的缓蚀性能。

1. 单一缓蚀性能

聚天冬氨酸作为一种带羧酸侧链的氨基化合物,可通过羧基官能团吸附在铜表面,阻碍腐蚀性离子的侵蚀。但是,单一使用时,缓蚀效率并不理想。贾艳霞等采用电化学稳态极化法和交流阻抗法对聚天冬氨酸(PASP)在 0.5 mol/L 硫酸中对铜的缓蚀性能进行了测试。结果 PASP 同时抑制阴阳极过程,室温 20 ℃时缓蚀效率随着聚天冬氨酸浓度的增加而增加,当 PASP 质量浓度达到 8 g/L 时缓蚀效率达到 87.4%;PASP 在铜表面的吸附作用符合修正过的 Langmuir 吸附等温式,表明 PASP 对铜具有一定的缓蚀保护能力。

2. 复配聚天冬氨酸的缓蚀性能研究

为了提高聚天冬氨酸对铜的缓蚀剂,科研工作者进行了相关的复配研究。钨酸盐作为一种环境友好型的无机缓蚀剂,可通过自身的氧化性,在金属表面形成一层氧化膜,从而起到对金属的防腐蚀作用。在研究聚天冬氨酸与钨酸钠的复配对铜合金的缓蚀作用时,两者表现出了良好的缓蚀协同效果。周晓蔚等采用失重法研究了 pH = 7.5 的自来水中聚天冬氨酸和苯并三唑、钼酸钠、硅酸钠复配时对铜和碳钢、铜复合体系的缓蚀效果,试验表明,单一聚天冬氨酸和钼酸钠的缓蚀效果随其浓度的增加而增加;单一苯并三唑的缓蚀效果随其浓度的增加其缓蚀性也增加,当浓度达 3 mg/L 时,缓蚀效果最佳;单一硅酸钠的缓蚀效果随其浓度的增加其缓蚀性也增加,当浓度达 200 mg/L 时,缓蚀效果最佳;在缓蚀剂总浓度为 50.5 mg/L 时,4 种药剂复配显示出较好的协同效应,其最佳配比为 10 mg/L 聚天冬氨酸 + 0.5 mg/L 苯并三唑 + 10 mg/L 钼酸钠 + 30 mg/L 硅酸钠。电化学动电位极化曲线测试结果表明复合水处理剂对阳极、阴极均有缓蚀作用。

4.2.2 聚环氧琥珀酸缓蚀剂

聚环氧琥珀酸(PESA, Polyepoxysuccinic Acid)作为一种无磷、非氮、易生物降解的绿色缓蚀剂,对水中的碳酸钙、硫酸钙、硫酸钡、氟化钙和硅垢有良好的阻垢分散性能,阻垢效果优于常用有机膦类阻垢剂;与磷酸盐复配具有良好的协同增效作用;同时具有一定的缓蚀作用,是一种多元阻垢剂。生物降解性能好,应用范围广泛,尤其适用于高碱、高硬、高 PH 条件下的冷却水系统,可实现高浓缩倍数运行。聚环氧琥珀酸与氯的相溶性好,与其他药剂配伍性好,对铜及其合金具有良好的缓蚀性能。若将 PE—SA 同其他水处理剂复配使用,可进一步提高其防腐蚀效果,显示出良好的缓蚀协同效果。

1. 单一聚环氧琥珀酸的缓蚀性能研究

聚环氧琥珀酸的分子结构中含有羧基和醚基等官能团,其氧原可作为其吸附位点,与铜原子形成配位键,起到防腐蚀作用。但是单一聚环氧琥珀酸对铜的缓蚀效率较低。徐群杰等在质量分数为 0.02% 的 NaCl 溶液中研究绿色缓蚀剂 PESA 在铜表面的缓蚀性能与吸附行为。电化学测试结果表明,在 20 ℃时,PESA 的最佳缓蚀剂加注量为 12 mg/L,其相应的缓蚀率为69.5%。另外,其在铜表面符合 Langmuir 的吸附等温式,且属于化学吸附。

2. 复配聚环氧琥珀酸的缓蚀性能研究

目前,聚天冬氨酸的复配研究主要集中于一些小分子的无机缓蚀剂复配,如硅酸钠、钨酸钠。通过缓蚀剂之间的复配研究,对铜及其合金的缓蚀性明显增强。

有关绿色缓蚀剂聚环氧琥珀酸(PESA)对铜及铜合金的缓蚀影响研究较少。徐群杰等采用电化学方法研究了 PESA 及其与 Na_2SiO_3 复配后在3% NaCl 溶液中对白铜 B10 的缓蚀作用。结果表明,PESA 是一种阳极缓蚀剂,其最佳缓蚀剂加注量为15 mg/L,其相应的缓蚀效率为50.35%。当硅酸钠的复配质量浓度达到40 mg/L 时,其缓蚀效率高达78.63%,表明两者之间存在一定的缓蚀效果。

周晓蔚等采用失重法研究了 pH =7.5 的自来水中缓蚀剂聚环氧琥珀酸和 BTA、Zn^{2+}、硅酸钠复配时对铜的缓蚀效果。实验表明,在缓蚀剂总浓度为545 mg/L,四种药剂复配复配时,显示较好的协同效应,其最佳配比为20 mg/L 聚环氧琥珀酸 +0.5 mg/L BTA +4mg/L Zn^{2+} +30 mg/L 硅酸钠,电化学动电位极化曲线测试的结果表明复合配方水处理剂对阳极、阴极均有缓蚀作用。王毅等在一步法合成聚环氧琥珀酸的聚合初期加入有机蒙脱土,成功地将聚环氧琥珀酸颜色变浅,并且合成了聚环氧琥珀酸/有机蒙脱土复合水处理剂(OMMT - PESA)。静态阻垢试验、旋转挂片试验和动态模拟试验结果表明,OMMT - PESA 复合药剂的缓蚀性能优于单一的聚环氧琥珀酸,且该复合药剂与杂菌灭藻剂有较好的相容性。

4.2.3　植酸缓蚀剂

植酸作为螯合剂、抗氧化剂、保鲜剂、水的软化剂、发酵促进剂、金属防腐蚀剂等,广泛应用于食品、医药、油漆涂料、日用化工、金属加工、纺织工业、塑料工业及高分子工业等行业领域。植酸(phytic acid)乃肌六磷酸酯,是从农作物中提取的,具有天然无毒等特性。由于其独特的分子结构,当与金属表面接触时,金属易失去电子带正电,而植酸的磷酸基中的氧原子都可以作为配位原子和金属表面的金属离子相结合,形成稳定的络合物,进而阻止金属腐蚀。植酸在较低浓度下组装,对于纯铜与黄铜均提高了缓蚀性能,尤其对于合金如黄铜成效显著。

印仁和等研究了绿色水处理剂植酸在3% NaCl 溶液中对白铜(B30)的缓蚀性能。结果表明,在酸性和碱性环境中,植酸对 B30 均有良好的缓蚀作用,且其对白铜 B30 的缓蚀效率在酸性环境中为84.87%,优于其在碱性环境中。

王林等对植酸和植酸钙、镁、钠盐对铜在合成家庭饮用水中的缓蚀作用进行了研究,采用失重法,用 ICO - AES 分析腐蚀液中的离子浓度。结果表明植酸钙、植酸镁有很好的缓蚀作用,缓蚀效率可分别达到93.7%和92.2%。

4.2.4 氨基酸类缓蚀剂

氨基类缓蚀剂在铜及其合金的防腐蚀方面具有广阔的应用前景，且生产成本低，溶解性好，绿色环保。在酸性或中性溶液中，氨基酸缓蚀剂分子可通过 NH_3^+ 吸附在铜表面，减少腐蚀性离子的侵蚀。常见的氨基酸类缓蚀剂分子，有精氨酸、半胱氨酸等。

D. Q. Zhang 等在 0.5 mol/L HCl 溶液中采用电化学技术研究了四种氨酸对铜的缓蚀性能。结果表明，四种氨酸的缓蚀性能的大小顺序为：谷氨酰胺 > 天冬酰胺 > 谷氨酸 > 天冬氨酸，且在添加了 KI 的溶液中，谷氨酸的缓蚀效率高达 93.74%。

钱建华等采用失重法、动电位极化曲线和电化学阻抗谱等方法，分别研究了 1 mmol/L L－蛋氨酸、L－半胱氨酸、L－精氨酸、L－赖氨酸和 L－丙氨酸在 0.5 mol/L HCl 溶液中对铜的缓蚀作用。实验结果表明，5 种氨基酸均为阴极型缓蚀剂，其中 L－赖氨酸缓蚀效果最好，缓蚀效率可达 84.77%。同时也说明 L－赖氨酸结构中游离的双氨基对于铜的缓蚀具有一定作用。郑红艾等采用失重法、电化学极化曲线和电化学阻抗谱比较了 0.5 mol/L HCl 溶液中传统缓蚀剂苯并三唑（BTA）和辛酰谷氨酸、DL－苏氨酸、DL－丝氨酸等氨基酸类物质对铜的缓蚀作用。挂片试验和阻抗谱表明，10^{-3} mol/L 的辛酰谷氨酸对铜的缓蚀作用最好，缓蚀效率可以达到 82.7%。从电化学极化曲线来看，这几种氨基酸类缓蚀剂均是阴极型缓蚀剂。在浓度为 $10^{-5} \sim 10^{-3}$ mol/L 时，随着辛酸谷氨酸浓度的升高，缓蚀效果加强。

4.3 海水缓蚀剂

4.3.1 海水的电化学特征

海水属于强电解质溶液，其主要盐分是 NaCl 和 $MgCl_2$ 等强电解质，其中 Cl^- 含量约占阴离子总数的 55%。海水中高浓度 Cl^- 的存在，使金属难以发生钝化，或者导致钝化膜的稳定性变差，从而导致点腐蚀、缝隙腐蚀等局部腐蚀现象的发生。因此，高浓度 Cl^- 的存在是海水具有强烈腐蚀性的主要原因。海水的腐蚀电化学过程具有下列特征：

(1)海水中的氯离子能阻碍和破坏金属的钝化，促使腐蚀反应的阳极过程较易进行，使海水中的金属发生强烈的腐蚀。

(2)溶解氧是金属在海水中腐蚀的阴极反应的去极化剂，一方面加速了不易形成钝化膜的金属的腐蚀；另一方面有利于氧化膜的形成，对金属的腐蚀有一定的抑制作用。

(3)在海水中，如果金属的钝化膜发生了局部破坏，则很容易在破坏的地方发生局部腐蚀现象。

（4）由于海水是强电解质，极易造成异种金属的接触处发生局部腐蚀，即电偶腐蚀。所以设计时应避免异种金属的接触，结构上则应避免大阴极对小阳极的状态。

4.3.2　影响金属腐蚀的海洋环境因素

根据对金属腐蚀程度的不同，海洋环境可以分为海洋大气区、浪花飞溅区、潮差区、海水全浸区和海底泥土区。其中铜及其合金在海水全浸区的腐蚀最为严重，潮差区次之，飞溅区最轻。

影响金属腐蚀的海洋环境因素主要有以下几种。

1. 温度

一般随着温度的升高，腐蚀反应速度会加快，但是不一定呈比例关系增加，还与其他因素有关。

2. 流速

一般海水流速增加，加速了腐蚀性介质的循环，增加了溶解氧的传递，从而促进了金属的腐蚀。然而对于易形成钝化膜的金属而言，增加流速有利于表面钝化膜的形成，可以减缓腐蚀。

3. 盐度

海水中 NaCl 的浓度一般在3%左右，在此浓度范围内金属的腐蚀有最大值。低于该浓度时随着 NaCl 浓度的升高腐蚀速率急剧上升，这是由于 Cl^- 促进了阳极反应的进行。当高于该浓度时，腐蚀速率反而降低，这可能由于 Cl^- 浓度增加抑制了溶解氧的存在。

4. pH 值

一般贵金属的腐蚀受 pH 值的影响较小。镁、铁、钴、镍、铜、镉等金属在酸性条件下受到的腐蚀较为严重，在碱性条件腐蚀速度有所降低。对于铝、锡、锌、铅等金属在酸性和碱性条件下都易受到腐蚀。

5. 海洋生物

如果海洋生物能在金属表面上形成连续紧密的覆盖层，则能有效阻止溶解氧的扩散，抑制金属的腐蚀。但是如果仅有部分覆盖层存在，则反而会增加金属的局部腐蚀。另外，大量海洋生物的排泄物堆积在金属表面也极易引起金属腐蚀的发生。

实际上，在海洋环境中，以上因素并非单独作用，而是它们共同作用的结果。例如，由于波浪的作用，使含氧量从海面至200 m以下的海水区域都处于饱和状态，金属在海水中的腐蚀主要由氧的还原引起的阴极反应控制，该阴极过程是氧去极化，腐蚀速度与金属表面氧的扩散速度有关。当海水深度增加时，海水流速降低，光照量减少，温度逐渐降低，溶解氧的浓度也降低，海洋生物较少，腐蚀速度有下降的趋势。

基于环境保护和可持续发展战略的需要，近年来研究开发对环境友好的新型缓蚀剂，尤其是兼有阻垢和缓蚀性能的缓蚀剂成为今后的研究重点。

聚天冬氨酸(PASP)具有高生物可降解性，是一种公认的环境友好型水处理药剂，如图4-8所示。韶晖等研究了其阻垢性能，发现由于聚天冬分子结构中含有羧酸、羰基、酰胺等基团，这些基团能与 Ca^{2+} 形成可溶性的络合物，对金属阳离子具有螯合作用，致使无机盐晶体发生畸变而不能生成大晶体沉淀，从而达到阻垢目的，以增强无机盐在水中的溶解性。PASP 的阻垢作用优越，但是其缓蚀作用研究较少。

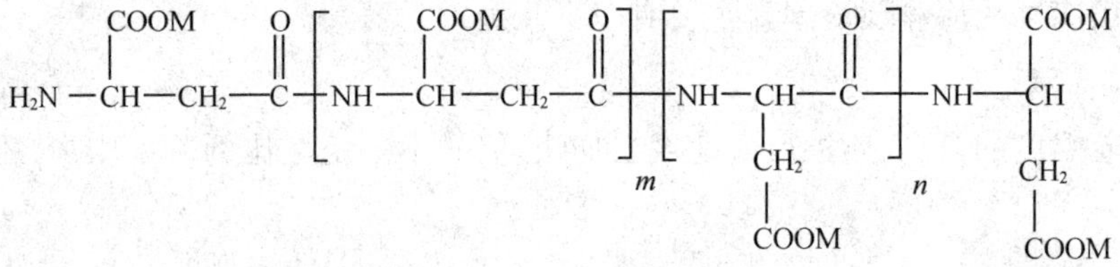

```
         COOM          O   [   COOM           O ] [           O ]        COOM
          |            ‖   [    |             ‖ ] [           ‖ ]         |
H2N — CH — CH2 — C — NH — CH — CH2 — C — NH — CH — C — NH — CH
                           [                    ] [   |        ]          |
                                              m      CH2      n          CH2
                                                      |                   |
                                                     COOM                COOM
```

$m \geqslant n$,M为Na^{+}

图4-8 聚天冬氨酸

为此，徐群杰采用交流阻抗和极化曲线方法研究了其对铜的缓蚀性能，在3% NaCl 介质中聚天冬氨酸和钨酸钠各自的单一配方对于黄铜和白铜(BIO)均具有一定的缓蚀效果，其中聚冬天氨酸在浓度为 40 mg/L 时对黄铜和白铜(BIO)的缓蚀效果最佳；在缓蚀剂总浓度为 40 mg/L 时，聚冬天氨酸与钨酸钠配比为 3:1 时对黄铜和白铜(BIO) 的缓蚀效果最佳，且具有缓蚀协同效应。在模拟海水中，PASP 与二价铜离子形成的螯合物吸附在铜电极表面，抑制了对铜的腐蚀。另外，用交流阻抗法和极化曲线法，以模拟水溶液为介质，通过电化学谱图研究了两种环境友好型水处理药剂聚天冬氨酸和钨酸钠的复配对纯铜的缓蚀作用，同时通过改变模拟水介质条件研究复配聚天冬氨酸对铜的缓蚀效果。研究表明，聚天冬氨酸和钨酸钠复配后对模拟水中的铜有明显的缓蚀效果，在缓蚀剂总质量分数为 16×10^{-6}，聚天冬氨酸与钨酸钠的质量比为 1:1 时，对铜的缓蚀效果最佳，其缓蚀效率为 90.50%。当模拟水体系的温度升高、pH 增大、氯离子含量增加及硫离子浓度增加时，都会使复配缓蚀剂对铜的缓蚀效果变差。朱律均等用光电化学方法研究了绿色水处理药剂聚天冬氨酸对铜的缓蚀作用，铜在硼酸-硼砂缓冲溶液(pH=9.2)中，表面的 Cu_2O 膜显 p-型光响应，添加适量缓蚀剂聚天冬氨酸(PASP)后，PASP 吸附在铜电极表面成膜促使 Cu_2O 膜增厚，体现在电位在负向扫描过程中 Cu_2O 膜的 p-型光电流增大。p-型光电流越大，缓蚀性能越好。当 PASP 浓度为 3 $mg \cdot L^{-1}$时，Cu_2O 膜的 p-型光电流最大，缓蚀性能最好。Cl^- 的存在会阻止 PASP 在铜电极表面的吸附，使 Cu_2O 膜暴露而受侵蚀，导致了 PASP 的缓蚀性能变差。

聚环氧琥珀酸(PESA)同样具有生物可降解性，极少量即可得到很好的阻垢效果，具有优秀的抗碱性,在高碱性、高硬度水系中阻垢效率明显优于有机磷酸类,而且与氯的相容性好、阻垢性能不受氯浓度的影响,如图4－9所示。周晓蔚、赵鑫研究了聚环氧琥珀酸对铜缓蚀性能,发现聚环氧琥珀酸和其他物质复配有良好的缓蚀性能,如和硅酸钠复配使用,在实验水质条件下,缓蚀效率为89%～99%。

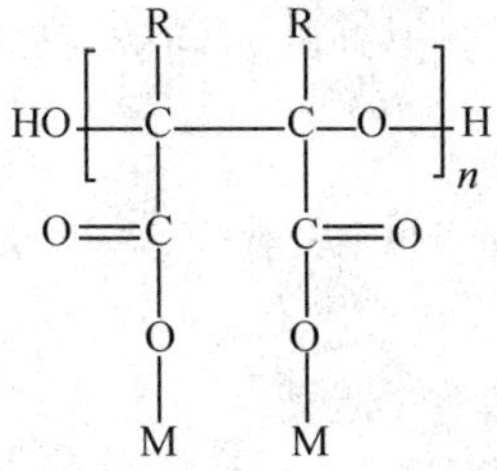

说明：n=5~10

M为Na^+或H^+、K^+、NH_4^+

R为H或Cl—烷基

图4－9　聚环氧琥珀酸

E. M. Sherif继续研究了铜在充入CO_2的合成海水中即(3.5% NaCl)ATA的缓蚀作用。电化学测试表明在ATA的存在下并且增加其浓度抑制了铜表面的腐蚀过程。随着其浓度的增加,降低了腐蚀电流以及腐蚀率。同时增加了极化电阻,表面覆盖度和缓蚀率。EIS和恒电压下电流一时间测试表明,ATA分子把铜的溶解电流降低到了最小,增加了铜的阻抗,尤其是在浸泡50 h之后。失重法证明了铜的溶解现象,并伴随着腐蚀后溶液pH的改变。由于存在ATA并且增加了其浓度,在浸泡24天后pH达到最小值。拉曼谱研究显示这种铜的缓蚀作用是由于ATA分子强烈地吸附到铜的表面与Cu^+形成化合物,阻滞了CuCl: 的形成,进而阻滞了铜的腐蚀。

刘略等采用天然类多糖甲壳素的衍生物壳聚糖和聚环氧琥珀酸(PESA)等复配得到一种新型的无磷缓蚀剂,其处理效果较市售产品缓释率提高20.67%,且用量仅为原来的53.33%,药剂成本下降20%,并通过正交试验确定壳聚糖的最佳缓释条件。无论是从性价比还是环保性能等方面均优于传统的磷系缓蚀剂,具有明显的经济与环境效益。柳鑫华等使用静态失重法和腐蚀电化学法研究了聚环氧琥珀酸(PESA)及其硫脲改性的衍生物(CSN－PESA)在自来水环境中对铜的缓蚀作用,探讨了聚环氧琥珀酸及其衍生物在铜表面的吸附作用,通过量子化学理论研究了聚环氧琥珀酸及其硫脲改性的衍生物缓蚀机理。研究结果表明,聚环氧琥珀酸及其硫脲改性的衍生物具有一定的缓蚀性能,CSN－PESA的缓蚀率大于PESA;聚环氧琥珀酸及其衍生物在铜表面产生的缓蚀效果是物理、化学共同吸附的结果,与Langmuir吸附等温式相符合,聚环氧琥珀酸及其衍生物对阴极、阳极有一定的抑制作用。量子化学计算表明,聚环氧琥珀酸衍生物缓蚀率高于聚环氧琥珀酸的主要原因是CSN－PESA分子中的轨道密度主要分布在O、N、S这些杂原子附近。

为了提高聚环氧琥珀酸(PESA)的缓蚀阻垢性能,将其与氨基三甲叉膦酸(ATMP)进行复配,研制了一种适合酸性条件新型缓蚀阻垢剂。通过静态阻垢实验、塔菲尔极化曲线法、交流阻抗法及静态失重法研究了该缓蚀阻垢剂在酸性介质中的阻垢和缓蚀性能。实验结果表明,该缓蚀阻垢剂属于混合型缓蚀剂,在酸性介质中表现出了较好的阻垢和缓蚀效果。

葡萄糖酸钠是一种多羟基羧酸型的缓蚀阻垢剂,在水溶液中对 Cu 具有极好的络合能力,可将其螯合于水中,并对 Cu^{2+} 的盐类具有很好的去活化作用,有利于在铜的表面生成 Cu_2O 保护膜。因此它既能阻垢也能缓蚀,且具有很好的协同效应。

4.4 氯化钠介质中的铜缓蚀剂

4.4.1 单一缓蚀剂

近年来,国内外学者对铜缓蚀剂进行了更为系统的研究,研制出许多新型缓蚀剂,为铜及其合金的防腐做出了巨大贡献。

1. 咪唑类有机缓蚀剂

咪唑类衍生物具有环境亲和性,在有机缓蚀剂的使用中,咪唑类缓蚀剂近年来逐渐受到重视,而且作为铜、银、铁等金属缓蚀剂的咪唑类衍生物不断增加。R. Gaparac 等对一系列咪唑类衍生物对中性氯化钠溶液中铜的缓蚀性能进行了研究,结果表明,咪唑类分子在铜表面是物理吸附,含有苯环和不含有苯环的衍生物缓蚀机理不同。有苯环时抑制阳极电化学反应,无苯环时抑制阴极电化学反应。

H. Otmai 等研究表明,在 1 - 苯基 - 4 - 甲基咪唑的存在下在铜表面形成了保护性的厚层。循环伏安法测试表明在搅拌的条件下和随着浸泡时间的增加,薄膜的保护性质得到加强。AFM 测试表征了保护层的形成与时间的依赖性。通过 SEM、EDX 可知,这层保护层含有缓蚀剂和腐蚀产物,结构复杂。而且还发现,在 3% NaCl 溶液中咪唑及其各种衍生物这类化合物当中,相对分子质量越大的缓蚀性能越好,其原因可由它们在铜表面的物理吸附机制解释。

B. V. Appa Rao 等发现 5 - 甲氧基 - 2 - 十八烷硫基 - 苯并咪唑在氯化钠溶液中对铜的腐蚀具有显著保护作用。MOTBI 能够在铜表面形成自主装膜,并且分子中的氮原子与 Cu^+ 发生反应后形成的复合物吸附于铜的表面。MOTBI 在温度为 30 ~ 60 ℃时内对铜在氯化钠溶液中的腐蚀均具有良好的缓蚀效果。

孙丽红等通过交流阻抗谱探讨了由乙酸钠、硫酸锌、葡萄糖酸钠和十二烷基苯磺酸钠复配使用对铜在氯化钠介质中的保护作用。研究结果表明,此四元复合缓蚀剂产生了良好的协同作用,且搅拌速率增加,缓蚀效果变差。

El - Sayed M. Sherif 等开发出一种新型缓蚀剂 5 - (苯基) - 4H - 1,2,4 - 三氮唑 - 3 -

硫醇,并且分析了其在3.5% NaCl介质中对铜腐蚀的抑制效果。结果表明PTAT能够有效降低铜的溶解,对电极电化学反应中的阴极反应和阳极反应均有抑制作用,显著降低铜的腐蚀速率。

2. 含硫类有机缓蚀剂

在缓蚀剂的分子中含有S元素将加大其对铜的缓蚀作用,为此近年来国外进行了很多的研究。

1996年Anna Mada Beccaria等测试了在3.5% NaCl溶液中不同浓度的3－甲基－硅氧烷－丙烷－硫醇(TMSP)对铜腐蚀的缓蚀作用。失重法与电化学测试表明TMSPT的缓蚀性能随着浓度的增加而增加,随浸泡时间的增加而降低。TMSPT既通过在铜的表面形成吸附膜,抑制了阳极反应,又通过硫基水解减少腐蚀溶液中溶解的氧的含量抑制了阴极反应。由于来自TMSPT的硫基官能团的水解产生SH^-离子,这种离子能被腐蚀溶液中氧氧化成金属硫,致使氧浓度降低,进而阻碍了阳极过程。阳极缓蚀与铜表面的状况有很大的关系,这种表面有一层吸附的具有保护性质的硅氧烷膜。这层化合物增加了自由腐蚀和腐蚀的电位。TMSPT依据Langmuir吸附过程吸附到铜的表面,在其表面,硅氧烷基与铜的氢氧化物形成共价的Si—O—Cu键。由于水的破坏键的作用,随着时间的增加,形成氢氧化铜这样一种更稳定的腐蚀化合物。

2000年以来,这些含S有机物的研究和开发更是成为研究工作者的研究热点。

2003年,王春涛等用自组装技术在铜电极表面上制备了纯烯丙基硫脲自组装膜,并以十二烷基硫醇进一步修饰得到混合自组装膜。最后,将混合膜覆盖的铜电极浸入NaCl溶液中,进行交流电处理。电化学交流阻抗谱和极化曲线测定表明,经过交流电处理后,在0.5 mol·dm^{-3}NaCl溶液中,电荷传递电阻增大,腐蚀电流密度下降,膜的最大覆盖度为98.6%,对金属铜腐蚀的缓蚀效率为98.5%。而且,不论交流电处理与否,混合自组装膜在较宽的电极电位范围内均表现出很强的稳定性。

2006年,E. M. Sherif等研究了2－氨基－5－乙基硫－1,3,4－噻二唑(ATD)和2－氨基－5－乙基－1,3,4－噻二唑(AETDA)对NaCl溶液中铜的缓蚀剂的缓蚀效果。两种缓蚀剂在一定程度上降低了阴极、阳极的和腐蚀电流,并且使腐蚀电压轻微的负移。ATD强烈地吸附在铜表面使铜不易遭受腐蚀,AEDTA也强烈地吸附在一些区域,但在铜表面的其他一些区域却仅吸附了一层薄膜。EIS测试也表明了由于ATD和AETDA的存在使溶液电子转移电阻增加,并且浓度的增加也使表面和电子转移电阻增加。失重法测得在1 mmoL/L浓度下的ATD的缓蚀效率为83%,AETDA缓蚀效率为60%,而5 mmoL/L浓度下的ATD缓蚀效率增加到了94%,AETDA缓蚀效率增加到了大约97%。

2008年,张静等利用自组装方法在铜表面制备十二烷基硫醇单层膜,采用失重法、电化学极化曲线法和交流阻抗法,研究在不同成膜时间条件下得到的自组装膜在0.51 mol/L的

NaCl 溶液中对铜的缓蚀作用。实验结果表明,十二烷基硫醇膜对铜具有较好的缓蚀作用,经自组装处理后铜电极在 NaCl 溶液中电荷传递的电阻增大,腐蚀电流密度下降。该膜对腐蚀反应的阴极过程具有更强的阻碍作用,在吸附时间为 30 min 时,可产生较好的缓蚀效果。同年,A. Dermaj 等研究了质量分数为 3% 的 NaCl 溶液中添加或不添加 3 - 苯 - 1,2,4 - 三唑 - 5 - 硫酮(PTS)缓蚀剂的情况下青铜的电化学行为。对阴极过程来说,PTS 的浓度在高于 1 mmoL/L 时的缓蚀效率明显,然而在阳极当浓度低于 1 mmoL/L 时,缓蚀效果明显,能观察到明显的腐蚀电位的正移,并且缓蚀率随浓度和浸泡时间的增加而增加。在 1 mmoL/L 时由伏安法和交流阻抗谱得出 m 的缓蚀效率在 94% ~99%。表面分析可知在金属表面存在 S 原子。RMS 证实了 PTS 在溶液中通过三种与电极的作用形式起到保护作用:以平面结构进行缓蚀剂的吸附;形成 Cu—SH 分子;与溶解的铜形成聚合物。

3. 胺类有机缓蚀剂

胺类有机物在水溶液中有质子化效应,从而容易和带负电的金属表面进行吸附,进而起到缓蚀作用。

屈钧娥等用电化学方法和原子力显微镜(AFM)研究了 NaCl 溶液中十二胺在铜镍合金表面的缓蚀及吸附行为。结果表明,十二胺对阴极和阳极反应均有抑制作用,但主要抑制了阴极反应。吸附模型的拟合结果证明十二胺在铜镍合金表面的吸附符合 Flory - Huggins 等温线模型。十二胺吸附膜改变了电极表面双电层结构,使零电荷电位正移。AFM 相位图显示,随着缓蚀剂浓度增加,缓蚀剂吸附层变得更加致密和有序,导致缓蚀效率增加。AFM 力曲线测试结果指出,含有十二胺的溶液中力曲线显示黏附力特性,而且探针与样品表面之间的长程静电斥力与空白溶液相比有减小趋势。

J. E. Qu 等研究了 0.2 moL/L NaCl 溶液中十二胺在铜镍合金表面的吸附行为。十二胺对阴极和阳极反应均有抑制作用。EIS 和 AFM 相图表明当缓蚀剂的浓度从 0.000 5 moL/L 到 0.005 moL/L 时,缓蚀剂的单分子吸附膜会变得越来越有秩序和致密,因此其缓蚀率增加。不同的电容曲线实验表明吸附的十二胺膜改变了金属表面双电子层的结构,使得零电荷电位(PZC)正移。利用 AFM 曲线测试结果指出,当合金表面有此吸附膜时在探针和试片表面间显示黏附力特性,探针和样片的远程静电斥力与空白溶液相比有减小趋势。

4. 其他有机缓蚀剂

新的缓蚀剂的研究,包括无机和有机方面,已经成为一个长期的课题,而且研究非常活跃。

脲嘧啶属于杂环化合物,除了应用在生物和医药领域外也被用作高效缓蚀剂。Dafali 等研究了尿嘧啶(Ur),二氢脲嘧啶(DHUr),5 - 氨基脲嘧啶(AUr),2 - 硫脲嘧啶(TUr),5 - 甲基 - 2 - 硫脲嘧啶(MTUr)和二硫脲嘧啶(DTUr)在 3% NaCl 介质中对铜的缓蚀作用。结果表明,这些缓蚀剂都为明显的阴极型缓蚀剂,缓蚀率随着硫醇基团的取代而增加,而且芳香环的存在有利于吸附的进行。其中DTUr为最好的缓蚀剂，依据Frumkin等温模型吸附到铜的表面，而且对阳极的抑制也较明显，在1 mmol/L时可达到最大缓蚀效率为98%，远大于TUr(45%)，这主要是由于在它的分子中存在两个S原子。由于引入了甲基，MTUr的缓蚀效率大于TUr的，这表明S原子的吸附能力大于O原子。M. Scendo研究了嘌呤的浓度对1.0 mol/L NaCl(pH =6.8)溶液中铜的腐蚀与自发性溶解的影响。嘌呤是一种混合型缓蚀剂，嘌呤分子强烈地吸附在铜表面的活性区域抑制了铜溶解反应，并且由于化学吸附形成了一层保护膜，这种膜随着浸泡时间的延长而增长，缓蚀率随着嘌呤浓度的增加而增加。

张沈阳等合成了一种环境友好型的缓蚀剂—二硫代氨基甲酸改性葡萄糖(DTCG)。采用该缓蚀剂在铜表面制备了自组装膜，并运用电化学阻抗谱、极化曲线方法研究了该膜在3% NaCl溶液中对铜的缓蚀性能。研究结果表明，DTCG自组装膜对铜有良好的缓蚀效果，在自组装时间为4 h、自组装浓度为120 mg/L的缓蚀效率接近于97%。量子化学计算结果也证明了DTCG具有优异的缓蚀性能。

W. A. Badawy等测试了不同氨基酸对铜的缓蚀率。实验结果表明，一种简单的氨基酸，如：氨基已酸能被用作氯化物水溶液中Cu－Ni合金的缓蚀剂。在氨基酸浓度非常低的条件下(0.1 mmoL/L)获得的缓蚀效率为85%。硫基丙氨酸在(Cu—5Ni)上的吸附自由能－37.8 kJ/mol，说明其在合金表面是强烈的物理吸附，缓蚀效率达到96%。根据对电极/电解液界面的等效电路可知，实验的阻抗数据与理论数据相拟合，而且发现缓蚀过程取决于氨基酸分子在金属活性区域的吸附或腐蚀产物在合金表面的沉积状况。

王国瑞等通过失重法测试3种取代吡啶甲酰腙席夫碱化合物对铜在3.5% NaCl溶液中的缓蚀作用。结果表明：都有良好的缓蚀作用，缓蚀效率高达96%以上；其中尤以邻香草醛－2－吡啶甲酰腙(L2B)的效果最好，当浓度为50 mg/L时，缓蚀效率就已达到80%以上。用量子化学半经验AM1方法，在B3LYP/6－31G～＊基组水平上，研究3种席夫碱缓蚀性能与分子结构的关系、量子化学参数与缓蚀性能的关系及缓蚀机理。结果表明，3种缓蚀剂的缓蚀效率与分子的最高占有轨道能量EHOMO、氮氧原子的净电荷和热力学参数之间有很好的相关性。利用SPSS Statistics 17.0软件线性回归分析量子化学参数与缓蚀性能的相关性，结果表明，评价失重法对3种缓蚀剂对铜缓蚀能力的实验数据和理论计算相吻合。

余建飞等用动电位极化法、电化学阻抗谱(EIS)和失重法研究了3－氨基－5－硫基－1，2，4－三唑(3－AMT)在除盐水中对Cu腐蚀行为的影响和吸附规律。研究表明，缓蚀效率随着缓蚀剂3－AMT浓度的上升而增大，当其浓度大于4×10^{-5} mol/L时，对Cu具有较好的缓蚀性能，3－AMT是一种混合型缓蚀剂。吸附过程为放热过程，属化学吸附，服从Langmuir吸附等温式。

A. Asan等通过电化学技术研究了两种三齿配体缓蚀剂即2［(E)吡啶2亚氨基］苯酚(L1)和2－［吡啶－2－亚氨基］苯酚(L2)在不同条件下的0.10 moL/L NaCl溶液中对黄铜

的缓蚀效果。结果表明这两种物质通过在黄铜表面稳定的化学吸附抑制了黄铜的腐蚀,缓蚀率随浓度的增加而增加,并在200 mg/L时达到最佳。而且L1具有—C ═N键,可使其更好地吸附在铜的表面,所以L1的缓蚀效果要高于L2。

有机缓蚀剂能在金属表面发生吸附而降低金属的腐蚀速率,但目前对其在金属表面的吸附机理仍不十分清楚。张雪梅合成了胍基四唑(GT)和1-(对甲基)苯基-5-硫基-1,2,3,4-四氮唑(MMT)2种缓蚀剂,用失重法和电化学法研究了两种缓蚀剂在5% NaCl质中对铜的缓蚀性能和吸附行为。结果表明,MMT和GT属于阳极型缓蚀剂,对铜均有很好的缓蚀性能,且MMT的缓蚀效率大于GT;MMT和GT均在浓度为50 mg/L时缓蚀效率最大(90%以上);30~60 ℃时两种缓蚀剂的缓蚀性能随温度的升高而降低,两种缓蚀剂在铜表面的吸附都服从Langmuir吸附等温式,属于物理吸附。

考虑到唑类缓蚀剂等一些杂环有机化合物含有苯环,能发生致癌作用,Esta Abelev等研究了无毒、易生物降解、环境友好的2,4-己二烯酸钾(山梨酸钾)作为铜的水溶性缓蚀剂。随着缓蚀剂浓度的增加铜被保护的程度增加。在有缓蚀剂的条件下,通过氯化物离子的协同作用,铜能够抵制腐蚀的程度更高。XPS研究表明通过形成氧化亚铜,氢氧化铜以及Cu(Ⅱ)-山梨酸酯的复合层对铜进行保护。

4.4.2 复合缓蚀剂

单组分缓蚀剂在实际使用中存在缺陷,通常需要较高浓度才能够达到良好的保护效果,且环境改变后其效率会迅速下降。目前应用于工业生产中大量使用的是复合缓蚀剂,这些复合缓蚀剂中的成分之间存在协同效应,显著降低了生产成本。

黄小红通过失重实验和极化曲线测试在质量分数为3%的NaCl介质中分析了4-吡啶甲酰肼与苯磺酸钠对铜腐蚀行为的影响。研究表明,0.5 g/L 4-吡啶甲酰肼和0.35 g/L苯磺酸钠复配使用的缓蚀效率高达99.65%,其机理是由于4-吡啶甲酰肼首先覆盖于铜基体表面,而苯磺酸钠则构造出一定厚度的疏水层,阻碍溶液中的氯离子与铜接触,两者之间产生的协同缓蚀作用阻止了铜基体的继续腐蚀。

王永垒以硫脲和硫氰酸钾作为复合缓蚀剂的组分,采用静态失重法、Tafel极化曲线及电化学阻抗谱分别研究了该复合缓蚀剂在质量分数为10%的硝酸、质量分数为10%的硫酸、质量分数为10%的盐酸溶液及质量分数为3%的NaCl介质中对黄铜、紫铜的缓蚀行为。复合缓蚀剂中硫脲和硫氰酸钾的质量比及复合缓蚀剂的添加量对黄铜、紫铜的缓蚀率影响较大。结果表明,在上述三种酸洗溶液中,复合剂中硫脲和硫氰酸钾的最佳质量比均为6:4,其中,质量分数为10%的硝酸溶液中,复合缓蚀剂最佳的添加量为0.09%(体积分数),而在质量分数为10%的硫酸和质量分数为10%的盐酸溶液中,复合缓蚀剂最佳的添加量为0.15%。Tafel极化曲线也表明复合缓蚀剂的加入可以明显地降低黄铜和紫铜在盐酸、硫酸和硝酸溶液中的腐蚀电流密度,在黄铜和紫铜的表面形成良好的缓蚀保护膜,具有优良的抑制阴极和阳极反应的作用。

付占达等研究了 BTA 与 KI 复配对黄铜的保护作用,通过改变加药顺序,其效果有很大的差别。先加入 KI 后加 BTA 的缓蚀效果较差,两者同时加入的情况较先加 KI 的效果有了很明显的改善,而最好的缓蚀效果是先加 BTA 后再加入 KI,且时间间隔在 0.5 ~ 1 h 时最佳。

徐群杰等通过极化曲线测试以及交流阻抗方法研究了钨酸钠、硫酸锌、D - 葡萄糖酸钠以及 BTA 组成的复合缓蚀剂对碳钢的缓蚀作用。结果表明,钨酸钠和 BTA 按照 2:1 复配得到较佳效果,在此基础上加入 4 mg/L 硫酸锌和 10 mg/LD - 葡萄糖酸钠后,效率进一步提高。

王奎涛等通过极化曲线测试和静态失重实验在 ClO_2 中研究了 Na_2MoO_4 与 BTA 单独及复配条件下对黄铜腐蚀的影响。研究结果表明, Na_2MoO_4 最大缓蚀效率仅为 10.85%,BTA 的缓蚀效率随含量增加而升高,到达一定值后保持稳定。Na_2MoO_4 与 BTA 按质量浓度 1:1 复配产生缓蚀协同作用,此时的缓蚀效率高达 81.01%。

徐群杰等应用交流阻抗和极化曲线测试 3 - 氨基 - 1,2,4 - 三氮唑(ATA)和钨酸钠复合缓蚀剂对黄铜在质量分数为 3% 的 NaCl 溶液中的缓蚀作用。结果表明, ATA 对黄铜有缓蚀作用,并以 7.5 $mg \cdot L^{-1}$ ATA 的缓蚀效果最好,缓蚀效率为 87.46%,以 7.5 $mg \cdot L^{-1}$ ATA 和0.15 $mg \cdot L^{-1}$ Na_2WO_4 配成复合缓蚀剂则对黄铜具有很好缓蚀协同效应,缓蚀效率达 91.82%,属阴极型缓蚀剂。

洪全等在 25% 氯化钙溶液中研究了 BTA 浓度、介质温度以及 BTA 与其他无机盐复配对铜的缓蚀作用。BTA 含量低于 0.2%,随着 BTA 含量增加,保护效果增强。BTA 含量高于 0.2%,随着 BTA 含量增加,缓蚀效率变化不大。BTA 与 $NaNO_2$、Na_2MoO_4 及 $(NH_4)_2MoO_4$ 复配后均可以产生缓蚀效果,且介质温度升高,铜的腐蚀速率增加,缓蚀效果减弱。

王欣等通过极化曲线测试等方法分析了钼酸钠以及 TEA 对铜腐蚀行为的影响规律。结果发现,钼酸钠单独使用时对铜的腐蚀没有显著的抑制作用,而当钼酸钠与 TEA 复合使用时则对铜的腐蚀产生了协同作用。在含有 5×10^{-3} g/L Cl^- 的溶液中, 300 mg/L 钼酸钠和 300 mg/L 三乙醇胺复配使用的效果最好。

童汝亭等采用交流阻抗法研究了在质量分数为 3% 的 NaCl 溶液中 BTA 和 MBT 对铜电极的缓蚀行为。结果表明,二者均有缓蚀作用;浸泡 15 min 时,在浓度低于 0.2×10^{-4} 时,BTA 优于 MBT;而在 0.4×10^{-4} 时 MBT 优于 BTA。二者有显著的协同效应,最佳比率是 0.2×10^{-4} BTA + 0.2×10^{-4} MBT。

陈一胜等通过失重悬挂法以及中性盐雾等腐蚀试验, 将 BTA、有机羧酸和稀土进行复配使用,这三种物质能够产生协同效应,对铜的腐蚀有明显的保护作用。孙丽红等通过交流阻抗谱探讨了由乙酸钠、硫酸锌、葡萄糖酸钠和十二烷基苯磺酸钠复配使用对铜在氯化钠介质中的保护作用。研究结果表明,此四元复合缓蚀剂产生了良好的协同作用,且搅拌速率增加,缓蚀效果变差。

程玉山等通过研究发现亚硝酸钠、BTA 以及次磷酸钠组成的复合缓蚀剂对铜具有缓蚀效果,且最佳的复配比为亚硝酸钠:次磷酸钠:BTA(质量比)=10:3:0.5,此复合缓蚀剂在10~65 ℃均产生保护效果,总浓度为100 mg/L 时达到最佳性能。

4.5 青铜文物缓蚀剂

4.5.1 单一缓蚀剂

现有研究出的含氮青铜缓蚀剂主要有 AMT、BTA、MBO、MBT 及其 BTA 衍生物等。

BTA 是一种有机氮杂环化合物,是国内外用来保护铜及铜合金常用的很有效的青铜缓蚀剂,用于古青铜器的保护,取得了良好的效果。苯并三氮唑是白色到奶油色的粉末结晶,能溶于乙醇、苯等有机溶剂中。关于 BTA 抑制铜腐蚀的机理主要有两种,即吸附理论和成膜理论。吸附理论认为,BTA 吸附于铜器表面后,改变了金属与溶液的界面结构,并使阳极反应的活化能显著升高,从而降低了铜本身的反应能力。而成膜理论认为,BTA 对铜的保护与 Cu_2O 膜的存在有关,能形成 Cu(I)-BTA 线形聚合体保护膜,也能在 CuO 表面上形成 Cu(I)-BTA 线形聚合体保护膜,这种膜覆盖性能良好;紧贴在金属的外部,把金属表面与腐蚀介质隔开,形成不溶于水及部分有机溶剂的透明覆盖膜,生成膜比较牢固,使金属的溶解或离子化程度大大降低,起到了保护金属的作用。常见的铜基单一缓蚀剂如图 4-10 所示。

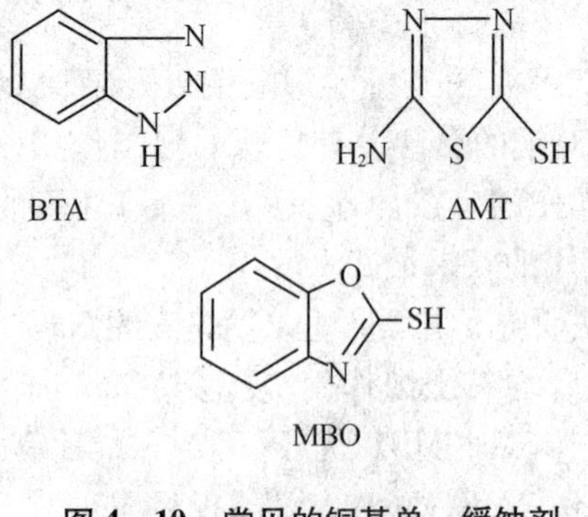

N N N H
BTA

N N H₂N S SH
AMT

O SH N
MBO

图 4-10 常见的铜基单一缓蚀剂

AMT 是一种五元杂环化合物,常温下 AMT 为浅黄色针状晶体,能溶于乙醇、丙酮、苯,常温下难溶于水,60 ℃时易溶于水,没有挥发性,使用时没有毒性气味,熔点为 230~

235 ℃。其分子式:$C_2H_3N_3S_2$ 为单环结构,存在4种互变异构体:氨基硫赶式、亚氨基硫赶式、氨基硫酮式、亚氨基硫酮式。1988年,印度学者最先采用这种缓蚀剂用于清洗、保护古铜钱,并取得了较好的效果。AMT对铜材有很强的吸附能力,能在其表面形成致密的保护膜,隔绝外界环境,从而有效地抑制腐蚀介质的侵蚀作用,并提高其抗盐雾和抗湿热性能。MBO是成膜型缓蚀剂。青铜发生腐蚀的条件下,它通过化学反应在铜表面形成不溶且致密的膜,从而起到缓解腐蚀作用。其中的S和N原子在缓蚀剂膜构成中其重要作用。但MBO对青铜器,尤其是对已锈蚀的青铜文物的缓蚀作用方面的研究报道甚少。

近年来,对缓蚀剂封护的研究主要围绕BTA、AMT和MBO展开。

祝鸿范根据青铜器的腐蚀现象和文物保护的特殊要求,从BTA的化学作用机理及它对青铜保护的实际使用效果出发,讨论了它在青铜器文物保护中的应用状况。于淼等利用BTA等对水性丙烯酸酯聚合乳液进行改性,制成了青铜文物的防蚀封护剂,并通过研究分析了BTA用量对水性丙烯酸酯聚合乳液封护性能的影响。结果表明,青铜文物封护剂涂层的耐酸性、耐碱性、耐盐水性以及耐盐雾性能随着BTA的质量分数的增大逐渐增强,而耐水性减弱,但当BTA达到一定浓度后,继续增加BTA用量,涂层耐酸、碱性也会减弱。此外,随着BTA的质量分数的增大,青铜文物防蚀封护剂抑制 Cl^- 对带锈的模拟青铜文物试样的腐蚀能力明显增强。吴雪威等采用电化学法制备了3种带锈青铜,以模拟青铜文物进行腐蚀试验。使用扫描电镜(SEM)、X射线衍射(XRD)和Raman光谱等方法分析了3种带锈青铜及裸青铜在乙酸气氛中腐蚀后的表面形貌和腐蚀产物。结果表明:在乙酸气氛中腐蚀后,裸青铜表面被腐蚀产物覆盖,且随腐蚀时间的延长,腐蚀产物增多,其腐蚀产物主要有 Cu_2O、碱式醋酸铜和醋酸铜;带 Cu_2O 锈青铜表面的 Cu_2O 立方晶体被破坏,转变成针状腐蚀产物,其腐蚀产物有碱式醋酸铜和醋酸铜;带CuCl锈青铜并未与乙酸发生反应,而是CuCl与空气中的水和氧气反应生成碱式氯化铜;混合锈具有三层结构,对青铜基体有一定的保护作用,其三层锈层的腐蚀是同时进行的,其腐蚀产物有碱式氯化铜、碱式醋酸铜和醋酸铜。林颖等采用动电位扫描和SEM - EDS等方法研究试样的腐蚀特征和现象。结果在模拟大气环境介质中,电位在50 160 mV阳极极化范围内,与其他三种青铜材料相比,带CuCl锈青铜的阳极腐蚀电流密度最小,在模拟海水介质中,锈蚀青铜的腐蚀电流密度略大于裸青铜的,在模拟 SO_2 环境介质中,4种青铜试样的 R_p 值均大于大气环境介质中的。结论在模拟大气环境介质中,且阳极极化电位接近自腐蚀电位时,CuCl锈对青铜基体具有一定的保护性,在模拟海水环境介质中,带锈青铜的表面锈对基体没有保护作用,在模拟 SO_2 环境介质中,与在模拟大气环境介质中相比,SO_3^{2-} 的引入会抑制青铜的腐蚀。表面形貌和能谱分析结果表明,裸青铜、CuCl锈青铜和混合锈青铜在模拟 SO_2 环境介质中,有点蚀现象发生,对粉状锈的生成有抑制作用。

Tommesani、Brunoro等先后对含有不同BTA衍生物的保护薄膜对铜腐蚀条件下的保护性能进行了研究。结果表明,含有脂肪族侧链的 BTA 衍生物能在铜基体上形成保护性能很好的薄膜,几种 BTA 衍生物对防止铜氧化的能力大小顺序可总结为: 5 - 辛基 - BTA > 5 - 己基 - BTA >5 - 丁基 - BTA >5 - 甲基 - BTA,BTA、肪族侧链越长,薄膜保护性能越好。其中含 5 - 己基 - BTA 的保护膜能成功抑制住铜的氧化,即使在酸化的 NaCl 溶液中也表现出如此好的性能。含 5 - 辛基 - BTA 的保护膜在酸性和中性条件下的各项保护能力测试均表现最好,在铜保护领域是值得推广使用的一种青铜缓蚀剂。

李晓东等采用失重法和电化学测试技术研究了 2 - 氨基 - 5 - 硫基 - 1,3,4 - 噻二唑(AMT)作为青铜文物缓蚀剂的缓蚀效率。失重实验结果表明,在 25 ℃、1.0 × 103 mmol/L 的 H_2SO_4 和柠檬酸溶液中加入 AMT 后,当缓蚀剂浓度达到 5.0 mmol/L 时,缓蚀效率可达 100%。电化学分析结果表明,在 28.0 mmol/L NaCl + 10.0 mmol/L Na_2SO_4 + 16.0 mmol/L $NaHCO_3$ 组成的混合溶液中,当 AMT 的浓度达到 1.0 mmol/L 后,缓蚀效率达到 92.76%,腐蚀电流密度下降到 4.71 $\mu A/cm^2$。量化计算结果表明,缓蚀剂 AMT 分子上的活性中心主要分布在 S7、S3 和 N6 原子上,并利用 Multiwfn 函数分析了 AMT 在前线分子轨道中电子的成分比例和作用,发现对缓蚀剂 AMT 的理论分析与实验结果相一致。另外,他还采用 5 - 氨基 - 2 - 硫基 - 1,3,4 - 噻二唑(AMT)能和青铜器表面铜离子作用生成一种配位型聚合物的保护膜[AMT - Cu(Ⅰ)]n,并将腐蚀层中的氯离子置换出来,避免了青铜器的进一步腐蚀。为了深入了解 AMT 的缓蚀作用机理,采用密度泛函理论(DFT)和自然键轨道理论(NBO),在 B3LYP/6 - 31 + G(d,p)水平上确定 AMT 中反应活性位点、活性原子所带电荷和杂化形式,并利用 Multiwfn 波函数分析了反应前后前线轨道能的变化。结果表明,—SH 基中的 S7 原子能与 Cu(Ⅱ)形成有效的共价键,而 N6 原子可与 Cu(Ⅱ)形成配位键,促进聚合物膜[AMT - Cu(Ⅰ)]n 的形成,并且从概念 DFT 的活性指数(主要为 $\mu,\eta,\omega,\Delta E_n$,$\Delta E_e$)比较中发现,AMT—Cu(Ⅰ)—H 较 AMT 的亲电性指数增加,有利于形成高聚物膜,而且反应前后 AMT 构型中的 C、N、S 却始终在同一平面,但 C—S 和 C—N 键键长和键角均有不同程度的变化。

西班牙学者 Otero 利用 AMT 对 18 世纪和 19 世纪的铜器进行处理,研究表明 AMT 能有效地除去铜器上的腐蚀产物,并对文物起保护作用。朱一帆等通过研究对比了 AMT、AMT 复合物及 BTA 用于青铜器的防腐蚀效果,结果表明 AMT 复合物不仅有很好的祛除粉状锈的效果,而且耐蚀作用也好。通过测试分析,他们指出防腐蚀膜是由 Cu|Cu_2O|Cu + AMT 形成的多层交叉网状的致密的有机络合聚合物膜,所以有效地抑制腐蚀介质的侵蚀作用。王菊琳等对已锈蚀青铜在大气环境中的腐蚀发展及其保护研究,结果表明,0.1% MBO(2 - 硫基苯并恶唑)酒精溶液对裸青铜或被 Cu_2O、CuCl 覆盖的青铜阳极过程有一定的抑制作用,对被碱式氯化铜或混合锈覆盖的青铜阳极过程有优异的抑制作用,复合剂的除锈和缓蚀效果良好,并有望被用于青铜文物的保护。

综上所述,BTA 及其含脂肪族侧链的衍生物、AMT 及 MBO 是对青铜器进行缓蚀封护的有效缓蚀剂,使用它们均能获得较好的保护效果。

4.5.2 青铜缓蚀剂的复配协同效应

随着科学技术的发展,单一性质的缓蚀剂已不能满足人们的需要,复合化是现代材料发展的趋势。通过两种或多种材料的功能复合、性能互补和优化,可以制备出性能优异的复合材料缓蚀剂。对于一般的复合材料而言,分散在聚合物基中的无机组分尺寸通常在微米级以上,仅作为填料或填充剂,对材料的性能起有限的补强作用。

1. 协同效应

缓蚀剂的协同效应是缓蚀作用过程中一个广泛存在的现象。缓蚀协同效应就是两种或多种缓蚀剂混合使用后所表现出的缓蚀率远远大于各种缓蚀剂单独使用时所表现的缓蚀率的简单加和,即通常所说的"$1+1\geqslant 2$"效应(两种缓蚀剂复配的情况)。

2. 协同效应的作用机理

协同效应的作用机理是存在活性阴离子时,活性离子—金属偶极的负端朝向溶液的架桥作用,有利于有机吸附。有的是缓蚀物质在金属表面形成吸附层,吸附物相互促进吸附层的稳定性;有的是物质间相同的吸附机理通过加合作用产生协同效应。利用缓蚀协同作用,可以用少量的缓蚀物质获得较好的效果;可以扩大缓蚀剂的寻求范围并解决单组分难以克服的困难。

3. 缓蚀协同效应的应用

缓蚀剂的协同作用主要是由吸附层中不同极性分子之间相互作用,提高了表面覆盖度或形成多分子层,吸附物相互作用提高了吸附层的稳定性。还有就是加合效应产生了协同作用。目前的有机缓蚀剂有的是和一价铜离子发生作用,有的是和二价铜离子,还有的是和铜原子发生作用,而铜的腐蚀主要是由于铜离子的扩散。所以在应用缓蚀剂时,应注意到其对各种价态铜离子和铜原子的化学和物理的吸附作用,这样才能了解对不同价态铜离子起作用的缓蚀剂复配使用的协同作用和缓蚀效果。这为研制青铜文物的新型防蚀涂层材料提供了新的思路。

胡钢等采用动电位极化法、交流阻抗法研究了青铜试样在 NaCl 溶液中,BTA 和 Na_2MoO_4 复合缓蚀剂对其电化学行为的影响,通过 X 射线光电子能谱技术分析了复合缓蚀剂在青铜表面形成的表面膜组成。结果表明,BTA 和 Na_2MoO_4 复配使用具有良好的协同缓蚀效果,增强了对青铜阳极过程的抑制作用,提高了青铜电极表面膜电阻和电极反应的界面电荷转移电阻。

4. 缓蚀协同效应的研究现状

近年来,已有学者利用缓蚀剂间的协同作用,来制备用于青铜和黄铜材料的复合封护涂层。结果表明该涂层材料无色透明,抗紫外老化能力强、对基体的附着力好,形成的封护膜稳定致密,能很好地防止外界气体的渗透,对暴露于腐蚀环境中的铜基体有很好的保护作用。同时,使用这类材料时不会对基体造成损伤,也不会引起外观的变化。这些特点均能满足对文物保护的要求。

缓蚀剂间的复配协同效应在青铜文物保护领域具有重要的研究和应用价值。但是到目前为止,相关的研究报道只是初步地讨论了其对青铜和黄铜材料的防蚀作用,对其制备工艺和防蚀机理的研究还不深入,也未真正地用在青铜文物之上,并且这些研究还未将青铜缓蚀剂 BTA 完全舍弃。因此,要使舍弃青铜缓蚀剂 BTA 材料的复配协同效应能在青铜文物保护领域得到真正的推广应用,还需要进行更为详细的研究。

缓蚀剂种类繁多且适用性广,凭借自身的优点在工业生产中占据十分重要的地位,随着科学技术的进步和发展,生产实践对缓蚀剂提出了更高的要求,人们对缓蚀剂的缓蚀效果和机理的分析也日益深入。近年来,表面分析技术的普及以及电化学方法的应用对研究新型缓蚀剂做出了巨大贡献。新型缓蚀剂的研发为铜材防腐提供了更多的选择,但是新研发的缓蚀剂价格昂贵,性价比不高,往往很难在生产实际中推广使用。复配是缓蚀剂研究的一个重要方向,通过复配,可以减少使用量,节约生产成本,产生高的经济效益。

4.6 展　　望

近年来铜及其合金的价格不断攀升,对其表面进行抗氧化变色工艺处理,提高其抗蚀性能,引起人们关注。随着工业和科学的高速发展,缓蚀剂科学技术也得到了快速的发展。如何利用缓蚀剂技术达到这一要求,引起了越来越多研究者的兴趣。研究人员先后提出了吸附理论、钝化理论、软硬酸碱理论等,这极大促进了其进一步发展。环保型缓蚀剂将在未来的铜及其合金的抗氧化变色处理中起主导作用。因此,研究人员必须从以下方面进行研究:

①利用环保型缓蚀剂与其他添加剂(如稀土、无机盐类、有机酸等)进行复配产生协同效应,以提高其缓蚀效率。

②利用现代先进的分析测试技术,如 SEM、AFM、XPS、FTIR 等深入到分子水平研究钝化膜,为了解钝化膜的本质、结构、成分及形貌,以确定其在铜合金表面的行为和作用机理,为进一步对缓蚀剂配方进行优化奠定理论研究基础。

③完善缓蚀机理,给出理论指导。并一步认识 SAMs 的成膜机制,寻找更宽范围内均能稳定而且牢固的 SAMs,降低“针孔”或“倒塌”,提高防蚀能力。

参 考 文 献

[1] 张静.铜及其合金光亮防锈表面处理技术的研究[D].无锡:江南大学,2008.

[2] 曾荣昌,韩恩厚.材料的腐蚀与防护[M].北京:化学工业出版社,2009.

[3] 王俊,曾百肇,周性尧.自组装膜技术在电化学分析中的应用[J].分析科学学报,2000,16(3):253-258.

[4] 王鹏,梁成浩,张婕.铜及其合金防变色工艺研究现状[J].材料保护,2007,40(3):52-55.

[5] 董泉玉,张强,李锐,等.国内铜缓蚀剂的最新发展现状[J].全面腐蚀控制,2003,17(6):19-21.

[6] NUZZO R G, ZEGARSKI B R,DUBOIS L H. Fundamental studies of the chemisorption organosulfur conpound on Au, implication for molecular self-assembly on gold surface [J]. Journal of the American Chemical Society, 1987, 109(3):733-740.

[7] MAOZ R, SAGIV J, DEGENHARDT D, et a1. Hydrogen-bonded multilayers of self-assembling silanes: structure elucidation by combined Fourier transform infra—red spectroscopy and X-ray scattering techniques[J]. Supramolecular Science, 1995, 2(1): 9-24.

[8] 张天胜, 张浩, 高红,等. 缓蚀剂[M]. 北京: 化学工业出版社, 2008.

[9] 林海潮. 缓蚀剂研究的进展[J]. 腐蚀科学与防护技术, 1997, 9(4): 308-313.

[10] 曹楚南, 宋诗哲, 王友. 微分极化电阻测量研究[J]. 中国腐蚀与防护学报, 1986, 6(04): 264-272.

[11] MCCAFFERTY E. Validation of corrosion rates measured by the Tafel extrapolation method [J]. Corrosion Science, 2005, 47(12): 3 202-3 215.

[12] 肖纪美, 曹楚南. 材料腐蚀学原理[M]. 北京: 化学工业出版社, 2002.

[13] 曹楚南, 张鉴清. 电化学阻抗谱导论[M]. 北京: 科学出版社, 2002.

第5章 镁基材料缓蚀剂

镁属于元素周期表上的IIA族碱土金属元素。具有银白色光泽,略有延展性。镁的密度小,离子化倾向大。在空气中,镁的表面会生成一层很薄的氧化膜,使空气很难与其反应。镁和醇、水反应能够生成氢气。粉末或带状的镁在空气中燃烧时会发出强烈的白光。在氮气中进行高温加热,镁会生成氮化镁(Mg_3N_2);镁也可以和卤素发生强烈反应;镁也能直接与硫化合。镁的检测可以用EDTA滴定法分析。

镁及其合金因其低密度、高强度、超强的吸收塑变能量和机械振荡能力、良好的电磁屏蔽能力等一系列独特优异性能,使其作为21世纪的绿色工程材料受到越来越多的关注,被广泛应用于汽车、航空航天和电子工业领域。

汽车工业是近几十年来推动镁工业发展的主要动力,减少废气排放和节约能源消耗是解决目前全球环境污染与能源紧缺问题的有效手段之一。车重每降低100 g可以节省用油7 mL/km;车重减轻10%,燃油效率可提高5.5%。若用镁合金替代汽车上的钢材构件,每千米可省汽油2.5 mL。在这种形势下,轻质镁合金材料自然成为汽车工业的必然选择。镁合金良好的铸造性能,切削性能、抗冲击减震性能、导热导电性能等使其被认为是汽车工业中钢铁、铝合金极好的替代品。压力铸造镁合金在汽车上的应用已有八十多年的历史。目前Ford、GM、Benz、Honda、Toyota等汽车公司都将镁合金应用于汽车油盘、方向杆、动力传动箱、手动变速箱、离合器盒、离合器踏板、脚刹车踏板、座椅架、发动机头盖、仪表盘等上。但目前为止,镁合金的应用还是主要集中在汽车工作环境较为温和的地方。而在发动机缸体、车轮、车门等工作环境的腐蚀条件较为恶劣的地方,镁合金在这些地方是否会发生腐蚀失效以及如何减小因腐蚀而引起的失效,正是目前汽车行业必须面对的问题。

镁合金的耐蚀性很差,在使用时必须进行保护。但镁合金的保护方法很复杂。常用的金属材料的防腐蚀方法主要有:降低金属和合金中有害的金属或非金属杂质;采用金属或非金属涂层;采用缓蚀剂;采用牺牲阳极保护;通电保护等。但是这几种方法并不能完全适用于镁合金的防护。因镁合金比其他金属的电位更负,所以牺牲阳极保护镁合金是不可行的。若想从根本上解决镁合金的易发生腐蚀的问题,需要将镁合金中的铁、钴、镍和铜等杂质元素的含量控制在容许极限以下。其基本原则是:严格控制有害杂质和元素的含量,提高合金的纯度;加入对提高耐蚀性有益的Mn、Zr、Ti等合金元素;或者可以通过热处理提高镁及其合金的耐蚀性,在热处理过程中尽量将金属间化合物熔到固溶体中,这样就可以减少合金中的阴极含量和面积,从而达到提高镁合金耐蚀性的目的。

迄今为止,国内外对钢铁材料以及锌、铜等部分有色金属的缓蚀剂进行了大量研究,同时建立了相应的缓蚀机理,取得了较好的成果。但是对镁合金的缓蚀剂研究却相对较少,主要原因是镁与过渡金属相比,其可用的空轨道较少。我们知道,金属能够接受化合物最高分子占据轨道(HOMO)中的电子到自己的最低分子未占据轨道(LUMO)中。同时,金属也能向化合物的LUMO提供电子,并且前一种情况在反应中具有决定性作用,而镁接受电子和给予电子的能力都比较低。所以对钢铁等金属材料有效的吸附型缓蚀剂对镁合金而言其作用就较小。目前广泛应用于镁及其合金的缓蚀剂,按照其化学组成,可以简单地分为无机型缓蚀剂、有机型缓蚀剂、复配缓蚀剂和其他类型的缓蚀剂。

5.1 通用介质缓蚀剂

5.1.1 无机缓蚀剂

无机缓蚀剂的种类相对于有机缓蚀剂的少,而且它要在较高的浓度下才能有效工作。与有机缓蚀剂的作用机制不同,无机缓蚀剂一般是通过氧化金属表面而生成钝化氧化物膜或者在金属表面阴极区形成沉淀膜来抑制腐蚀反应的进行。传统的无机缓蚀剂主要有硅酸盐、磷酸盐和铬酸盐等。其中,磷酸盐和铬酸盐对环境有较大的污染,其应用已逐渐减少。钼酸盐、钨酸盐和稀土化合物等是近期开发应用的、对环境友好的无机缓蚀剂。

于湘等研制了一种以钒酸盐阴离子($[V_{10}O_{28}]^{6-}$)柱撑纳米水滑石防腐颜料替代铬酸盐,用于AZ31镁合金腐蚀防护的有机涂层。研究了水滑石在不同浓度的NaCl溶液里的吸附和离子交换性能,以及钒酸盐缓蚀剂的极化曲线。考察了该水滑石防腐颜料的添加比例对镁合金环氧防腐涂层性能的影响,并通过电化学交流阻抗(EIS)测试技术对各试样进行了性能检测。结果表明,添加了20%(质量分数)水滑石的环氧涂层对镁合金具有较好的防腐作用。

H. Gao等研究了在ASTMDl384—87腐蚀溶液中加入硅酸钠对AZ91D镁合金的缓蚀作用。研究表明:当硅酸钠的浓度为0.01 mol/L时,在镁合金表面形成了透明的硅酸盐膜层,从而使镁合金的耐蚀性显著提高。刘元刚等采用XRD、电化学极化曲线、化学浸泡等实验方法,研究了腐蚀性水体系中单种无机盐、复配无机盐缓蚀剂对AZ91D镁合金的缓蚀作用,并用正交优化设计确定了$Na_2MoO_4 + Na_2SiO_3 + KMnO_4$复配无机盐缓蚀剂的优化配方;研究了水-乙二醇(1:1)防冻液基础液体系中缓蚀剂对AZ91D镁合金的缓蚀作用。结果表明,在腐蚀性水中$KMnO_4$、Na_3PO_4、Na_2MoO_4和NaF对AZ91D镁合金有一定的缓蚀作用,$Na_2B_4O_7$不具有缓蚀作用,有可能加速其腐蚀;复配$Na_3PO_4 + KMnO_4$及$Na_2MoO_4 + Na_2SiO_3 + KMnO_4$对AZ91D镁合金腐蚀有缓蚀作用,而$Na_3PO_4 + Na_2B_4O_7$会加速其腐蚀。

在水-乙二醇体系中，Na_2S 对 AZ91D 镁合金腐蚀有较好的缓蚀作用；确定了两种适用于水-乙二醇中的有机-无机复合缓蚀剂配方，缓蚀效率分别为 98.1% 和 94.3%。

文家新等为了了解在模拟汽车冷却液介质中，研究 Na_2SiO_3 对 AM60 镁合金的缓蚀作用和缓蚀机理。方法通过极化曲线、电化学阻抗谱方法等电化学方法研究了 Na_2SiO_3 对 AM60 镁合金在模拟汽车冷却液中的缓蚀性能，考察了 Na_2SiO_3 浓度、模拟冷却液温度和浸泡时间对缓蚀效率的影响，并对缓蚀机理进行了探讨。结果表明：Na_2SiO_3 浓度对其缓蚀效率影响较大，其最佳浓度为 0.8 mmol/L，此时缓蚀效率为 95.87%。冷却液在高温(80 ℃)时，Na_2SiO_3 的缓蚀效率为 36.08%，也能对 AM60 镁合金提供一定的缓蚀保护作用。浸泡初期，Na_2SiO_3 对 AM60 镁合金电极的缓蚀效率为 17.47%，浸泡 10 h 后可达 72.38%。在模拟汽车冷却液中，当 Na_2SiO_3 的浓度为 0.8 mmol/L 时其缓蚀效率最高，且其缓蚀效率随介质温度的升高而降低，随浸泡时间的增加而增大。Na_2SiO_3 表现为阳极型缓蚀剂的特征，缓蚀机理可解释为 Na_2SiO_3 能与腐蚀产生的 Mg^{2+} 生成难溶性的 $MgSiO_3$ 化合物，生成的 $MgSiO_3$ 沉积于合金表面形成一层保护膜，从而阻滞了金属的进一步离子化。

研究不同浓度下的钒酸离子水滑石作为防腐蚀的染料在氯化钠溶液中的吸附和离子交换性能。结果显示含有 20%(质量分数) 水滑石的环氧对镁有很好的腐蚀防护作用。

高晓辉等用 γ-(2,3-环氧丙氧)丙基三甲氧基硅烷(GPTMS)对纳米二氧化硅(SiO_2)表面进行修饰，再引入苯胺合成了化学键合的核壳型聚苯胺(PANI)接枝 SiO_2(SiO_2-PANI)溶胶；经乙烯基三甲氧基硅烷(VTMS)原位包埋后得到可直接涂在镁锂合金(Mg-Li)表面的 SiO_2@PANI/VTMS 水性溶胶。使用红外光谱、X 射线粉末衍射、X 射线光电子能谱、透射电子显微镜等手段表征了 SiO_2@PANI 粒子的结构与形貌；测量极化曲线和电化学阻抗表征了 SiO_2@PANI/VTMS 涂层对 Mg-Li 合金的防腐蚀性能，讨论了苯胺用量和 VTMS 用量对 SiO_2@PANI 的粒径、涂层疏水性以及防腐蚀性能的影响，给出了可能的防腐蚀机理。结果表明，$m(An):m(TEOS)=7:100$、$m(VTMS):m(TEOS)=4:4$ 的 SiO_2@PANI/VTMS 涂层对 Mg-Li 合金具有优异的防腐蚀性能，涂层水接触角高达 145.5°，电化学阻抗值达到 $7.5\times104\ \Omega\cdot cm^2$，腐蚀电流密度仅为 $4.47\times10^{-8}\ A/cm^2$。

尚伟等利用溶胶凝胶技术在镁合金微弧氧化膜表面制备 SiO_2 溶胶凝胶膜形成复合膜层。通过扫描电镜和能谱测试，分析膜层的表面形貌和成分。采用动电位极化曲线测试研究不同条件下复合膜的电化学性能。研究结果表明：SiO_2 溶胶凝胶膜的最佳沉积条件为浸涂次数 3 次，浸泡时间 1 min，干燥温度 80~100 ℃，干燥时间 8 h，固化温度 170 ℃，固化时间 1 h。溶胶凝胶膜能够有效地封闭镁合金表面微弧氧化膜的微孔，形成均匀且较为致密的复合膜层。动电位极化曲线结果表明：复合膜比微弧氧化膜和镁合金基体具有更正的腐蚀电位(Ecorr)、更低的腐蚀电流密度(Icorr)和更大的线性极化电阻(R_p)，说明微弧氧化镁合金沉积溶胶凝胶膜后耐腐蚀性能有显著地提高，复合膜对 AZ91D 镁合金具有良好的防腐蚀作用。

在磷酸介质中，钼酸盐阴离子在镁合金电极表面形成不易溶于水的多聚钼酸盐和多聚磷钼酸盐覆盖在镁合金表面，使电极表面的阴极活性位点减少，减少镁合金的腐蚀。升高温度不利于增加缓蚀效率但有助于钼酸盐分子较快的发挥缓蚀作用。在碱性溶液中，高碘酸盐能使镁表面膜变厚且可能更致密，使得镁的腐蚀速度降低到原来的约 1/10。硅酸盐对镁及镁合金在偏碱条件下有较好的缓蚀能力。

李凌杰等采用失重法、自腐蚀电位法研究了钼酸钠对 AZ61 镁合金在磷酸介质中的缓蚀作用及温度的影响，并对相关腐蚀动力学数据进行了计算。结果表明：钼酸钠对镁合金在磷酸介质中的溶解有一定的抑制作用，在试验缓蚀剂浓度范围（0 ~ 0.10 mol/L）内，缓蚀效率与缓蚀剂浓度之间很好地符合线性关系；缓蚀机理属于阴极型被膜缓蚀作用，镁合金在不含和含 0.10 mol/L 钼酸钠的 0.50mol/L 磷酸介质中反应的表观活化能分别为 1 092 J/mol 和 2 499 J/mol，升高温度不能提高钼酸钠的缓蚀效率，但却有助于其较快发挥缓蚀作用。胡荣等以 AZ91D 镁合金为基体，依次进行 25 mL/L 硝酸 + 25 mL/L 磷酸混合液酸洗及 15 g/L NaOH 溶液中和，再化学镀 Ni – P。化学镀基础配方和工艺条件为：$NiSO_4 \cdot 6H_2O$ 25 g/L，乳酸 28 g/L，$NaH_2PO_2 \cdot H_2O$ 30 g/L，硫脲 2 mg/L，pH = 6.0，温度 80 ℃。镁合金经酸洗、中和处理后表面生成一层薄膜，该膜能缓解镁合金在镀液中的腐蚀。研究了钼酸铵和氟化氢铵作为缓蚀剂对镁合金在镀液中的缓蚀效果。结果表明，两种物质均对镁合金起缓蚀作用。当钼酸铵和氟化氢铵各自以质量分数为 1.0%、2.0% 和 1.5%、2.0% 进行复配时，既能减弱镀液对镁合金的腐蚀，又能保证化学镀 Ni – P 合金的顺利进行。当 $(NH_4)_2MoO_4$ 和 NH_4HF_2 以 2.0% 和 2.0% 复配时，镀液的稳定时间和使用周期分别为 67 s 和 4.3 MTO，镀层与基体结合牢固。

文家新等通过极化曲线、电化学阻抗谱等电化学方法研究了 Na_3PO_4 对 AM60 镁合金在模拟汽车冷却液中的缓蚀性能，考察了缓蚀剂浓度、腐蚀介质温度和浸泡时间对缓蚀效率的影响，并探讨了缓蚀机理。结果表明，当 Na_3PO_4 的浓度为 0.6 mmol/L 时，AM60 镁合金的缓蚀效率高达 84.58%，长时间浸泡和高温时缓蚀效果不明显，更适合于在汽车模拟冷却液中对 AM60 镁合金进行短时间的缓蚀保护。通过失重和电化学测试实验研究了钼酸钠对 AZ61 镁合金在磷酸溶液中的缓蚀研究及钼酸钠对 AZ40 镁合金在模拟冷却水中腐蚀的抑制作用。磷酸介质中，当钼酸钠浓度在 0 ~ 0.1 mol/L 时，其缓蚀效率与浓度遵从线性关系。而在模拟冷却水中，钼酸钠浓度为 1 000 μg/g 时缓蚀效果最佳。

5.1.2　有机缓蚀剂

有机缓蚀剂主要有醛类、胺类、有机硫化合物、杂环化合物、羧酸及其盐类、磺酸及其盐类等。有机缓蚀剂通常是由电负性较大的 O、N、S 和 P 等原子为中心的极性基和 C、H 原子组成的非极性基所构成，能够以某种键的形式与金属表面相结合。有机缓蚀剂的缓蚀机制大多数符合吸附膜理论。

通过研究六次甲基四胺(HMTA)(图 5－1)对 AZ31 镁合金在硫酸钠溶液中的缓蚀作用,发现 HMTA 的加入使 AZ31 镁合金在溶液中的开路电位正移,极化电阻增大。当 HMTA 的添加量在 0.1～0.15 mmol/L 时具有较好的缓蚀性能,并能确保合金有较好的电化学活性,HMTA 可以抑制镁合金在模拟汽车冷却液中的腐蚀行为,但其缓蚀作用发挥的较慢。在模拟汽车冷却液中 HMTA 对镁合金的抑制作用属于混合型缓蚀剂。邵忠财等为了寻找有效抑制镁合金腐蚀的缓蚀剂。研究缓蚀剂的种类和用量对缓解镁合金腐蚀的影响,研究不同缓蚀剂对化学镀镍层的影响。采用全浸失重实验对缓蚀剂的性能进行评价,并通过扫描电子显微镜(SEM)、能谱仪(EDS)、X 射线衍射仪(XRD)和电化学测试对不同缓蚀剂下所得镀镍层的性能进行表征。结果经过初步筛选,六次甲基四胺、氟化胺、氟化氢铵缓蚀剂的效果较明显。AZ91 D 镁合金在腐蚀溶液中,随着添加六次甲基四胺浓度的增加,腐蚀速率先减小后增加。随着添加氟化铵、氟化氢铵浓度的增加,腐蚀速率逐渐减小。添加缓蚀剂的体系中较不加缓蚀剂的体系中测得的电化学曲线好。六次甲基四胺、氟化铵、氟化氢铵效果最好时,质量分数分别为 1%,1.5%,2%。不同种类缓蚀剂均可以有效抑制镁合金的腐蚀,减小腐蚀电流。加入缓蚀剂的化学镀镍配方沉积和镀覆效果明显,镀层电化学性能也有很大的提升。六次甲基四胺、氟化胺、氟化氢铵缓蚀剂的使用可以有效抑制镁合金的腐蚀,提高化学镀镍层的质量。

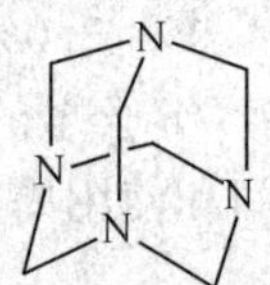

图 5－1　六次甲基四胺

THIRUGNANASELVI 等在微波条件下,通过高纯度 1－氨基－2 萘酚 4－磺酸与肉桂醛的缩合反应制备席夫碱(4Z)－4－(3－苯基烯丙叉氨基)－3－羟基萘－1－磺酸(AC)。采用红外光谱对制备的席夫碱进行分析。研究席夫碱作为缓蚀剂对 AZ31 镁合金在 0.05 mol/L 盐酸中的缓蚀作用。通过质量损失法、动电位极化法和电化学交流阻抗谱(EIS)研究席夫碱化合物在 AZ31 镁合金腐蚀过程中的抑制作用。动电位极化曲线表明,席夫碱在所有浓度下能抑制阳极和阴极反应,是一种混合型缓蚀剂。EIS 结果表明,随着添加剂浓度的增加,极化电阻增加而双电层电容减少。在 0.05 mol/L 盐酸中,席夫碱 AC 对 AZ31 镁合金表面的吸附符合 Langmuir 吸附等温式。

D. SEIFZADEH 等采用电化学方法研究 N,N′－双(2－亚甲基吡啶)－1,2－亚氨基乙烷(BPIE) Schiff 碱在 0.010 mol/L HCl 溶液中对 AZ91D 镁合金的腐蚀抑制作用。动电位极化曲线表明,BPIE Schiff 碱是一种混合型缓蚀剂。电化学阻抗谱(EIS)测量证实了 BPIE 的腐蚀抑制作用。随着缓蚀剂浓度的增加,由于有更多的缓蚀剂吸附在 AZ91D 镁合金表面,电荷转移阻力减小,双电层电容减小。电化学噪声(EN)分析获得的数据在时间和频率域与 EIS 和极化曲线所得结果表现出良好的一致性。采用扫描电子显微镜(SEM)、X 射线衍射(XRD)和能量色散 X 射线(EDX),研究 BPIE 的缓蚀作用。SEM 照片显示,在存在 BPIE 的情况下,AZ91D 合金表面的腐蚀损伤得到减轻。XRD 分析显示,在存在 BPIE 的情况下,对应于富镁 α 相的谱峰强度增大,表明合金样品的腐蚀程度低。EDX 分析也证实了 BPIE 的缓蚀作用。此 Schiff 碱化合物通过物理吸附在合金表面,吸附行为遵循 Langmuir 等温吸附模型。

通过电化学方法研究苯甲酸钠和十二烷基苯磺酸钠(SDBS)在 AZ31 镁合金表面的吸附和缓蚀性能。发现 SDBS 在 0.008 mol/L 时可有效抑制 AZ31 镁合金在 NaCl 介质中的腐蚀,缓蚀效率可达 90% 以上;升高温度不利于提高 SDBS 的缓蚀效率。且 SDBS 在 AZ31 镁合金表面主要发生物理吸附,吸附过程为放热、熵增的自发过程,近似符合 Langmuir 单分子层吸附模型。SDBS 为以抑制阳极反应为主的混合型缓蚀剂。苯甲酸钠对 AZ31 镁合金在氯化钠溶液中的腐蚀主要起阳极抑制作用,是一种阳极型缓蚀剂。当腐蚀溶液中加入苯甲酸钠后,苯甲酸根阴离子与 Cl^- 在金属表面发生竞争吸附,从而减弱了 Cl^- 对镁合金的腐蚀。同时苯甲酸钠在 AZ31 镁合金表面上的吸附符合 Temkin 吸附等温式,吸附过程为自发、放热且伴随熵增的过程。

通过极化曲线测试和电化学噪声测试方法研究一系列有机物质对 AZ91 镁合金在 50%(质量比)乙二醇溶液中的腐蚀抑制行为。这些有机物质主要包括两种类型:第一组为乳糖酸类衍生物;第二组主要为 8 - 羟基喹啉等含 N 杂原子的六元环有机物。这两类物质都可以有效抑制 AZ91 镁合金的腐蚀过程,且乳糖酸衍生物更适用于作为镁合金的缓蚀剂。他们还研究了氯离子在乙二醇水溶液中对 AZ91 镁合金的腐蚀影响,并用电化学和表面分析方法研究了 LBTA 的缓蚀效果。通过测试在含 0.1 g/L 氯离子和 0.5 g/L 氯离子的乙二醇溶液中的动电位极化曲线可知,氯离子的加入能显著加速镁合金腐蚀,诱发镁合金表面点蚀。LBTA 有机缓蚀剂显示出对 AZ91 镁合金很强的保护性能并表现为混合型缓蚀剂,同时抑制镁合金电极电化学反应的阳极和阴极过程。在 0.2 g/L 的低浓度下 LBTA 有 77% 的缓蚀效率。LBTA 较好的缓蚀性能及其生物兼容性使其有希望成为有效的镁合金缓蚀剂。

研究一系列氨基酸对 AZ 镁合金在不含氯离子环境中的缓蚀行为。所研究的氨基酸种类涉及脂肪族氨基酸(甘氨酸、丙氨酸、苏氨酸、缬氨酸和亮氨酸),芳香族氨基酸(酪氨酸酶和苯基丙氨酸),酸性氨基酸(谷氨酸)和含硫的氨基酸(半胱氨酸)。结果表明不同氨基酸的缓蚀效率取决于氨基酸的化学结构和缓蚀剂的浓度。芳香族氨基酸和含有杂原子(如硫)的氨基酸在浓度为 2×10^{-3} mol/dm^{3}时可以达到 93% 的缓蚀效率。缓蚀剂起作用的原因在于氨基酸分子在镁合金表面的活性点上的吸附。苯基丙氨酸缓蚀剂在镁合金上的吸附是物理吸附且遵循 Langmuir 吸附等温式。

部分学者将缓蚀剂添加到硅溶胶膜层中,研究了锆、铈等无机盐对膜层的修复作用。Galio A F 等研究了将缓蚀剂添加到溶胶－凝胶膜层中对 AZ31 镁合金的缓蚀作用。结果表明,按体积比 1:1 掺杂 8－羟基喹啉(8－HQ)缓蚀剂的硅溶胶和锆溶胶,可以增强镁合金的腐蚀防护性能。8－HQ 在溶胶－凝胶薄膜上形成了难溶性稳定化合物 Mg(8－HQ)$_2$,从而减缓了镁合金的腐蚀,且不会对溶胶凝胶在 0.005 mol/L 的氯化钠溶液中的阻挡性能产生破坏作用。

研究在近中性的癸酸溶液中烷基羧酸盐对纯镁的缓蚀作用。在镁表面形成疏水性的 $Mg(C_7H_{13}O_2)_2(H_2O)_3$ 或 $Mg(C_{10}H_{19}O_2)_2(H_2O)_3$ 镁羧酸盐作为疏水性壁垒能有效隔离腐蚀性电解液与镁基体的接触,减小了镁的腐蚀速率并对镁起到了一定钝化作用。通常烷基羧酸盐的烷基链越长,对镁的腐蚀防护性能越好。

研究 8－羟基喹啉与十二烷基苯磺酸钠(SDBS)对 AZ91D 镁合金在 ASTM D1384－87 腐蚀水溶液中协同缓蚀作用。由表面分析结果可知,8－羟基喹啉与镁离子在镁合金表面反应生成相应的喹啉与镁的沉淀物而覆盖在镁合金表面;十二烷基苯磺酸钠以磺酸根离子吸附与填补在镁合金表面上不致密的膜层处,与 8－羟基喹啉生成的难溶物一起抑制镁合金的腐蚀。

此外,部分学者研究了将缓蚀剂添加在硅溶胶膜层中对镁合金的保护作用,主要研究了锆、铈无机盐和哌啶有机物对膜层的修复作用。作用过程主要是在膜层开始出现破坏的地方产生铈等无机盐的沉淀膜。采用电化学方法研究了掺杂 Ce^{3+} 或 Zr^{4+} 的硅溶胶－凝胶涂层对 AZ91 镁合金在 0.5 M 硫酸钠溶液中的保护作用。发现由正硅酸乙酯(TMOS)和二甲氧基二甲基硅烷(DEDMS)作为先驱物,掺杂了 Ce^{3+} 制得的溶胶涂层最为有效。同时该膜层可以底漆为后续丙烯酸涂层提供了较好的基础。

饱和的直链脂肪酸盐[$CH_3(CH_2)_{n-2}COO^-$, $n=6\sim11$]也是镁在水溶液中的缓蚀剂。其缓蚀机理是脂肪酸镁或脂肪酸镁与氢氧化镁共同在镁表面沉积形成保护膜。事实上脂肪酸的金属盐在 pH＝4～12 的水溶液中是热力学稳定的,所以它在镁表面起超保护作用。脂肪酸金属盐对镁的缓蚀能力与其碳链的长度有关,碳链长度为 11 时缓蚀性能最好。草酸及草酸盐也对镁合金的腐蚀有抑制作用,它的加入使镁合金的自腐蚀电位负移,可能移到了点蚀电位之下,使点蚀受到抑制。此外,十二烷基磺酸盐也能抑制镁在酸性溶液中的腐蚀过程。

按体积比 1:1 掺杂 8－羟基喹啉缓蚀剂的硅溶胶和锆溶胶可以增强镁合金的腐蚀防护性能,且不会对溶胶凝胶在 0.005 M 氯化钠溶液中的阻挡性能产生破坏作用。2－甲基哌啶作为缓蚀剂掺杂到硅溶胶涂层中,电化学测试结果表明该缓蚀剂对镁合金在低浓度(质量分数为 0.005% 和 0.05%)的氯化钠溶液中有较好的缓蚀作用;而在高浓度 0.5% 氯化钠溶液中,2－甲基哌啶无明显的缓蚀作用。

测试了在碱性溶液中添加 5 mmol/L 不同的缓蚀剂(十二烷基磺酸钠、植酸、乙二胺四乙酸、苯偶氮间苯二酚和硬脂酸钠)对 AZ61 极化电流密度的影响，并应用 SEM - EDS 技术和电沉积方法进一步确认缓蚀剂的缓蚀机理。发现这些有机缓蚀剂能与镁反应在镁合金表面形成缓蚀剂 - 镁的沉淀物从而有效地抑制了镁合金的溶解与氧化过程。

5.1.3　复配型缓蚀剂

人们从大量的科学实验和生产实践中认识到:在腐蚀介质中同时添加两种或两种以上的缓蚀剂,其缓蚀效果比单独使用时的更好。这种缓蚀效果并非是简单的加合,而是相互促进的结果。单一的有机缓蚀剂或无机缓蚀剂的缓蚀效率较低,利用不同缓蚀剂之间的协同作用,开发复配型缓蚀剂逐渐成为一种趋势。复配型缓蚀剂主要有无机 - 有机复配型、复配无机盐和复配有机物缓蚀剂。

江珊等研究了 AZ91D 镁合金在体积分数为 50% 的乙二醇溶液中加入几种缓蚀剂后的缓蚀作用。选用的缓蚀剂分别为氟化钠、苯骈三氮唑、十二烷基苯磺酸钠和无机盐 - 有机物复配型缓蚀剂。其中复配缓蚀为苯骈三氮唑(图 5 - 2)0. 50 ~ 0. 75 g/L,氟化钠 1. 0 ~ 2. 0 g/L,十二烷基苯磺酸钠 0. 50 ~ 0. 75 g/L,六次甲基四胺 0. 5 ~ 1. 0 g/L,钼酸钠 1. 0 ~ 2. 0 g/L。结果表明:所有的缓蚀剂都有一定的缓蚀作用,主要是抑制 AZ91D 镁合金腐蚀的阳极过程。其中,氟化钠和复配型缓蚀剂的缓蚀效果最好。但是前者只是钝化型缓蚀剂,在镁合金表面形成了氟化镁保护膜,其缓蚀率为 72. 9% ;后者是钝化 - 吸附型缓蚀剂,当缓蚀剂的质量分数为 2% 时,缓蚀效率高达 90% 以上。

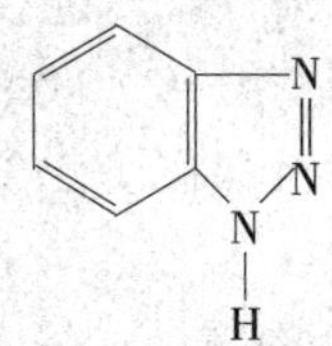

图 5 - 2　苯并三氮唑

宋浩等基于碱性氧化铈抛光液体系,研究了磷酸氢二纳和氟化钾两种缓蚀剂对镁合金缓蚀影响的基本规律。采用扫描电镜、X 射线光电子能谱和电化学实验分析了化学机械抛光中镁合金表面微观形貌和缓蚀机理。发现:1% (质量分数)磷酸氢二纳电荷转移电阻最大为 7 481 $\Omega \cdot cm^{-2}$,电流密度最小为 0. 014 41 mA/cm^2,具有最佳缓蚀能力。Na_2HPO_4 在镁合金表面生成完整的钝化膜,具有很好的缓蚀能力。其缓蚀机理是:Na_2HPO_4 在镁合金表面生成 $MgHPO_4$,可以阻挡腐蚀介质向镁合金表面靠近,有效抑制了镁合金基片的腐蚀。

杜盼盼等研究了硫脲、十二烷基硫酸钠(SDS)、聚天冬氨酸(PASP)及它们的复配物在自来水中对 AZ91D 镁合金的缓蚀性能。结果表明,硫脲对 AZ91D 镁合金具有良好的缓蚀作用;PASP 和硫脲复配的效果比其他组合缓蚀剂的好。在中性水体系中,PASP 和硫脲复配后既能抑制阳极反应,又能抑制阴极反应。20 ℃时,在实验范围内,添加 PASP 0. 05 g/L

和硫脲0.05 g/L,添加总量为0.10 g/L时,缓蚀率达到了81.7%,比分别单独添加时的有较大提高。

范付军等采用浸泡法、电化学方法研究了海藻酸钠浓度对AZ91D镁合金新型复合缓蚀剂缓蚀效果的影响。利用极化曲线、交流阻抗(EIS)和失重法评价了该缓蚀剂的缓蚀作用。通过扫描电镜和能谱分析了试样的腐蚀形貌以及缓蚀机理。研究表明,随着海藻酸钠浓度的提高,缓蚀效率先增后减,当浓度为0.03 mol/L时,缓蚀效率最高。海藻酸钠在试样表面形成吸附膜,与其他两种成分产生协同作用,从而提高了镁合金的耐蚀性。

刘元刚等研究了腐蚀性水体系中复配无机盐缓蚀剂对AZ91D镁合金的缓蚀作用,并用正交法确定了$Na_2MoO_4 + Na_2SiO_3 + KMnO_4$复配无机盐缓蚀剂的优化配方;研究了水-乙二醇(1:1)防冻液基础液体系中缓蚀剂对AZ91D镁合金的缓蚀作用。结果表明,在腐蚀性水体系中最终确定的最佳配方(Na_2MoO_4 1g/L,Na_2SiO_3 3g/L,$KMnO_4$ 1g/L)的缓蚀效率最大为70.2%。在水-乙二醇(1:1)防冻液基础液体系中确定了两种适用的有机-无机复合缓蚀剂配方,它们分别是苯甲酸钠、BTA、MBT、Na_2MoO_4、Na_2SiO_3、NaF及苯甲酸钠、BTA、MBT、Na_2MoO_4、Na_2SiO_3、Na_2S。两种有机-无机复配缓蚀剂对AZ91D镁合金的缓蚀效率很高,分别为98.1%和94.3%。

Hu J Y等研究了有机硅酸盐APTS-Na与无机锌盐$Zn(NO_3)_3$对GWl03镁合金在ASTMD1384—87腐蚀性溶液中的协同缓蚀作用。实验结果表明,5.0×10^{-4} mol/L的APTS-Na和1.0×10^{-4} mol/L的$Zn(NO_3)_3$的复配缓蚀剂在ASTMDl384—87腐蚀溶液中对GWl03镁合金具有良好的协同缓蚀作用,缓蚀效率可以达到95%。缓蚀剂的作用机制是,硅酸盐与锌离子和镁离子发生反应,沉积在镁合金表面,与镁合金表面的氢氧化镁膜层共同抑制镁合金的腐蚀过程。

目前所研究的这些缓蚀剂对镁合金的缓蚀作用有限且缓蚀剂的缓蚀作用机理基本靠缓蚀剂的电化学作用来解释,镁合金上真正高效的缓蚀剂和详细的缓蚀机理目前均不理想。为了抑制镁及其合金在溶液中的电化学腐蚀与电偶腐蚀,扩大镁合金的使用范围,大力开发镁合金上高效的缓蚀剂具有重要的现实意义和研究价值。

5.2 电池负极材料镁缓蚀剂

镁作为电池负极材料,其本身的化学活性及在强碱性电解液中易氧化腐蚀的特点,导致了镁基储氢材料电极容量的快速衰减。目前报道的改善镁基储氢电极材料循环稳定性的方法中,采用往电解液中添加缓蚀剂的方法也取得了一定的成效。

司玉军等研究了AZ31型镁合金在中性$MgSO_4$溶液中有机添加剂对体系的缓蚀作用,

发现十二烷基苯磺酸钠的加入对 AZ31 镁合金起到了缓蚀作用,它使镁的阳极溶解反应受到抑制,腐蚀电位正移,提高了放电电流效率,使放电电位更平稳。十二烷基苯磺酸钠的缓蚀效果随用量不同成“反 S”变化的规律,可以用有机缓蚀剂的吸附理论来解释。六次甲基四胺的添加量在 0.1 ~ 0.15 mmol/L 范围时具有较好的缓蚀性能,使镁合金开路电位正移,极化电阻增大。不同于一般缓蚀剂的效果,六次甲基四胺的加入能使合金的活化电位负移,使镁合金在添加了六次甲基四胺的溶液系统中具有了更大的电流,进一步提高了镁合金作为阳极在工作状态时的性能。

王桂香等在既定的基础电解液和实验参数条件下,研究植酸、聚乙二醇和乙二醇等 3 种有机添加剂对镁合金负极氧化膜耐蚀性能的影响。实验过程中分别采用扫描电镜、点滴实验和极化曲线对氧化膜的表面形貌和耐蚀性能进行测试。结果表明,当植酸的质量浓度为 15.0 g/L 或聚乙二醇的质量浓度为 0.8 g/L 时,氧化膜的耐蚀性能有较大提高;而乙二醇的加入不但没有改善镁合金负极氧化膜的耐蚀性能,反而使其变得更差。

周丽萍等采用恒温浸泡、交流阻抗和极化曲线法分别研究铸态(F)和固溶态(T4)的 NZ30K 以及挤压态 AZ31 镁合金在不同浓度 $MgCl_2$、$MgSO_4$、$Mg(COOCH_3)_2$、$MgBr_2$ 溶液中的腐蚀行为和电化学性能。结果表明:随着电解液中电解质浓度的增加,3 种镁合金的自腐蚀速率均增大。F 态和 T4 态的 NZ30K 合金在 $MgSO_4$ 溶液中腐蚀速率最快,在 $MgBr_2$ 溶液中耐蚀性能最好,而 AZ31 合金在 $MgCl_2$ 溶液中耐蚀性能最差,在 $MgSO_4$ 和 $Mg(COOCH_3)_2$ 中具有较好的耐蚀性能。电化学阻抗谱(EIS)结果表明:在 4 种电解液中,镁合金的高频端容抗环半径均随着电解质浓度的增加而减小,这与恒温浸泡的实验结果相吻合。

李慧明等通过对动电位极化曲线、电化学阻抗谱图、SEM 形貌的分析,研究了 AZ31、AZ91 和稀土镁合金在质量分数为 8.0% 的 NaCl 溶液中的腐蚀行为。并将上述三种镁合金组装成电池,在质量分数为 8.0% 的 NaCl 溶液中进行恒流放电测试。结果表明,三种负电极的耐蚀性是稀土合金 > AZ31 > AZ91;浸泡 48 h 后稀土镁合金的表面裂纹最少,腐蚀程度最轻,而 AZ91 负极的腐蚀程度最严重,表面裂纹较深;稀土合金的放电时间最长,达到 800 min,AZ31 为710 min,AZ91 为 660 min。

刘元刚等采用 XRD、电化学极化曲线、化学浸泡等实验方法,研究了腐蚀性水体系中单种无机盐、复配无机盐缓蚀剂对 AZ91D 镁合金的缓蚀作用,并用正交优化设计确定了 $Na_2MoO_4 + Na_2SiO_3 + KMnO_4$ 复配无机盐缓蚀剂的优化配方;研究了水 - 乙二醇 (1:1) 防冻液基础液体系中缓蚀剂对 AZ91D 镁合金的缓蚀作用。结果表明,在腐蚀性水中 $KMnO_4$、Na_3PO_4、Na_2MoO_4 和 NaF 对 AZ91D 镁合金有一定的缓蚀作用,$Na_2B_4O_7$ 不具有缓蚀作用,有可能加速其腐蚀;复配 $Na_3PO_4 + KMnO_4$ 及 $Na_2MoO_4 + Na_2SiO_3 + KMnO_4$ 对 AZ91D 镁合金腐蚀有缓蚀作用,而 $Na_3PO_4 + Na_2B_4O_7$ 会加速其腐蚀。在水 - 乙二醇体系中,Na_2S 对 AZ91D 镁合金腐蚀有较好的缓蚀作用;确定了两种适用于水 - 乙二醇中的有机 - 无机复合缓蚀剂配方,缓蚀效率分别为 98.1% 和 94.3%。

马正青等研制了一种新型镁合金负极材料,用电化学方法测定了镁合金负极在人造海水介质中的电化学性能,用浸泡法测定了材料在人造海水介质中的自腐蚀速度,用扫描电子显微镜观察了镁合金腐蚀后的表面形貌,并与 AP65 合金和纯镁进行了比较。结果表明,新研制的镁合金在人造海水介质中的开路电位增加,自腐蚀速度降低,稳定工作电位提高,电极表面腐蚀均匀,可开发用于高电性能电池的负极材料。

孔繁清等研究了水玻璃、OP－10 和甘油三种有机物对 α－MgNi＋5%(质量分数)M12Mg17 储氢电极充放电循环稳定性、在碱液中的稳定性进行了研究,发现水玻璃和 OP－10 对电极充放电稳定性有较好的作用,但随着循环次数的增加有脱附的倾向;而且缓蚀剂处理的最佳时间为 3 min,这样既保证了抑制电极腐蚀的作用,又对电极的充放电过程不会产生明显的影响,从而达到最佳的预期效果。

王恩东研究了在电解液中添加不同含量的钼酸锂缓蚀剂,并进行了镁基干电池负极材料 Mg－3Al－1Zn－0.5Co－0.2Y 的 XRD 分析以及极化曲线和充放电性能的测试与分析。结果表明,随缓蚀剂含量增加,负极材料的腐蚀电位明显正移,但含量过高会恶化其充放电性能;充放电循环 15 次后,缓蚀剂含量为 0、0.4%、0.5% 时负极材料的放电容量衰减分别为 94.8%、6.3% 和 21.8%;钼酸锂缓蚀剂的添加量优选为 0.4%。

F. Zucchi 研究了在模拟工业冷却水中添加直链羧酸钠盐对 AZ31 镁合金的缓蚀效果,其中癸酸钠、十二烷基酸钠和十四烷基酸钠的添加均对 AZ31 镁合金起到了保护作用,缓蚀效果最好的是添加浓度为千分之一的十二烷基苯羧酸钠,缓蚀效率达到 90% 以上,缓蚀机理是添加直链羧酸钠盐后在镁合金表面生成了一层不溶的羧酸镁盐沉淀。

5.3 NaCl 介质中镁及镁合金缓蚀剂

目前,根据研究得到的适用于 NaCl 介质中镁合金上的吸附型缓蚀剂主要有十二烷基苯磺酸钠(SDBS)、苯甲酸钠、六次甲基四胺,及乳糖酸类分子衍生物和部分氨基酸。

封雪松等研究了六次甲基四胺(HMTA)对 AZ31 镁合金在硫酸钠溶液中的缓蚀作用,结果表明 HMTA 的加入使 AZ31 镁合金在溶液中的开路电位正移,极化电阻增大。当 HMTA 的添加量在 0.1～0.15 mmol/L 的范围时具有较好的缓蚀性能,并能确保合金有较好的电化学活性。同时李凌杰等的研究结果也表明 HMTA 可以抑制镁合金在模拟汽车冷却液中的腐蚀行为,但其缓蚀作用发挥的较慢。在模拟汽车冷却液中 HMTA 对镁合金的抑制作用属于混合型缓蚀剂。

李凌杰等研究了钨酸盐、钼酸盐对镁合金在不同介质中的缓蚀作用及机制。结果发现:钨酸钠缓蚀剂可有效抑制 AZ61 镁合金在质量分数为 3.5% 的 NaCl 介质中的腐蚀。当钨酸钠的浓度为 0.01 mol/L 时,可获得较好的缓蚀效果,缓蚀效率达到 75.5%。钨酸钠可参与镁合金表面膜的形成,使表面膜更致密,从而减少 Cl^- 与镁合金的接触,较好地抑制镁合金的腐蚀。其缓蚀作用属于阳极抑制型缓蚀机制。另外,钼酸钠对 AZ40 镁合金在模拟冷却水中的腐蚀具有一定的抑制作用。当钼酸钠的质量浓度为 1 000 mg/L 时,缓蚀效果最佳。钼酸钠的加入减弱了腐蚀性 Cl^- 在试样/介质界面的吸附,同时参与镁合金试样在模拟冷却水中表面膜的生成,使表面膜变得致密,从而较好地抑制镁合金的腐蚀。其缓蚀作用属于阳极抑制型缓蚀机制。在磷酸介质中,钼酸盐阴离子在镁合金电极表面形成不易溶于水的多聚钼酸盐和多聚磷钼酸盐而覆盖在镁合金表面,使电极表面的阴极活性点减少,从而使阳极镁合金的溶解速率减慢,表现出一定的缓蚀作用。在缓蚀剂浓度范围(0 ~ 0.10 mol/L)内,缓蚀效率与缓蚀剂浓度之间很好地符合线性关系。

肖涛等采用失重法、极化曲线、电化学阻抗谱和扫描电子显微镜研究木质素磺酸钠(SLS)在质量分数为 3.5% 的 NaCl 溶液中对 AZ31 镁合金的缓蚀作用。结果表明:在 298 K 时 SLS 可有效抑制 AZ31 在 NaCl 介质中的腐蚀。当 SLS 为 $4.0\ g \cdot L^{-1}$ 时,缓蚀率可达到最大。提高浓度后,其缓蚀率会下降。SLS 是阴极型缓蚀剂,并且 SLS 在 AZ31 表面的吸附符合 Langmuir 吸附等温式。由吸附自由能 G^0 及 Arrhenius 活化能 E_a 可知,SLS 在 AZ31 镁合金表面是化学吸附。

J. Hu 等合成了四硝基酯卟啉(TPP),并研究了在质量分数为 0.05 的 NaCl 溶液中其对 AZ91 D 镁合金的缓蚀影响。电化学测量和浸泡腐蚀试验结果表明,TPP 的抑制效率达到 90%。扫描电镜、傅立叶变换红外光谱、荧光光谱法和 XPS 分析表明,TPP 通过 N 原子与镁离子螯合成 TPP – Mg 化合物,降低金属表面膜层的孔隙率达到缓蚀效果。

研究表明:在质量分数为 3.5% 的 NaCl 溶液中加入 50 ~ 200 mg/L 的氯化铈,AZ31 镁合金的腐蚀速率有所降低;当稀土的质量浓度为 100 mg/L 时,腐蚀速率最低;加入适当的稀土,腐蚀产物膜的均匀性和致密性较好,不存在微裂纹等缺陷。在稀土的影响下形成的腐蚀产物膜更加致密,它能使镁合金的溶解过程受到阻碍,增大电荷转移电阻,从而抑制镁合金的腐蚀。但氯化铈对镁合金的缓蚀率仍不太理想,还需要将稀土与其他缓蚀剂进一步复合,或者开发缓蚀效果更好的缓蚀剂。

郜余等采用共沉淀和水热合成法在 AZ31B 镁合金上制备了 MgAl – LDH – MoO_4^{2-} 水滑石(LDH)涂层,利用 X 射线衍射、扫描电子显微镜和红外光谱仪对其形貌进行表征。采用电化学方法分析了试样在质量分数为 3.5% 的 NaCl 溶液中浸泡数天后的腐蚀行为。结果表明:MgAl – LDH – MoO_4^{2-} 涂层均匀、连续地生长在 AZ31B 镁合金表面;作为缓蚀剂的钼酸根离子成功插入层间,在腐蚀性氯离子环境中响应释放,具有良好的缓蚀性能和离子交换性能。此外,采用 FDTS(1H, 1H, 2H, 2H – 全氟癸基三乙氧基硅烷)对水滑石涂层表面进行的疏水改性处理,进一步延长了水滑石涂层的寿命。

张鹏等采用电化学极化和阻抗技术研究了 4 种吸附型缓蚀剂对 AZ91D 镁合金在质量分数为 3.5% 的 NaCl 溶液中的缓蚀作用;针对该 4 种吸附型缓蚀剂特性,分别添加了甲磺酸培氟沙星来增强缓蚀剂的吸附性,拟提升其在腐蚀介质中对镁合金的缓蚀性。结果表明,这 4 种环境友好型缓蚀剂都具有缓蚀作用,甲磺酸培氟沙星的加入能进一步增强对 AZ91D 镁合金在质量分数为 3.5% 的 NaCl 溶液中的缓蚀效果。

李凌杰等研究了钨酸钠在质量分数为 3.5% 的氯化钠腐蚀介质中对 AZ61 镁合金的缓蚀作用,发现钨酸钠属于阳极抑制型缓蚀剂,参与了镁合金表面膜的形成,使表面膜更加致密,从而抑制了镁合金的腐蚀,最佳缓蚀效率达到 75.5%;在研究十二烷基苯磺酸钠对 AZ31 镁合金在 3.5% 氯化钠溶液中的缓蚀性能时发现,其缓蚀效率随添加浓度增大出现浓度极值现象,最佳缓蚀效率可达 90% 以上,是以抑制阳极反应为主的混合型缓蚀剂。

赵蕊等通过多次试验,发现在质量分数为 3.5% 的 NaCl 溶液介质中,二乙基二硫代氨基甲酸钠和硫脲都不同程度地抑制了 AZ91D 镁合金的阴极反应,找到了各自最佳单独使用剂量,并且研究出二者具有较好的缓蚀协同效应。同年,杜盼盼等试验了硫脲、十二烷基硫酸钠和聚天冬氨酸及其复配物对 AZ91D 镁合金在自来水中的缓蚀,结果证明硫脲与聚天冬氨酸按一定量复配后,缓蚀率较高。

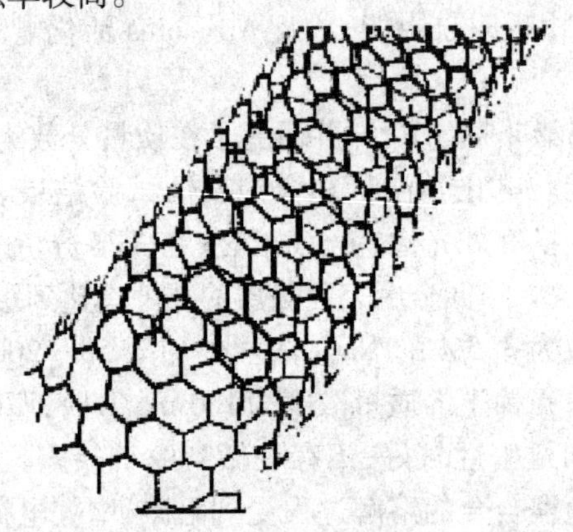

图 5-3　碳纳米管

研究了由碳纳米管(CNTs)(图 5-3)作为缓蚀剂载体添加到改性后的硅溶胶涂层中对 AZ31 镁合金在质量分数为 0.05% 的 NaCl 溶液中的腐蚀行为。通过表面分析技术可知含有缓蚀剂的 CNTs 被均匀的分散到硅烷涂层中,CNTs 作为缓蚀剂的支撑和存储位点为逐步的释放缓蚀剂分子起到了良好的作用。M. F. Montemor 等将由碳纳米管(CNTs)作为载体的缓蚀剂添加到改性后的硅溶胶涂层中,并研究了其对 AZ31 镁合金在质量分数为 0.05% 的 NaCl 溶液中的腐蚀行为。结果表明,添加稀土盐的 CNTs 减缓了基体的腐蚀;含有缓蚀剂的 CNTs 被均匀地分散到硅烷涂层中,CNTs 作为缓蚀剂的支撑和存储位点,为逐步释放缓蚀剂分子起到了良好的作用。

高继峰等采用电化学阻抗谱(EIS)、动电位极化曲线、失重法和扫描电镜等技术研究了磷酸氢钠对 AZ91 镁合金在质量分数为0.05%的 NaCl 溶液中的缓蚀行为,及其与部分有机物的协同作用。结果表明,因为磷酸一氢根离子与镁离子反应产生了镁盐沉淀物,磷酸一氢钠对镁合金有一定的缓蚀作用;有机磺酸盐、羧酸盐或氨酸盐单独使用时,这些缓蚀剂的阴离子可以部分吸附在镁合金表面上,从而起到一定程度的保护作用;磷酸一氢钠与磺酸盐复配使用时缓蚀效率最高。

沈长斌等通过搅拌摩擦加工(FSP)手段,对3 mm 厚的 AZ31 镁合金板材作表面加工处理。然后在质量分数为5%的 NaCl 腐蚀溶液中添加不同浓度的碳酸钠作为缓蚀剂,通过动电位极化曲线以及交流阻抗(EIS)测试,研究了室温下该缓蚀剂对镁合金母材及搅拌摩擦加工处理镁合金电化学行为的影响。结果表明,添加缓蚀剂后,FSP 镁合金及母材的腐蚀电流密度均减小,极化电阻及电荷转移电阻均增大,而且 FSP 镁合金的缓蚀效率要优于母材的缓蚀效率,且随浓度的增加而增加,碳酸钠是一种有效的无机缓蚀剂,并且其缓蚀作用效果与金属表面状态密切相关。

赵蕊等采用失重法、电化学阻抗法和极化曲线研究了二乙基二硫代氨基甲酸钠(SDEDTC)和硫脲(TU)对 AZ91D 镁合金在 NaCl 溶液中的缓蚀作用。结果表明,在质量分数为3.5%的 NaCl 溶液中,二乙基二硫代氨基甲酸钠的缓蚀效率存在浓度极值现象,在质量分数为0.1%时缓蚀性能最佳;硫脲对镁合金的缓蚀也存在浓度极值现象,缓蚀效率随着浓度增加先升高后降低,当质量分数为0.3%时,缓蚀性能最佳。二者的缓蚀机制都是抑制阴极反应,有较好的缓蚀协同效应,当复配比例为质量分数为0.3%的硫脲+质量分数为0.1%的二乙基二硫代氨基甲酸钠时,缓蚀效果最好,达到88%。

王海媛等采用极化曲线、电化学阻抗谱、红外光谱及扫描电镜等方法研究了二乙基二硫代氨基甲酸钠(SDDTC)对 AZ31B 镁合金在质量分数为3.5%的 NaCl 溶液中的缓蚀作用及吸附行为。结果表明,SDDTC 能有效抑制 AZ31B 镁合金在 NaCl 介质中的腐蚀,属阴极抑制为主的混合型缓蚀剂。当 SDDTC 浓度为5 $mmol \cdot L^{-1}$时,缓蚀效果最好。SDDTC 在 AZ31B 镁合金表面发生物理吸附,符合 Langmuir 吸附等温式。吸附在表面的 SDDTC 形成较为致密的保护膜,有效抑制了 AZ31B 镁合金的腐蚀。

周娜等采用电化学阻抗法、动电位极化曲线法、全浸泡失重法和扫描电镜,研究了在质量分数为3.5%的 NaCl 溶液中磷酸钠(Na_3PO_4)对 AZ31 镁合金腐蚀的抑制作用。结果表明,Na_3PO_4 对质量分数为3.5%的 NaCl 溶液中的 AZ31 镁合金具有缓蚀作用,其缓蚀率随着 Na_3PO_4 含量增大逐渐提高,当 Na_3PO_4 质量浓度为1.0 g/L 时,缓蚀效率达到81.5%。结合扫描电镜分析表明,Na_3PO_4 在镁合金表面形成含有 $Mg(OH)_2$ 和 $Mg_3(PO_4)_2$ 的保护层,这层致密的膜减少了基体与 Cl^- 接触,抑制了镁合金的阳极反应。

贾素秋研究了在质量分数为0.1%的 NaCl 溶液中对 Mg-7.3Al 合金有缓蚀效果的无机缓蚀剂,研究的三种缓蚀剂的缓蚀效率由大到小的排序为:Na_2CO_3、$Na_2B_4O_7$、NaF。苯甲酸钠作为一种阳极型缓蚀剂,通过增大阳极极化的方式有效的抑制 AZ31 镁合金在 3.5% 氯化钠介质中的腐蚀,苯甲酸钠对镁合金的缓蚀作用则是在金属表面发生了吸附,且吸附符合 Temkin 吸附模型。

5.4 镁合金在乙二醇溶液中的缓蚀剂

汽车发动机材料在冷却液中的腐蚀是个重要的问题,这方面的研究工作进展的不是很多特别是对于镁合金这种作为新型发动机材料在冷却液中的腐蚀与缓蚀剂研究的更少。商用冷却液的主要成分为 30% ~70%(体积分数)的乙二醇,并在乙二醇溶液中添加一定的缓蚀剂;通常加入的缓蚀剂成分包括钼酸盐、磷酸盐、硼酸盐、硝酸盐、亚硝酸盐、苯甲酸盐、有机硅类和三唑类物质。除此外应用得较多的为主要含有有机羧酸盐类的长效冷却液。如果一种冷却液对镁及其合金没有腐蚀性,那么这种冷却液很可能达到对镁合金发动机的使用条件。在对镁合金发动机缓蚀剂的筛选中,我们应考虑对镁及其合金有缓蚀作用的缓蚀剂。而传统的商业冷却液中的缓蚀剂往往只对其他的金属材料有缓蚀作用。

Yuangang Liu 研究了 AZ91D 镁合金在乙二醇水溶液(质量比 1:1)中的腐蚀行为,并确定了两种有效的有机 - 无机型缓蚀剂成分:苯甲酸钠 + BTA + MBT + Na_2MoO_4 + Na_2SiO_3 + NaF 和苯甲酸钠 + BTA + MBT + Na_2MoO_4 + Na_2SiO_3 + Na_2S,这两种缓蚀剂的缓蚀效率分别可达 98.11% 和 94.13%。

研究纯镁(99.6%)在乙二醇溶液中的腐蚀行为。发现添加一定量的氟化物(1% 质量分数的 KF)可以在镁表面形成一层具有保护性的含氟的膜层,加入 KF 缓蚀剂大大降低纯镁在乙二醇中的腐蚀。氟化钾 KF 是一种有效抑制镁合金在商用冷却液中腐蚀的缓蚀剂;可以有效抑制镁合金在常温和高温下的宏观腐蚀和电偶腐蚀速率;且对其他的金属材料没有产生有害作用。

张继心研究了镁在乙二醇水溶液中的腐蚀和缓蚀剂。结果表明所研究的有机 - 无机型缓蚀剂:苯甲酸钠(2.5 g/L) + BTA(2 g/L) + MBT(2 g/L) + Na_2MoO_4(3 g/L) + Na_2SiO_3(1 g/L) + Na_2F(1 g/L) + NaOH(1 g/L) + detergent(1 g/L)可以有效抑制 AZ91D 镁合金的腐蚀与电偶腐蚀。还发现添加自主开发的有机 - 无机复配缓蚀剂研究了镁合金在水 - 乙二醇体系中的电偶腐蚀。结果表明,加入缓蚀剂后不仅降低了电偶对中镁合金的全面腐蚀,而且有效抑制了镁合金的点蚀。另外,研究了 AZ91D 压铸镁合金分别与 Q235 钢、H62 黄铜、LF21 铝合金及 356 ~ #铸铝偶接在水 - 乙二醇体系中的电偶腐蚀行为和规律,并对加入开发的有机 - 无机复配缓蚀剂前后的腐蚀行为差异和缓蚀效果做出了评价。结果表明,加入缓蚀剂后不仅降低了电偶对中镁合金的全面腐蚀,而且有效抑制了点蚀。通过电偶腐蚀电化学参量的测量和动电位极化曲线的测量发现,AZ91D 压铸镁合金的电偶腐蚀由加入缓蚀剂前的阴极控制转变为阳极控制,且对阳极过程抑制显著。

杨俊等采用电化学试验、表面形貌观察、腐蚀产物分析等方法研究了磷酸氢二钠(DSP)和D-葡糖酸钠(GS)两种物质复配后对镁合金在50%(体积分数,下同)乙二醇型冷却液中的缓蚀作用。结果表明:DSP对AZ91D镁合金在50%乙二醇冷却液中是一种混合抑制型缓蚀剂,GS对AZ91D镁合金在50%乙二醇冷却液中没有缓蚀作用;DS和GS之间存在缓蚀协同效应,复配后的缓蚀剂是一种以抑制阳极过程为主的混合型缓蚀剂;GS的添加量存在极值,而DSP和GS的质量浓度比达到4:1时,即复配缓蚀剂E,其缓蚀率趋于稳定;随着复配缓蚀剂E加入量的增大,缓蚀率增大, 其加入量为2.5 g/L时,缓蚀率高达90%以上;复配缓蚀剂E对AZ91D镁合金起到缓蚀作用主要表现为形成了$MgHPO_4$沉淀物,通过GS络合在镁合金表面,从而抑制了镁合金在乙二醇冷却液中的腐蚀。

Guangling Song 和 David St. John 研究了纯镁(99.6%)在乙二醇溶液中的腐蚀行为。结果表明添加一定量的氟化物(1%质量分数的KF) 可以在镁表面形成一层具有保护性的含氟化物的膜层,并大大降低纯镁在乙二醇中的腐蚀。他们的结果表明:氟化钾KF是一种有效抑制镁合金在商用冷却液中的缓蚀剂;可以有效抑制镁合金在常温和高温下的宏观腐蚀和电偶腐蚀速率;且对其他的金属材料的腐蚀行为没有促进作用。

张龄丹等采用电化学方法和扫描电子显微镜研究了油酸钠对AM60镁合金在50%(体积分数)乙二醇-水溶液中的缓蚀作用。结果表明:油酸钠能抑制AM60镁合金在乙二醇-水溶液中的腐蚀,是一种阳极型缓蚀剂,随着油酸钠量的增加,缓蚀率逐渐增大;油酸钠在常温和高温下对AM60镁合金在乙二醇-水溶液中均有较好的缓蚀作用,且常温下油酸钠的缓蚀效果更好;油酸钠在AM60镁合金表面的吸附为自发过程,且符合Temkin吸附等温方程。

江珊等研究了AZ91D镁合金在乙二醇溶液中的缓蚀剂。结果表明在含水量50%的乙二醇溶液中,苯并三唑发挥π键的吸附作用,氟化钠中F^-与Mg^{2+}结合形成沉淀MgF_2沉积,十二烷基苯磺酸钠的阴离子基团以物理方式吸附在镁合金表面,以上三种作用方式都促使了AZ91D镁合金的钝化,从而减缓了镁合金的腐蚀程度。另外,采用浸泡和电化学技术及表面分析技术研究了AZ91D镁合金在乙二醇冷却液中加入几种缓蚀剂后的腐蚀规律,并着重考察了几种缓蚀剂在体积分数50%的乙二醇溶液中的缓蚀机理和作用效率。结果表明,AZ91D镁合金的腐蚀速度随着乙二醇溶液中水含量的增加而增大,本缓蚀剂能明显抑制AZ91D镁合金在含水量50%的乙二醇溶液中的腐蚀,当缓蚀剂质量分数为2%时,其缓蚀效率高达90%以上。

张钱斌等采用浸泡和电化学测试方法,研究了汽车发动机用材AZ91D镁合金在不同体积分数乙二醇模拟冷却液中的腐蚀行为及腐蚀机理。结果表明:随着乙二醇体积分数的增加,AZ91D镁合金的腐蚀速率呈现先降低后增加的趋势,在乙二醇体积分数为80%时腐蚀速率最小,合金的腐蚀速率随着腐蚀时间的延长呈降低趋势;AZ91D镁合金在乙二醇-水溶液中会形成具有自愈合作用的 $MgO/Mg(OH)_2$ 腐蚀产物膜,可以对合金表面起到良好的保护作用;AZ91D 合金在乙二醇-水溶液中以析氢腐蚀为主,而在纯乙二醇中以 Mg 和乙二醇的化学腐蚀为主。

杨俊等采用电化学试验、表面形貌观察、腐蚀产物分析等方法研究了磷酸氢二钠(DSP)和 D-葡糖酸钠(GS)两种物质复配后对镁合金在 50%(体积分数,下同)乙二醇型冷却液中的缓蚀作用。结果表明:DSP 对 AZ91D 镁合金在 50% 乙二醇冷却液中是一种混合抑制型缓蚀剂,GS 对 AZ91D 镁合金在 50% 乙二醇冷却液中没有缓蚀作用;DSP 和 GS 之间存在缓蚀协同效应,复配后的缓蚀剂是一种以抑制阳极过程为主的混合型缓蚀剂;GS 的添加量存在极值,而 DSP 和 GS 的质量浓度比达到 4:1 时,其缓蚀效率趋于稳定;随着复配缓蚀剂 E 加入量的增大,缓蚀效率增大,其加入量为 2.5 g/L 时,缓蚀率高达 90% 以上;复配缓蚀剂对 AZ91D 镁合金起到缓蚀作用主要表现为形成了 $MgHPO_4$ 沉淀物,通过 GS 络合在镁合金表面,从而抑制了镁合金在乙二醇冷却液中的腐蚀。

刘元刚等采用 XRD、电化学极化曲线、化学浸泡等实验方法,研究了水-乙二醇体系中单种无机盐、复配无机盐缓蚀剂对 AZ91D 镁合金的缓蚀作用。结果表明,在腐蚀性水中 $KMnO_4$、Na_3PO_4、Na_2MoO_4和 NaF 对 AZ91D 镁合金有一定的缓蚀作用,而 $Na_2B_4O_7$ 不具有缓蚀作用还有可能加速其腐蚀;在研究的体系中,Na_2S 对 AZ91D 镁合金腐蚀有较好的缓蚀作用。

E. Slavcheva 等用电化学方法研究了 AZ91D 在含有氯离子的乙二醇溶液中的腐蚀行为及缓蚀剂的缓蚀作用。结果表明,所研究的有机缓蚀剂 lactobiono-tallowamide(LTA)能够有效地抑制镁合金在腐蚀介质中的阴阳极反应,表现为一种混合抑制型缓蚀剂。

A. M. Fekry 应用电化学方法和扫描电子显微镜表面测试方法研究了对乙酰氨基酚对 AZ91D 镁合金在乙二醇水溶液中的腐蚀行为。结果表明在空白溶液中添加 0.05 mol/L 的对乙酰氨基酚,就能与 AZ91D 反应在其表面形成保护性的膜层,有效抑制镁合金的腐蚀。

5.5 其他腐蚀溶液中的缓蚀剂

影响镁及其合金腐蚀的因素很多,其中环境因素是最重要的影响因素之一。

不同的环境介质对镁及其合金的腐蚀过程有着不同的影响,常见的研究的腐蚀介质有氯化钠和腐蚀水溶液等。李凌杰研究了苯甲酸钠和十二烷基苯磺酸钠(SDBS)在 AZ31 镁合金表面的吸附和缓蚀性能。结果表明苯甲酸钠对 AZ31 镁合金在 3.5% 氯化钠溶液中主要起阳极抑制作用,是一种阳极型缓蚀剂。苯甲酸钠在 AZ31 镁合金表面上的吸附符合 Temkin 吸附等温式,吸附过程为自发、放热且伴随熵增的过程;SDBS 在 AZ31 镁合金表面上发生物理吸附;吸附过程同样为自发、放热伴随熵增的过程,但是遵循 Langmuir 吸附等温式。SDBS 为混合型缓蚀剂主要抑制 AZ31 的阳极溶解过程。但其他学者报道了单独使用的 SDBS 时对镁合金的缓蚀效率不会太高。

刘晓寒等采用溶胶－凝胶法在 AZ91 镁合金表面制备了 $MgFe_2O_4$ 薄膜，利用正交试验研究了镀膜层数、溶胶中 Mg^{2+} 与 Fe^{3+} 的物质的量之比、烧结温度、烧结时间对 AZ91 镁合金膜试样自腐蚀电流密度的影响，得出最优方案，并研究了优化条件制备的膜试样的组织结构及耐蚀性。结果表明：各因素对 AZ91 镁合金膜试样自腐蚀电流密度的影响程度由大到小依次是镀膜层数、烧结温度、$n(Mg^{2+})/n(Fe^{3+})$、烧结时间；最优条件是镀膜 1 层，$n(Mg^{2+})/n(Fe^{3+})=0.35$，烧结温度 400℃，烧结时间 5 h；与 AZ91 镁合金基体相比，优化条件制备的 $MgFe_2O_4$ 薄膜的自腐蚀电流密度降低了 1 个数量级，自腐蚀电位正移了 690 mV，耐腐蚀性能得到很大提高。

李凌杰研究了几种无机缓蚀剂对镁合金在不同介质中的缓蚀作用及机理，发现钨酸钠在 3.5% 的氯化钠溶液中对 AZ31 镁合金为阳极型缓蚀剂；在所测试的浓度范围内，钨酸钠的缓蚀效率在低温下存在一个临界值并在高温下缓蚀效率随浓度的增加而增大；钨酸钠在 AZ31 镁合金表面的吸附遵循 Lanmuir 吸附等温式，且吸附过程为自发、放热伴随熵减的过程；钼酸盐对 AZ61 镁合金在磷酸溶液中的缓蚀作用结果表明，镁合金在 0.5 mol/L 磷酸溶液中的腐蚀溶解速率受到了钼酸盐的抑制。在实验所测试的浓度范围内，缓蚀剂的缓蚀效率与浓度遵从线性关系。钼酸盐主要通过在阴极活性位点形成钝化膜层而抑制镁合金电化学反应的阴极过程。在空白及含 0.10 mol/L 钼酸盐的 0.5 mol/L 磷酸溶液中 AZ61 镁合金的表观活化能分别为 2 499 J/mol 和 1 092 J/mol。升高温度不利于增加缓蚀效率但有助于钼酸盐分子的吸附作用。

李凌杰还研究了钼酸盐在模拟冷却水中抑制 AZ40 镁合金腐蚀的作用。结果表明，当钼酸盐浓度为 1 000 μg/g 时，钼酸盐的缓蚀效率达到最高。钼酸盐主要通过抑制镁合金的阳极溶解过程，弱化了 Cl^- 在金属/溶液界面的进攻吸附过程，形成致密的具有保护性的膜层而覆盖镁合金表面的活性位点来达到抑制镁合金的腐蚀过程。另外，应用极化曲线、电化学阻抗谱方法研究了两种 Mg－Al－Zn 系合金——AZ31 和 AZ61 在模拟海水中的腐蚀电化学行为。根据两种镁合金在浸泡过程中腐蚀介质 pH 值的变化及扫描电子显微镜对合金微观金相组织和腐蚀形貌的观察，讨论了镁合金的腐蚀机理及合金元素 Al 的含量对镁合金耐蚀性能的影响。结果表明，AZ61 镁合金具有比 AZ31 镁合金更好的耐蚀性能，其原因主要是 AZ61 镁合金中 Al 含量较高使合金的微观组织结构更有利于耐蚀性能的提高。

E. Barranco 研究了掺杂 Ce^{3+} 或 Zr^{4+} 的 Si 溶胶－凝胶涂层对 AZ91 镁合金在 0.5M 硫酸钠 Na_2SO_4 溶液中的腐蚀行为及涂层阻抗。由 tetramethoxysilane（TMOS）和 diethoxydimethylsilane（DEDMS）作为先驱物，掺杂了 Ce^{3+} 而制得的溶胶涂层最为有效，并作为最后丙烯酸涂层的底漆有很好的效果。

韩林原采用自主构建的体外模拟流场环境实验平台，通过电化学阻抗谱（EIS）测量、拉伸实验、模拟体液 pH 值变化测试、SEM 观察等方法，对 AZ31 镁合金在流场环境中的腐蚀行为进行了研究。从腐蚀电化学角度探究了流场中镁合金腐蚀速率与流速的定量关系，并采用 ANSYS 有限元分析研究了流态与剪切力作用对镁合金不同部位腐蚀差异的影响。结果表明，流场会加速 AZ31 镁合金的腐蚀，在腐蚀初期，腐蚀电流密度 icorr 与流场平均流速 n 之间存在 $i_{corr}^{-1}=i_{c}^{-1}+A_{v}-1/2$ 的关系，其中，i_c 为不考虑扩散影响时的腐蚀电流密度，A 为常数。腐蚀速率随流速增加而增大，且随着腐蚀时间延长，由于腐蚀产物的影响而逐渐偏离线性关系。有限元分析表明，样品不同部位表面流体流态及剪切应力分布不同，局部传质系数 K 存在显著差异，不同流速下试样边缘部位的传质系数是中间的 45 倍，试样局部腐蚀形貌与剪切应力分布及流态差异相对应。

曲立杰等为改善医用镁合金的耐蚀性能，将超声波引入到微弧氧化过程中，实现对镁合金的超声辅助微弧氧化处理，考察超声波在微弧氧化过程中对镁合金在模拟体液中的耐蚀性能的作用。采用析氢法测定镁合金在两种不同模拟体液中的腐蚀速率，电化学腐蚀方法测定镁合金平衡腐蚀电位、电流密度和线性极化电阻。结果表明，不同表面处理的镁合金的在两种不同的模拟体液中的耐蚀性能大小关系均为：超声－微弧氧化＞微弧氧化＞未经处理的镁合金。超声波有效提高了微弧氧化镁合金的耐蚀性能。

Yu Xiang 制备了一种柱状纳米大小的钒酸离子水滑石作为防腐蚀的染料。研究了不同浓度下的水滑石在氯化钠溶液中的吸附和离子交换性能。结果显示含有 20%（质量分数）水滑石的环氧对镁有很好的腐蚀防护作用。

李瑛等研究了手汗液中不同组分对 AZ91D 合金的侵蚀性以及对合金表面析氢动力学过程的影响规律。发现手汗液各成分对镁合金的腐蚀具有不同的侵蚀作用，其中尿素对镁合金的腐蚀具有一定的缓蚀作用，而乳酸和 NaCl 则是较强的侵蚀性介质，且当乳酸与 NaCl 共存时，具有最强的侵蚀性。各成分单独存在时，合金表面析氢动力学过程满足不同的函数关系，在纯水和尿素体系，满足 logistic 关系式，在乳酸和 NaCl 体系，满足多项式关系。手汗液各成分对合金的不同侵蚀作用规律是导致动力学曲线不同的主要原因。

Adel Mesbah 研究了在近中性 pH 值条件下癸酸溶液中烷基羧酸盐对纯镁的缓蚀作用。在镁表面形成疏水性的 $Mg(C_7H_{13}O_2)_2(H_2O)_3$ 或 $Mg(C_{10}H_{19}O_2)_2(H_2O)_3$ 镁羧酸盐作为疏水性壁垒能有效隔离腐蚀性电解液与镁的接触，减小了镁的腐蚀速率并对镁起到了一定钝化作用。通常烷基羧酸盐的烷基链越长，对镁的腐蚀防护性能越好。

军用装备中镁及其镁合金构件可以大幅度降低武器装备重量，实现装备轻量化。通过先进的热喷涂、有机或高分子涂层、阳极氧化和等离子微弧阳极氧化、化学转化膜、沉积技术、离子注入技术、激光处理等表面工程技术对镁合金部件进行腐蚀防护。因此加强镁合金耐蚀、耐磨性能研究，对于推动镁合金作为结构材料的应用并充分发挥其性能优势具有重要意义。

5.6　镁合金缓蚀剂存在的问题

由于镁合金极不耐腐蚀,目前只被少量地用于工作环境并不恶劣的地方,其巨大潜能并没有发挥出来。为了使镁合金能够更广泛地运用于各个领域,许多研究学者已经开始着手镁合金在多种腐蚀介质中缓蚀剂的研究工作,但是,至今有关镁合金缓蚀剂的报道仍然比较少,且主要集中在汽车发动机冷却液方面,研究范围比较窄,对于镁合金在含有高浓度 Cl^- 的腐蚀介质中的缓蚀剂研究更是不见文献报道。关于镁合金环境友好型缓蚀剂的研究不多;目前使用的铬酸盐和氟化物,虽然对于镁及其合金是比较有效的缓蚀剂,但是无论是铬酸盐还是氟化物对于环境以及人体健康都会产生严重的毒害作用,这也是限制它们广泛应用的主要原因。此外,许多学者对于镁合金的缓蚀剂只进行了初步的研究,并没有深入地开展研究工作,系统地研究缓蚀剂对于镁合金的缓蚀作用机理。

参 考 文 献

[1] ZHANG L J, FAN J J, ZHANG Z, et al. Study on the anodic film formation process of AZ91D magnesium alloy [J]. Electrochimica Acta, 2007, 52 (17): 5 325 –5 333.

[2] LINDSTRONG R, JOHNANSSON L G, THOMPSON G E, et al. Corrosion of magnesium in humid air [J]. Corrosion Science, 2004, 46 (5): 1141 –1158.

[3] YANG K H, GER M D, HWU W H, et al. Study of vanadium – based chemical conversion coating on the corrosion resistance of magnesium alloy [J]. Materials Chemistry and Physics, 2015, 101(2 –3):480 –485.

[4] LI G Y, LIAN J S, NIU L Y, et al. Growth of zinc phosphate coatings on AZ91D magnesium alloy [J]. Surface and Coatings Technology, 2006, 201 (3 –4): 1 814 – 1 820.

[5] PAO R V S, WOLFF U, BAUNACK S, et al. Corrosion behaviour of the amorphous Mg65Y10 Cu15 Ag10 alloy [J]. Corrosion Science, 2003, 45(4): 817 –832.

[6] SONG G, STJOHN D. Corrosion behaviour of magnesium in ethylene glycol [J]. Corrosion Science, 2004, 46(6): 1 381 –1 399.

[7] 曹楚南. 腐蚀电化学 [M]. 北京: 化学工业出版社, 1994.

[8] PELLET R, VAN – VEN P, AMAEZ D, et al. Corrosion[C]//53rd Annual Conference and Exhibition. California: Conference Proceedings, NACE, 1998, 4: 545.

[9] WEIR TW. Engine Coolant Testing:4th Volume[M]. Philadelphia:American Society for Testing and Materials, 1997.

[10] 何新快，陈白珍，张钦发. 缓蚀剂的研究现状与展望[J]. 材料保护，2003，36(8)：1-4.

[11] 周婉秋，单大勇，韩恩厚，等. 镁合金无铬化学转化膜的耐蚀性研究[J]. 材料保护，2002，35(2)：12-14.

[12] GRAY J E, LUAN B. Protective coatings on magnesium and its alloys - a critical review [J]. Journal of Alloys and Compounds, 2002, 336(1): 88-113.

[13] 张继心，张巍，李久青. 镁合金在水-乙二醇体系中的电偶腐蚀及缓蚀剂[J]. 北京科技大学学报，2006，28(3)：263-268.

[14] 刘元刚，张巍，李久青，等. 汽车发动机冷却液中镁合金缓蚀剂的研究[J]. 腐蚀科学与防护技术，2005，17(2)：83-86.

[15] SLAVCHEVA E, PETKOVA G, ANDREEV P. Inhibition of corrosion of AZ91 magnesium alloy in ethylene glycol solution in presence of chloride anions [J]. Materials and Corrosion, 2005, 56(2):83-87.

第6章　锌及镀锌材料缓蚀剂

金属锌根据其自身的优点，例如性质稳定、价格低、耐磨耐蚀性强等特质，使它成为目前最重要的有色金属之一，且它还能与其他金属制成性质更加稳定的合金，更是备受企业的欢迎。

锌和镀锌产品在金属涂料中已经广泛使用，但在潮湿的介质中使用会使锌迅速被腐蚀，因此有必要通过各种有无机试剂抑制它在酸性或者碱性介质中的腐蚀，虽取得了好的成果，但这远远不满足于企业的需求，具有实用价值的镀锌设备在氢氟酸中的清洗缓蚀剂在国内外均未见报道。

锌在潮湿的介质中耐蚀性差，在中性环境下，由于当存在多种多样复杂的介质，锌容易受到例如可溶性气体、金属离子等介质中杂质的影响，发生侵蚀，而酸碱性溶液中，由于锌自身的两性，因此其形成的各种形式也是两性的，因此，其反应活性较高，很容易在酸碱性介质存在下，与其反应，进而发生腐蚀；而在碱性中，在碱性不是很强的状态下，较酸性介质相比腐蚀速率略低，当碱性很强时，也会使物理膜吸附性能下降，腐蚀速度上升。锌表面形成的保护膜的稳定性和介质的环境是相互关联的通常表面活性剂类锌缓蚀剂，也是形成一层物理膜，锌表面吸附亲水基，进而抑制进一步腐蚀。但在干燥或密闭的环境下，其耐蚀性能还是不错的，其主要原因是因为锌可形成各种保护膜，隔绝了与溶液的反应，减缓了被继续腐蚀。

锌的实际用途用于防腐蚀的镀层（如镀锌板），由于锌具有优良的抗大气腐蚀性能、稳定性较强，受到工业的好评，虽然它能形成耐蚀性好的物理薄膜，但还是会受到介质环境的腐蚀。所以锌和镀锌缓蚀剂有很重要的探讨价值。

金属锌有较负的电极电势，在近中性的水溶液或干燥的大气条件下，锌及锌合金的耐蚀性能很好，主要归因于表面膜的生成，依介质性质而定，锌的保护膜可由氧化物，氢氧化物或各种碱式盐所组成。但因锌的氧化物（或氢氧化物）是两性的，在酸性或碱性条件下，不易生成保护膜，故容易腐蚀，碱锰电池的锌电极腐蚀就属于此类。锌在潮湿的空气中也容易腐蚀，生成白色的氧化产物，俗称白锈。锌电极汞齐化是沿用已久的缓蚀措施，铬酸盐也成功用于锌的保护，亚硝酸盐保护锌也有报道，但由于汞剧毒，铬酸盐、亚硝酸盐会造成环境污染，应用都受到一定的限制，其他无机缓蚀剂用于锌保护也未达到理想效果，近年来，致力于开发无污染的有机缓蚀剂。

锌的缓蚀剂的开发和应用，在19世纪70年代的文献中曾有过一些报道。当时是松脂或薰衣草油的精油等天然植物加工产物在锌容器酸洗除垢时，加到酸溶液中，极少量即能有效抑制酸对锌的腐蚀。20 世纪 20 年代中期,采用砷作为缓蚀剂,解决工业水中铜锌合金脱锌腐蚀问题。到了 30 年代,锌的缓蚀剂的开发研究逐渐引起了人们的重视。当时主要在工业用水,冷却水及海水等中性介质方面,开发锌及其合金缓蚀剂的研究。缓蚀剂的有效组分大多为无机化合物(铬酸盐、硅酸盐、氢氧化钙等)。到了 40 年代至 50 年代,锌的缓蚀剂的开发重点转向了有机化合物,并注意到酸性介质中,锌的缓蚀剂的应用问题。

6.1 酸性介质中的锌缓蚀剂

6.1.1 盐酸缓蚀剂

在盐酸溶液中,锌用缓蚀剂的发展是从 20 世纪 50 年代开始的。先是铬酸盐、钼酸盐、钨酸盐等无机物,同时研究发现了铜铁灵、葡萄糖酸钠、磺基水杨酸、EDTA、乙酰丙酮等有机物,对锌均能起到较好的保护作用。后来的研究表明,很多表面活性物质对锌具有缓蚀作用,发现硫脲、三苄基胺和四丁基硫酸盐效果比较好。1958 年推出谷氨酸、甘氨酸、明胶、苏丹川、二甲马前子碱等作为盐酸中的锌用缓蚀剂。20 世纪 60 年代,K. G. Shath 等分析了吖啶、硫脲、烟酸、马前子碱、盐酸奎宁等物质的缓蚀作用,其中吖啶效果最好,达 90% ~ 99%,硫脲次之,缓蚀效率是 86% ~ 95%。王佳等采用失重法研究了在 0.8 mol/dm^3 盐酸中,盐酸吖啶和溴代十六烷基吡啶对锌的缓蚀作用,求得相关吸附热力学参数。结果表明二者均对锌表现出较强的缓蚀作用,盐酸吖啶在锌表面的吸附属于放热反应,而溴代十六烷基吡啶在锌表面的吸附属于吸热反应。另外,人们从 70 年代开始研究天然植物的提取液的缓蚀性能,芦荟的叶子及柑橘、杧果、石榴的果皮提取液具有缓蚀效果,其中以杧果皮提取液的缓蚀性能最好,缓蚀效率可达 85%。80 年代人们发现磷化合物、有机磷化合物、吡唑类化合物都具有缓蚀性能,其中 $C_6H_5P(CH_2)_2 \cdot C_6H_5Br$ 可达 99.8%,其余的也都超过 97%。到 20 世纪 80 年代后期,发现了多种吡唑类化合物的缓蚀性能。八九十年代的研究结果表明,苄基亚砜、溴化苄基喹啉的缓蚀效果都很好。

冯晓娟等采用失重法和电化学方法研究了白杨树叶提取物在 0.01 mol/L HCl 介质中对锌的缓蚀性能,详细讨论了缓蚀剂质量浓度、温度和腐蚀浸泡时间等因素对缓蚀率的影响规律。结果表明,WPLE 对锌具有良好的缓蚀作用,且在锌表面的吸附符合 Langmuir 吸附等温式。极化曲线表明白杨树叶提取物主要抑制锌腐蚀反应的阴极过程,属于混合抑制型缓蚀剂,EIS 谱呈半圆容抗弧,缓蚀剂浓度增加,电荷转移电阻增大。

王佳等采用正交试验方法对喹啉、吖啶、季铵盐类化合物进行复配得到一种盐酸介质中锌的优良缓蚀剂。利用失重法、电化学极化曲线法、扫描电镜对其缓蚀性能进行了评价。结果表明,该复合缓蚀剂缓蚀率高,是一种阴极型缓蚀剂,扫描电镜照片显示无点蚀、晶间腐蚀等非均匀腐蚀现象。

李向红等采用失重法首次研究了钓鱼慈竹竹叶提取物(NALE),三角枫叶提取物(ABLE)和滇润楠叶提取物(MYLE)在盐酸中对锌的缓蚀作用。详细考察了缓蚀剂浓度(0.1~1.0 g/L)、温度(30~60 ℃)、腐蚀浸泡时间(6~72 h)和盐酸浓度(0.01~0.05 mol/L)对缓蚀性能的影响。结果表明:三种植物提取物在0.01 mol/L HCl溶液中均对锌具有良好的缓蚀作用,且在锌表面的吸附符合Langmuir吸附等温式。缓蚀率随缓蚀剂浓度的增加而增大,但随温度、盐酸浓度和腐蚀浸泡时间的增加而减小。三种植物提取物的缓蚀效率排序为:NALE > ABLE > MYLE。

刘静等采用失重法和电化学方法研究了双子表面活性剂在1 mol/L HCl溶液中对锌的缓蚀性能,通过对吸附热力学和腐蚀动力学参数的计算,探讨了缓蚀机理。结果表明,[C12-4-C12im]Br_2在盐酸溶液中对锌具有较好的缓蚀作用,是一种混合型缓蚀剂。缓蚀率随着缓蚀剂加入量的增加而增大,随着温度的升高而减小。该缓蚀剂在锌表面的吸附符合Langmuir吸附等温式,吸附过程是自发的,同时兼有物理和化学吸附。

6.1.2　硫酸缓蚀剂

在硫酸溶液中,锌的缓蚀剂研究也是从无机缓蚀剂开始的,有氯化汞、碘化钾、溴化钾、氯化钾。20世纪60年代主要开发的缓蚀剂有酰胺类化合物、吖啶、菲啶、7,8-苯并喹啉、9-苯基吖啶、乌洛托品、草酸钠、草酸铵等。20世纪70年代开发的硫酸中用于锌的缓蚀剂有两大类:一是阳离子表面活性剂,主要是吡啶的季铵盐;二是含磷化合物、三苯基磷、二苯基磷化合物和不饱和二苯基磷化合物。颜肖慈等用失重法测试了纳米锌镀层和0#锌片在0.2 mol/L硫酸介质中的腐蚀性能。结果表明纳米锌镀层的耐腐蚀性要远优于锌片,且在一定的实验条件下,纳米锌镀层的腐蚀速率为一常数。

1. 阳离子表面活性剂

阳离子表面活性剂主要是吡啶的季铵盐(图6-1)。开发的有:1-丙基氯化吡啶鎓、1-己基氯化吡啶鎓、1-癸基氯化吡啶鎓、1-十六烷基氯化吡啶鎓、1-丙基-3-羟基氯化吡啶鎓等,它们除了具有阳离子表面活性外,尚具有优异的缓蚀性能。

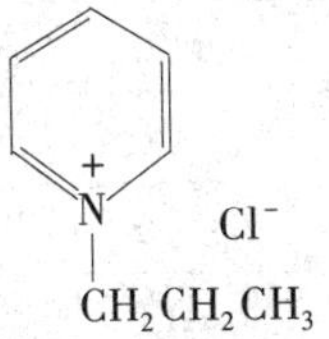

N^+　Cl^-
$CH_2CH_2CH_3$

图6-1　吡啶季铵盐

2. 含磷化合物缓蚀剂

在此处所研究的有三种有机磷化合物:三苯基磷、二苯磷化合物和不饱和二苯磷化合物(图6-2)。这三类化合物缓蚀结果分别列于表6-1至表6-3中。从实验结果可见,不饱和二苯磷化合物在浓度很低的情况下,不但没有缓蚀作用,反而有可能成为腐蚀促进剂。但是饱和的苯基及二苯基磷化合物在较低的浓度下,对0.05 mol/L稀硫酸中的锌具有优异的缓蚀性能。三苯基磷通过物理吸附后的表面屏蔽及过电位升高而呈现缓蚀作用,但此时在阴极已不再是H+质子,而只有磷离子出现。二苯磷化合物缓蚀机理在于两个磷原子与锌表面原子之间发生了螯合作用形成桥键。

$O{=}P(OH)(OC_{12}H_{25})(OC_{12}H_{25})$　　$O{=}P(OH)(OH)(OCH_2CH_2)_mOR$　　$O{=}P(OH)[(OCH_2CH_2)_mOR][(OCH_2CH_2)_mOR]$

图6-2　磷酸酯类分子式

表6-1　三苯基磷(TPP)对0.05 mol/L硫酸中锌腐蚀的影响

TPP浓度/(mmol/L)	缓蚀效率/%
0.38	71.4
2.1	93.4
2.9	97.8

表6-2　二苯磷化合物[$ph_2P-(CH_2)_n—Pph_2$]分子链长及浓度对0.05 mol/L硫酸中锌腐蚀的影响

二苯磷化合物分子中n数	浓度/(mmol/L)	缓蚀效率/%
1	0.02	22
	0.1	57
	1.0	89
2	0.01	44
	0.1	89
	1.0	95
3	0.01	89
	0.1	95
4	0.05	57
	0.5	76
	1.0	82
5	0.5	67
	1.0	74

表6-3　不饱和 phP-(CH_2═CH_2)-Pph 浓度对 0.05 mol/L 硫酸中 锌腐蚀的影响

不饱和二苯磷化合物	浓度/(mmol/L)	缓蚀效率/%
phP-(CH_2═CH_2)-Pph	0.3	89
	1.0	91
	2.5	95
phP-(CH_2═CH_2)-Pph	0.05	-71
	0.3	-31
	0.6	-18
	1.0	70

王睿等以四乙烯五胺、甲醛和亚磷酸为原料合成了有机膦酸类缓蚀剂,与磷酸二氢锌复配,考察了有机磷酸类缓蚀剂与磷酸二氢锌质量比、复配体系加量、腐蚀时间、腐蚀温度及体系 pH 值对复配体系缓蚀效果的影响。结果表明,单独使用有机磷酸类缓蚀剂缓蚀率为76.92%,将有机磷酸类缓蚀剂与磷酸二氢锌按质量比 3∶1 复配后,缓蚀效率可达96.59%,复配缓蚀剂还具有用量少、稳定性好、耐温抗盐性好等优点。

杜天保等采用稳态极化曲线和交流阻抗测试技术研究了环己基二炔氧甲基胺乙酸盐在硫酸介质中对铁的缓蚀机理与 Cl^- 的协同作用,发现这种炔氧甲基胺乙酸盐分子可以在铁的表面形成多中心吸附,在添加的缓蚀剂溶液中 Cl^- 优先吸附在电极表面,使电极表面带有过剩的负电荷,促进了炔氧甲基胺阳离子的吸附,从而提高了缓蚀剂的缓蚀效能。

3. 天然产物缓蚀剂

M. A. Shimaa 等利用葫芦巴种子提取物作为绿色腐蚀抑制剂,采用失重法和电化学方法研究锌在 2.0 mol/L 硫酸和 2.0 mol/L 盐酸中的腐蚀行为。扫描电子显微镜结果表明添加抑制剂后,锌的表面腐蚀得到减缓。光电子能谱分析表明腐蚀产物为 ZnO,验证了抑制剂的吸收机理。当添加 200 mL/L 葫芦巴提取物时,在硫酸溶液中腐蚀 1 h 和盐酸溶液中腐蚀 0.5 h 可得到最大抑制率,分别为 90.7% 和 66.6%。在 HCl 溶液中添加 I^- 时,由于协同作用可大幅度提高葫芦巴种子提取物对锌腐蚀的抑制率。动电位极化和 EIS 分析表明葫芦巴种子提取物对锌在盐酸中的腐蚀有抑制作用。添加葫芦巴种子提取物可降低腐蚀电流,增加电荷转移电阻。

近期发现表面活性剂如十二烷基磺酸钠、十六烷基三甲基溴化铵、十二烷基胺及聚乙二醇辛基苯基醚在硫酸介质中对锌有良好的缓蚀作用。

孙彩霞等主要通过静态失重挂片和动电位极化技术研究了 0.45 mol/L 硫酸中十六烷基三甲基溴化铵(CTAB)和溴代十六烷基吡啶复配后对 Zn 的缓蚀性能。极化曲线和静态失重法测试结果显示:复合后的缓蚀剂为混合型缓蚀剂,当溴代十六烷基吡啶的质量浓度为50 mg/L,CTAB质量浓度为200 mg/L时,在实验浓度范围内复合型缓蚀剂的缓蚀能力最好。

6.1.3 硝酸缓蚀剂

在20世纪50年代A. E. chester最早发现的硝酸溶液中锌用缓蚀剂是无机盐的混合物,其配方如表6-4所示。

表6-4 常见锌缓蚀剂配方

重铬酸钾	90份
硫酸钠	3~10份
亚硫酸钠	0.5~5份
甲酸钠	0~25份

这个缓蚀剂可以有效抑制硝酸对锌及锌铜合金的腐蚀。

后来很跃的时间内,芳香胺都被认为是硝酸中最好的缓蚀剂。M. N. Desai于1969年在*B. C. J*中提出邻甲氧基苯胺,邻氨基苯乙醚,邻甲氨基苯胺等。在这些苯胺化合物中乙氧基苯胺缓蚀效果最好。同年M. N. Desai又对邻、间、对硝基苯胺缓蚀效果进行实验,发现缓蚀效果间硝基苯胺>对硝基苯胺>邻硝基苯胺。1970年他又研究了苯胺、邻氯苯胺及氨茴酸的缓蚀效果。结果证明三种均较好,尤以氨茴酸最好。

林冬等采用正交实验方法对有机盐类、无机盐类和季铵盐类化合物进行复配得到一种硝酸介质中金属锌的优良缓蚀剂。利用失重法和电化学极化曲线法对该缓蚀剂进行了评价,并研究了金属腐蚀速率随缓蚀剂浓度、酸度、温度、时间等的变化趋势。实验结果表明,该复合缓蚀剂用量在0.5%,温度小于50 ℃,酸度小于7%时具有良好的缓蚀效果,该缓蚀剂为阴极型缓蚀剂。

刘明婧等采用电化学极化曲线和电化学交流阻抗方法考察了在20~50 ℃温度的质量分数为3%的硝酸中不同浓度的十二烷基苯磺酸钠(SDBS)对锌的缓蚀作用。实验结果表明,SDBS能够同时抑制阳极和阴极反应起到缓蚀作用。通过增加锌电极表面膜的电阻,降低膜的电容,增加膜表面的覆盖度提高对锌的保护。用塔菲尔斜率外推法处理数据获得了电化学参数E、I和缓蚀效率η,进而计算了动力学参数活化能。电化学交流阻抗方法可知锌电极表面膜电阻、电容与表面覆盖度,所得缓蚀率数据与电化学极化曲线所得数据相符。

6.1.4　氨基磺酸缓蚀剂

氨基磺酸对金属的腐蚀性低于盐酸、硫酸，但清洗时仍需要用缓蚀剂。在 20 世纪 60 年代，Crotty 和 E. Homer 发现肉桂醛、月桂醛和庚醛在氨基磺酸溶液中对锌有较好的缓蚀作用。在之后的一段时间，醛类都被认为是氨基磺酸中最好的缓蚀剂。1974 年，Boehm，Walter 提出氯化苄基酚对氨基磺酸介质中的锌有很好的缓蚀效果，并指出在高温下缓蚀剂仍表现出优良的缓蚀性能。到 20 世纪 80 年代，M. N. Desai 和 S. T. Desai 发现在氨基磺酸溶液中加入微量的茴香醛、肉桂醛和环己醇对锌有很好的缓蚀作用。

在 20 世纪 90 年代后期，R. T. Vashi 和 V. A. Champanefi 对邻、间、对硝基苯胺缓蚀效果进行实验，发现缓蚀效果对硝基苯胺 > 间硝基苯胺 > 邻硝基苯胺。同年 R. T. Vashi 和 V. A. Champanefi 又研究了甲苯胺和氯代苯胺的缓蚀效果。结果表明三种缓蚀剂效果均较好，尤以硝基苯胺最好。1998 年，R. T. Vashi 和 V. A. Champanefi 又提出对苯二胺四乙酸在氨基磺酸中对锌有一定的缓蚀作用。

在我国氨基磺酸介质中锌缓蚀剂的发展也非常迅速，用于船舶锅炉清洗的 89% 氨基磺酸，6% 柠檬酸、5% 二乙基硫脲配成的固体清洗剂，二乙基硫脲在其中是一种有效的缓蚀剂。用于氨基磺酸的其他缓蚀剂还有连炔丙基硫醚、5 - 苯酰炔丙基硫醇、乌洛托品 + 硫脲 + 铜盐、有机胺、硫脲、炔醇和无机盐类等。如添加浓度为万分之二的连炔丙基硫醚到 60 ℃浓度为万分之二的 10% 氨基磺酸中，有 95% 以上的缓蚀效率。

陈思宝等利用失重法研究了在不同浓度的氨基磺酸介质中不同浓度、温度的肉桂醛对锌的缓蚀和吸附作用。实验结果表明，在 5% 的氨基磺酸介质中肉桂醛对锌有良好的缓蚀作用，在低浓度时随肉桂醛浓度增大缓蚀作用加强，但是当其含量达到一定浓度后，缓蚀作用基本保持不变。根据结构理论分析了肉桂醛在锌表面上的吸附是产生缓蚀作用的重要原因，且肉桂醛在锌表面的吸附规律服从 Langmuir 吸附等温式。

6.2　碱性介质中的锌缓蚀剂

碱液中锌用缓蚀剂研究较少，只报道了个别杂环类有机化合物如三唑类衍生物在碱性介质中对锌有缓蚀作用。

近年来，对于亲水基为聚氧乙烯基—(CH_2CH_2O)的表面活性剂作碱锰电池锌电极代汞缓蚀剂的研究很活跃。聚氧乙烯基稳定性高，在水溶液中不电离，不易受强电解质无机盐或碱的影响。

卜雪涛等应用极化曲线、表面张力、放电实验和 SEM 等测试方法，研究了阴离子表面活性剂十二烷基苯磺酸钠（简称 SDBS）和非离子表面活性剂吐温 - 20（简称 Tween）之复配体系(简称ST)在碱性介质中对锌电极电化学性能的影响及其作用机理。实验表明,复配缓蚀剂ST具有比单一添加SDBS或Tween更高的缓蚀效率,并且二者具有明显的协同作用,Tween在复配体系中的作用是使活性物质于锌电极表面的临界胶团浓度显著降低,吸附分布更加均匀。从而可更有效的抑制锌电极腐蚀,改善锌电极的表观形貌,达到延迟钝化的效果,使活性物质利用率得到显著提高。

徐春艳等采用失重法研究了几种表面活性剂对锌在氢氧化钠溶液中的缓蚀作用。实验结果表明十二烷基苯磺酸钠是锌在10 mol/L氢氧化钠溶液中的缓蚀剂,而且缓蚀效果明显。十二烷基苯磺酸钠在锌表面吸附基本上符合Langmuir吸附等温式,且在锌的表面既发生物理吸附又发生化学吸附。加入十二烷基苯磺酸钠后,锌在氢氧化钠溶液中腐蚀反应的活化能增大,抑制了锌的腐蚀。另外,他还采用失重法研究了几种表面活性剂对锌在氢氧化钠溶液中的缓蚀作用。实验结果表明在10 mol/L的氢氧化钠溶液中十二烷基苯磺酸钠、三乙胺对锌具有缓蚀作用,而吐温80对锌在氢氧化钠溶液中没有缓蚀作用。

周合兵等用量氢法研究了$Pb(NO_3)_2$、十二烷基苯磺酸钠、十二烷基硫酸钠、六次甲基四胺,以及$Pb(NO_3)_2$和这三种有机缓蚀剂的分别组合抑制锌粉腐蚀的缓蚀效果,并与Hg的缓蚀效果做比较。实验结果表明,所研究的缓蚀剂及其组合对锌粉在碱性溶液中的腐蚀皆有不同程度的缓蚀作用,但是$Pb(NO_3)_2$和有机缓蚀剂单独使用时缓蚀效果比Hg差得多。当$Pb(NO_3)_2$和单个缓蚀剂一起使用时,缓蚀效果比Hg好得多。这表明,$Pb(NO_3)_2$与选用的各种廉价有机缓蚀剂有很强的协同作用。当$Pb(NO_3)_2$和有机缓蚀剂在碱性溶液中同时使用时,它们发挥各自的优势,弥补对方的不足,从而极大地提高了它们组合的缓蚀效果。

魏杰等利用收集气体和电化学方法研究了Zn在含亚油酸的质量分数为40%的KOH溶液中的腐蚀行为。收集气体实验结果表明,亚油酸减缓了Zn在质量分数为40%的KOH溶液中的腐蚀。用极化曲线测试法研究了在质量分数为40%的KOH溶液中亚油酸于锌-溶液界面的吸附行为,结果表明亚油酸在锌表面的吸附为化学吸附,且符合Flory-Huggins吸附等温式。极化曲线测试还表明亚油酸为混合抑制型缓蚀剂,其缓蚀作用为负催化效应。

林海斌等采用电化学方法、扫描电镜及组装实体电池放电测试等方法研究了硝酸铋[$Bi(NO_3)_3$]、十二烷基苯磺酸钠(SDBS)及由两者组成的复合添加剂对锌在3 mol/L KOH溶液中的电化学性能的影响,结果表明,所研究的添加剂均具有一定的缓蚀作用,但与单一添加剂相比,复合添加剂的缓蚀效率更高,这归因于复合添加剂之间的协同作用。这种协同作用表现在有硝酸铋存在的情况下,铋置换锌而覆盖在其表面,强化十二烷基苯磺酸根在锌表面的吸附,两者能发挥自身的优势,提高缓蚀效率。

刘开宇通过极化曲线的测定研究了锌电极在不同浓度碱液中的腐蚀行为和7种有机缓

蚀剂对锌电极电化学行为的影响。结果表明，碱液（KOH）浓度 6×10^3 mol/m^3 时，添加 0.5%（体积分数）的缓蚀剂（CSUT）一种羧甲基纤维素为基体的合成物，锌电极的致钝电位负移，致钝电流密度显著降低，钝化曲线范围增大，钝化电流密度下降，有很好的缓蚀效果。

曾康华通过析氢实验、Tafel 极化曲线和交流阻抗图研究了癸醇磷酸酯钾盐（A）、癸醇聚氧乙烯（3）醚磷酸酯钾盐（B）和癸醇聚氧乙烯（8）醚磷酸酯钾盐（C）三种缓蚀剂对锌在 KOH 溶液中的缓蚀作用，缓蚀剂 C 可使析氢量减至 33.1%，缓蚀效率可达 78.7%。缓蚀性能受缓蚀剂浓度和结构的影响。

Yoshizawa 等研究表面活性剂 $X—C_nF_{2n}Y—(CH_2CH_2O)_m—Z$ 在无汞碱性锌锰电池中的缓蚀作用。式中，X 为 H 或 F；Y 为 $C_2H_4OCH_2CH_2CH(OH)$；Z 为 CH_3、PO_3W_2 或 SO_3W（W 碱金属）；n 为 4～14 的整数，m 为 20～100 的整数。

这种缓蚀剂因其亲水基为—$O(CH_2CH_2O)$—，在碱性电解液中溶解性好，在锌表面的吸附速率快。其疏水基为碳氟链，电绝缘性较好，可在锌表面形成疏水性的单分子层，防止锌的腐蚀。

李海莹等通过电化学分析法，如失重法、塔菲尔极化曲线法、交流阻抗法等分析研究三种席夫碱基季铵盐型双子表面活性剂（D1、D2、D3）对锌电极电化学性能的影响，利用 X 射线光电子能谱（XPS）和扫描电子显微镜（SEM）研究在 6 mol/L KOH 电解液（饱和 ZnO）浸泡 48 h 后，锌片表面的成分和形貌。结果室温下，缓蚀率随席夫碱基季铵盐型表面活性剂浓度升高而增加，当浓度进一步增大，缓蚀率变化不大。三种席夫碱基表面活性剂中，D3 缓蚀能力最强，缓蚀效率最高达 95.67%，抑制腐蚀的效果顺序为：D3 > D2 > D1，属于抑制阳极型缓蚀剂，改善了碱性锌电极的电化学性能，D1、D2、D3 适合作为碱性锌电池的缓蚀添加剂。

6.3　典型的锌缓蚀剂

6.3.1　六元杂环类缓蚀剂

1. 喹啉及其衍生物

M. S. Abdel 等研究了喹啉（Q）、8 - 羟基喹啉（HQ）、苯并[f]喹啉（BQ）在 0.1 mol/L HCl 介质中对锌的缓蚀性能，结果表明，喹啉在任一浓度下，对锌均有缓蚀作用；BQ 在浓度大于 10^{-4} mol/L 时有缓蚀作用，而 HQ 在任一浓度下都会加速锌的腐蚀，见表 6 - 5。

表 6-5　喹啉类缓蚀剂在 0.1 mol/L HCl 介质中的缓蚀效率

缓蚀剂	结构式	缓蚀剂浓度/(mol/L)	缓蚀效率/%
喹啉	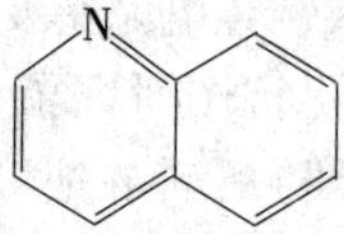 N	$5\times10^{-4}\sim10^{-3}$	82.7~95.8
8-羟基喹啉	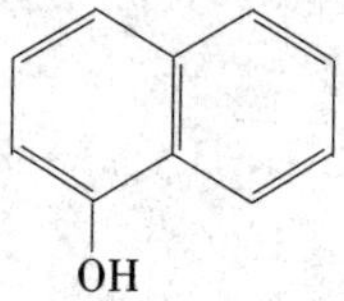 OH	—	—
苯并[f]喹啉	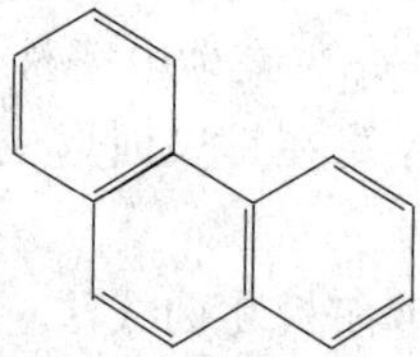	$5\times10^{-4}\sim10^{-3}$	80.3~85.1

王佳等采用失重法和电化学方法研究了异喹啉在 0.8 mol/L 盐酸中对锌的吸附及缓蚀作用、吸附热力学和吸附动力学。结果表明,随异喹啉浓度增大,缓蚀率增大,当浓度增大到 1 g/L 后,缓蚀率达到最大值。随温度升高,吸附系数减小,缓蚀率降低。吸附过程是放热过程,$\Delta H^{\ominus}=-30.27$ kJ/mol。吸附过程熵值减小,且随温度升高,熵变下降。加入异喹啉后腐蚀电流明显减小,过程活化能由 3.29 kJ/mol 升高至 25.56 kJ/mol。异喹啉明显抑制阴极过程,是一种阴极型缓蚀剂。

韩桃庆等利用电化学阻抗、红外光谱、电镜等方法研究了 8-羟基喹啉改善环氧富锌涂层性能的作用。在环氧富锌涂层中用 5% 的 8-羟基喹啉替代锌粉后,锌粉溶解反应的电荷转移电阻增加,且锌粉/溶液界面双电层电容降低,表明锌粉的反应过程被抑制,虽然涂层中锌粉的含量有所降低,但是锌粉的阴极保护作用时间却明显延长。另一方面,8-羟基喹啉改性后的环氧富锌涂层的电阻升高,电容降低,涂层孔隙率 P 降低,涂层的屏蔽性增强。上述两方面的作用,可以显著改善涂层的保护性能,延长涂层寿命。

2. 吩噻嗪及其衍生物

M. S. Abdel-aal 等对吩噻嗪(图 6-3)及其衍生物在 0.5 mol/L NH_4Cl 溶液中对锌的缓蚀性能进行了研究发现,吩噻嗪类化合物通过分子中的 N、S 原子与锌表面发生化学吸附,表现出一定的缓蚀作用。金属锌表面带有负电荷,从理论上讲,吩噻嗪易于在锌表面上吸附,缓蚀作用较强。而试验结果表明,当吩噻嗪碳环上分别连接—F、—CH_3 和—OCH_3 基团时,缓蚀效率仅为 21.8%~33.9%。这可能是由于锌的电极电势较负,使带正电的吩噻嗪转变成中性分子,从而使吸附作用减弱。

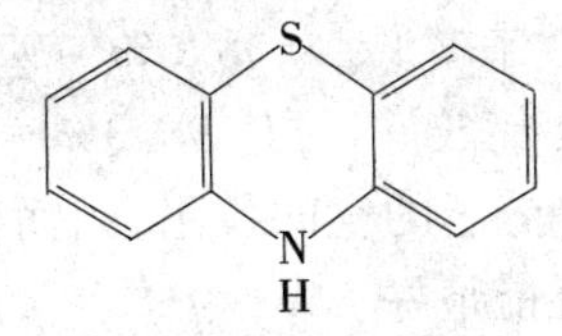

图6-3　吩噻嗪

3. 吡啶及其衍生物

吡啶衍生物主要有2-乙烯基吡啶、2-乙酰吡啶、2-氨基-4-甲基吡啶、2-氨基-3-甲基吡啶、2-氨基-5-甲基吡啶、2-氨基-6-甲基吡啶、3-氨基吡啶、2-氨基吡啶、4-氨基吡啶、3-氰基吡啶、2-氯吡啶、4-氰基吡啶、2,6-二氨基吡啶、2,6-二氯吡啶、2,6-二甲基哌啶、4-二甲氨基吡啶、2-乙醇哌啶、2-乙基吡啶、4-乙基吡啶、4-吡啶羧酸、2-(2-甲氧基)吡啶、2,6-二甲基吡啶、4-(4-甲基哌啶)吡啶、3-吡啶羧酸(烟酸)等。苄基吡啶季铵盐与甲醛混合使用,苄基吡啶季铵盐与六次甲基四胺并用,在高温下的缓蚀效果都非常好。N-乙烯基吡啶聚合物是铁在盐酸溶液中的优良缓蚀剂,烷基吡啶铺黄原酸盐也是优良的酸洗缓蚀剂。

颜肖慈等研究了溴化十六烷基吡啶和吡啶及其甲基衍生物在硫酸介质中对纳米锌镀层和0#锌片的缓蚀性能。其中溴化十六烷基吡啶和3-甲基吡啶的缓蚀性能较好。并用密度泛函B3LYP方法和Onsager溶剂化模型,在6-31G*水平上优化了溴化十六烷基吡啶、3-甲基吡啶和4-甲基吡啶分子的几何构型,用其电子结构数据探讨了它们的缓蚀机理。

孙彩霞等主要通过静态失重挂片和动电位极化技术研究了0.45 mol/L HCl中十六烷基三甲基溴化铵(CTAB)和溴代十六烷基吡啶复配后对Zn的缓蚀性能。极化曲线和静态失重法测试结果显示,复合后的缓蚀剂为混合型缓蚀剂,当溴代十六烷基吡啶的质量浓度为50 mg/L,CTAB质量浓度为200 mg/L时,在实验浓度范围内复合型缓蚀剂的缓蚀能力最好。王佳等采用失重法研究了在0.8 mol/dm^3 盐酸中,盐酸吖啶和溴代十六烷基吡啶对锌的缓蚀作用,求得相关吸附热力学参数。结果表明二者均对锌表现出较强的缓蚀作用,盐酸吖啶在锌表面的吸附属于放热反应,而溴代十六烷基吡啶在锌表面的吸附属于吸热反应。

6.3.2　五元杂环类缓蚀剂

1. 吡咯(图6-4)衍生物缓蚀剂

E. Stupnisek用电化学法和重量分析法研究N-芳基吡咯在盐酸溶液中对锌的缓蚀性能。N-芳基吡咯是无毒化合物,在许多天然物中均含有N-芳基吡咯。芳基吡咯类化合物在0.5 mol/L HCl中对锌有优良的缓蚀性能,最佳缓蚀剂浓度为5×10^{-4} mol/L。在

20 ~ 40 ℃,吡咯环上含有一个醛基的 N – 芳基吡咯缓蚀性能较好,可达 86.0% ~99.3%,含有两个醛基的 N – 芳基吡咯缓蚀效率略低,为 38.6% ~97.7%。而在 60℃时,吡咯环上含有两个醛基的 N – 芳基吡咯缓蚀性能较好,可达 98.3% ~99.1%。研究还发现,当苯环上含有 – Cl、– CH_3 取代基时,增加了分子的空间位阻,因而苯环上不含取代基的 1 – 苯基 – 2,5 – 二甲基吡咯 – 3 – 甲醛缓蚀性能最好。

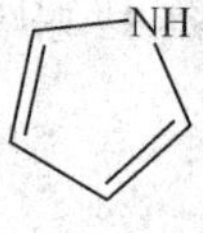

NH

图 6 – 4　吡咯

2. 咪唑衍生物缓蚀剂

咪唑(图 6 – 5)是含有两个氮原子的五元杂环化合物,其中一个与吡咯环上的氮原子类似,另一个与吡啶环上的氮原子类似,因此,咪唑兼有二者的一些特性。咪唑环上的 sp2 杂化的氮原子的孤对电子、两个碳原子之间的双键、咪唑环都可与金属表面形成配键,因此,咪唑是一种潜在的有效缓蚀剂。E. Stupnisek – liasc 研究了咪唑衍生物在 1 mol/L HCl 介质中对锌的缓蚀作用,最佳缓蚀剂浓度为 0.01 mol/L,其中 4 – 甲基咪唑 – 5 – 甲醛缓蚀效率最高,在 60 ℃条件下可达 86.4%。几种衍生物的缓蚀顺序如图 6 – 6 所示。

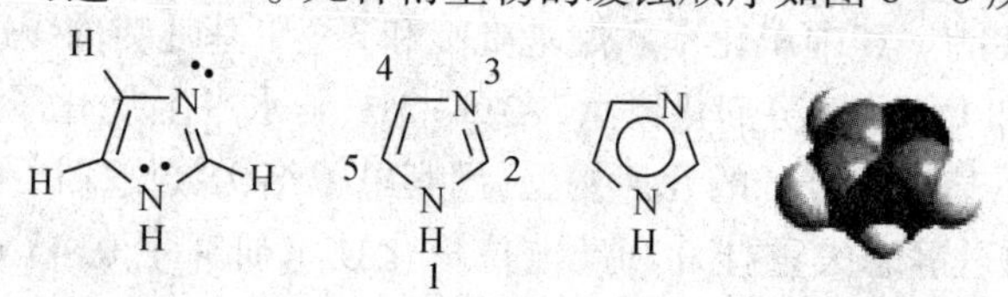

图 6 – 5　咪唑结构式

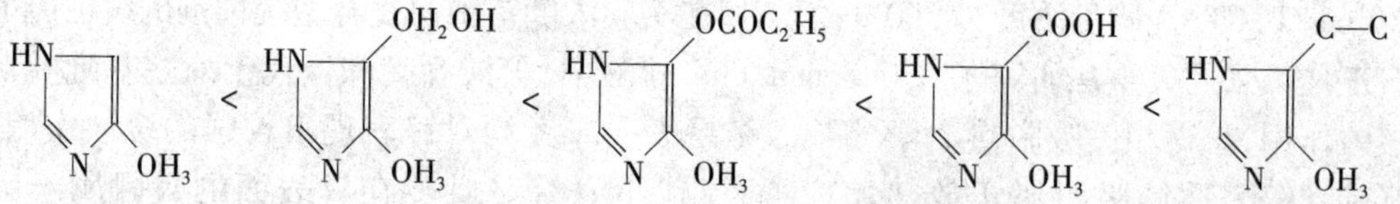

HN　<　HN　OH₂OH　<　HN　OCOC₂H₅　<　HN　COOH　<　HN　C—C

图 6 – 6　常见咪唑化合物的缓蚀能力

胡莲跃等采用失重法、电化学测试及量子化学计算方法研究 6 – 硝基苯并咪唑在 KOH (0.1 mol/L)溶液中对 Zn 的缓蚀性能。结果表明,6 – 硝基苯并咪唑能有效抑制锌的阳极氧化,从而抑制 Zn 在碱液中的自腐蚀,属于阳极型缓蚀剂;当 6 – 硝基苯并咪唑浓度为 5 mmol/L 时缓蚀效果最佳,其效率达到 96.8%;6 – 硝基苯并咪唑在锌表面的吸附符合 Langmuir 吸附等温式。

刘婉等以松香和羟乙基乙二胺为主要原料合成松香咪唑啉缓蚀剂。通过静态失重法测试了咪唑啉季铵盐在矿化水和含质量分数为0.08%的HCl的矿化水中的腐蚀情况，结果表明，该缓蚀剂更适用于酸性介质，当缓蚀剂加量为150 mg/L时，缓蚀效率达到72%，测试了在质量分数为0.08%的HCl的矿化水中电化学行为，表明缓蚀剂主要抑制阴极腐蚀；通过线性模拟，表明了该缓蚀剂在金属表面的吸附符合Langmuir吸附等温式，$\Delta G<0$ 在金属表面的吸附自发进行，吸附类型主要为物理吸附。

张胜涛等采用失重法、电化学方法等研究了0.1 mol/L KOH溶液中苯并咪唑对锌的缓蚀性能。结果表明，苯并咪唑能有效抑制锌的阳极氧化，从而抑制锌在碱液中的自腐蚀，属于阳极型缓蚀剂，当苯并咪唑浓度为10.0 mmol/L时缓蚀效果最佳，缓蚀效率可达96.68%，苯并咪唑在锌表面的吸附符合Langmuir吸附等温式。

3. 吡唑衍生物缓蚀剂

裴玲等通过量子化学计算中的密度泛函理论（DFT）/B3LYP方法在6－311＋G（d，p）水平上对3种新型双吡唑衍生物5，5′－二甲基－4－乙酯基－1′氢－1，3′－二吡唑（Bipl）、1，1′，5，5′－四甲基－1氢－3，3′－二吡唑（Bip2）和3－（溴甲基）－5，5′－二甲基－1－氢－1，3′－二吡唑（Bip3）的缓释性能与结构关系进行了研究。用Fukui指数分析了分子中反应活性位点。结果表明全局活性参数最高占据轨道能量（EHOMO）、偶极矩（μ）、电负性（X）及电子转移数（ΔN）与缓释性能有良好的关系。缓蚀性能的理论评价结论与实验结果相吻合。

当含氮或含硫的有机化合物上连有给电子基团时，氢在金属上的过电位提高，金属的腐蚀速度降低。研究了吡唑类化合物在0.6 mol/L HCl介质中对锌的缓蚀性能。其结构式如图6－6所示。

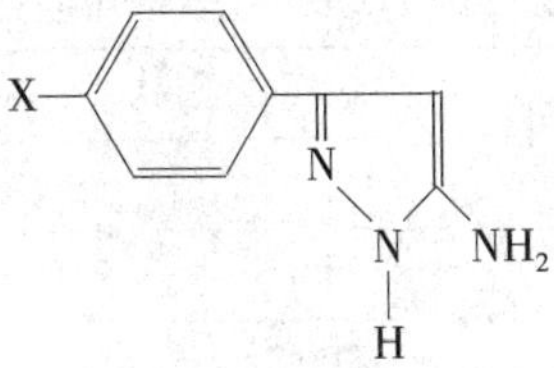

X
N
N　NH$_2$
H

图6－6　吡唑类化合物

图6－6中，X＝H（PP）、CH_3（MePP）、OCH_3（MeOPP）、Cl（ClPP）。

氨基吡唑环上的7个氮原子的孤对电子能与金属原子配位，从而对金属表现出一定的缓蚀作用，当吡唑环上连有苯环时，特别是当苯环上连有给电子基团—CH3、—OCH3时，吡唑环上的电子云密度增加，与金属的配位能力增强，缓蚀作用增强。虽然—Cl是吸电子基团，—Cl的存在使吡唑环上的电子云密度降低，但—Cl能够在电极表面优先吸附，缓蚀剂分子活性中心增加，因而表现出更高的缓蚀效率，ClPP的最高缓蚀效率可达89.3%。缓蚀效率大小顺序为：ClPP＞MeOPP＞MePP＞PP。

对其中四种吡唑衍生物进行了缓蚀实验。吡唑类衍生物通式如图 6－7 所示。

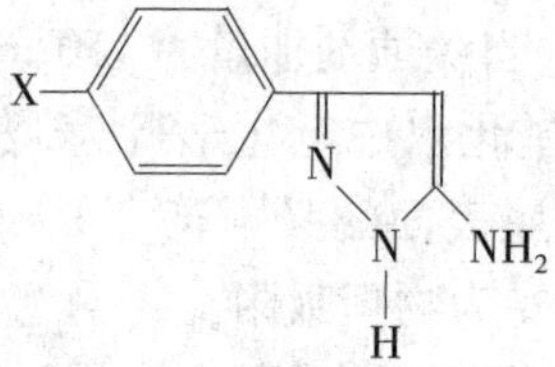

如　X = H 则是苯基吡唑（PP）

X = CH_3 则是甲苯基吡唑（MePP）

X = CH_3O 则是甲氧基苯基吡唑（MeOPP）

X = Cl 则是氯苯基吡唑（ClPP）

图 6－7　其他吡唑衍生物

吡唑类化合物缓蚀实验结果如表 6－6 和表 6－7 所示。

表 6－6　苯基吡唑（PP）对 0.06mol/L 盐酸溶液中锌腐蚀的影响

苯基吡唑（PP）浓度/（mol/L）	缓蚀效率/%
1×10^{-5}	14.7
1×10^{-4}	39.7
1×10^{-3}	76.8
1×10^{-2}	80.0

表 6－7　吡唑衍生物对 0.06 mol/L 盐酸溶液中锌缓蚀效率的比较

缓蚀剂	缓蚀效率/%
苯基吡唑（PP）	76.9
甲苯基吡唑（MePP）	84.5
甲氧基苯基吡唑（MeOPP）	89.0
氯苯基吡唑（ClPP）	89.8

由实验结果可见，随着缓蚀剂苯基吡唑（PP）浓度的增加，缓蚀效率增大。对于几种不同取代基的吡唑衍生物，缓蚀效率的顺序是：ClPP > MeOPP > MePP > PP。

曹琨等运用吸附模型和量子化学的方法研究了 1－苯基－3－甲基－5－吡唑啉酮（PMP）和 1－苯基－3－乙酯基－5－吡唑啉酮（PCP）作为酸洗缓蚀剂在 1 mol/L 盐酸中对锌的缓蚀机理。通过与吸附等温式拟合，该缓蚀剂在碳钢表面吸附过程符合 Langmuir 吸附等温线。通过量子化学半经验算法 PM3 及从头算法 6－31G * 得到的量子化学参数：最高占有分子轨道能量(EHOMO)、最低分子空轨道能量(ELUMO)、能差(ΔE)以及偶极距(μ)说明,PMP 和 PCP 酮通过与碳钢表面铁原子作用形成配位键和反馈键,在碳钢表面形成一层吸附膜,减缓腐蚀反应的发生。

H. Luo 等研究了盐酸介质中胺和苯胺对低碳钢的缓蚀作用。结果表明,胺和苯胺与卤素离子具有协同缓蚀作用,在酸性介质中卤素离子对金属铁溶解反应的抑制能力依次为 $I^- > Br^- > Cl^- > F^-$。

4. 三唑类衍生物(图6-8)缓蚀剂

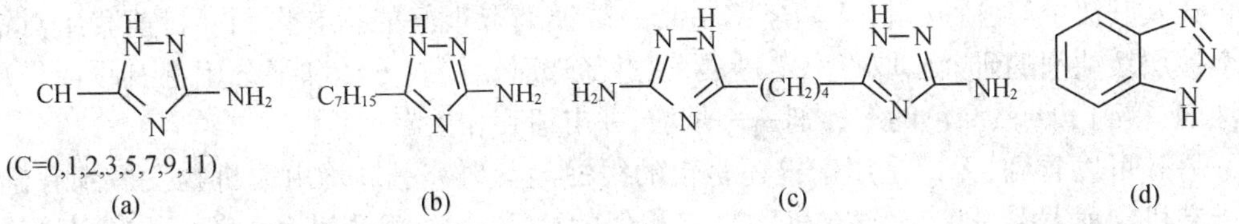

(C=0,1,2,3,5,7,9,11)

(a)　(b)　(c)　(d)

图6-8　三唑类衍生物

(a)AAT;(b)AHT4;(c)BAT4;(d)BT

研究三唑类衍生物在不同 pH 值下对锌的缓蚀作用。结果表明 AAT(n=7~9)和 BAT4 缓蚀效果较好。碳链长度是影响缓蚀效率的主要因素,AAT 在烷基碳原子数小于7时,缓蚀效率随着碳原子数的增大而提高;而在烷基碳原子数大于9时,缓蚀效率又随碳原子数增大而降低。这是因为随着碳氢链长度增大,AAT 分子的疏水性增强而溶解性减小。疏水性强则阻挡与腐蚀有关的物质的能力增强,缓蚀效果应提高;而溶解性减小则在锌表面的吸附能力减小,当溶解性太小,以致 AAT 不能在锌表面生成超过一个单分子层厚度的保护膜时,缓蚀效果降低,所以 AAT 的烷基碳原子数有最佳值。

柳松等研究了苯并三氮唑(BTA)和磷酸钠(Na_3PO_4)对锌的协同缓蚀,发现在质量分数为17%的输送介质四丁基溴化铵(TBAB)中,BTA 和 Na_3PO_4 的添加都抑制了锌的腐蚀,并且缓蚀率随着缓蚀剂质量浓度的增大而提高,二者复配添加后,缓蚀效率达到93%以上。文章还结合 X 射线光电子能谱与扫描电镜对复配物的缓蚀机理进行了讨论,结果表明二者有很好的协同作用,Na_3PO_4 在锌表面形成 ZnO、$Zn(OH)_2$ 和 $Zn_3(PO_4)_2$ 保护层,BTA 吸附在保护层表面或者镶嵌在保护层内部,阻止了金属与腐蚀介质的接触,起到很好的缓蚀作用。王新葵等通过测试锌电极在不同浓度的苯骈三氮唑(BTA)溶液中的极化曲线、滴汞电极的微分电容曲线,考察了 BTA 对金属锌的缓蚀性能。并测定了 BTA 浓度对金属锌缓蚀效率的影响,确定了其作为缓蚀剂使用的最佳浓度值。实验证明,BTA 对金属锌具有很好的缓蚀作用。

6.4 铝缓蚀剂研究对比分析

通过对比锌、铝的缓蚀剂其研究进展可以看出:随着 pH 值变化,锌、铝的腐蚀情况十分相似,缓蚀剂的选择有很多共同点。尤其是在盐酸和硫酸缓蚀剂中,硫脲、胺类、氮苯化合物、有机磷化合物、水果果皮提取液等均有较好的缓蚀效果。这对筛选锌、铝、锌铝合金、铝锌合金及其镀层等各种材料及其金属制品的缓蚀剂有很好的指导作用。目前我组对铝锌合金镀层缓蚀剂的研究已取得一定进展,通过筛选对镀层组分锌和组分铝都有缓蚀作用的缓蚀剂,得到了天然绿色的缓蚀剂——烟酸,并申请到相关专利。

另外可以看到,无论是用于锌还是铝的缓蚀剂其研究进展均由无机物发展到有机物。由于有机物种类多,同一大类有机物具有相似的性质,一旦发现某一种有机物具有缓蚀效果。可以通过改变有机物某一部分结构来达到调整缓蚀效果的目的,从而得到一类具有缓蚀效果的物质。同时,在缓蚀剂研究过程中可以发现有由研究单个化合物缓蚀效果转向研究整类化合物缓蚀效果的趋势。缓蚀剂研究已经不再单纯是仅仅找出有缓蚀效果的物质,而是通过分析一类具有缓蚀效果的物质,比较缓蚀效果,分析其工作机理,总结规律,以指导进一步的工作。

对比缓蚀剂在锌、铝表面的作用机制可以发现,用于锌、铝的缓蚀剂有三类:吸附型缓蚀剂、扩散型缓蚀剂、表面变化型缓蚀剂。对于吸附型缓蚀剂,缓蚀剂分子主要通过物理吸附及共价键的化学吸附,在分子表面形成牢固的吸附膜,将介质与金属隔离开来,从而抑制金属的腐蚀.其中有含氮的有机物(胺、亚胺、腈、偶氮化合物等)、含硫化合物(硫脲、硫醇、噻吩及衍生物等)、含氧有机化合物(醛、丁醇、癸二酸盐、酯、酮等及衍生物等)均属于吸附型缓蚀剂,这种缓蚀剂主要适用于酸性介质。对于扩散型缓蚀剂,缓蚀剂分子作用于金属的全表面,使局部微电池内的电阻增大,腐蚀电流降低,铝的腐蚀受到抑制。动物胶、阿拉伯胶、海藻酸钠、琼脂等高分子有机物均属于这个类型,扩散型缓蚀剂主要适用于碱性介质,对于表面变化型缓蚀剂,与金属进行化学反应,反应物覆盖于金属表面上,如铬酸盐、硅酸盐、磷酸盐等无机化合物均属于这一类型,表面变化型缓蚀剂主要适用于中性介质.另外,具有螯合作用的一些有机化合物,如铜铁灵、甘氨酸、羟基喹啉等衍生物等均属于表面性缓蚀剂。它们与金属进行反应生成螯合物,覆盖于金属的表面上,也可以抑制碱性介质中的金属的腐蚀。金属锌和金属铝均属于两性金属,其化学性质和原子结构中有很多相似的地方,但也有不同。可以运用微观分析(如扫描电子显微镜技术)、量子化学计算手段,研究缓蚀剂在金属表面的吸附行为,总结规律,从而作为缓蚀剂筛选的原则,指导缓蚀剂的选取和分子设计。减少盲目性。同时,利用金属锌、金属铝缓蚀剂的相似点筛选同时对两种金属有缓蚀效果的缓蚀剂,以实现对锌铝合金以及锌铝合金制品缓蚀剂筛选的突破。缓蚀剂研究在追求高效的同时还逐渐向着无毒、绿色、环保、经济的方向发展,从用于锌和铝的缓蚀剂发展的历程中可以看到。有毒或污染环境的缓蚀剂已经逐渐被人们所摒弃,而逐渐取代其地位是一些环境友好的缓蚀剂。

20世纪末陆续有人从天然植物或农副产品中提取缓蚀剂,或是从一些产品生产的原料或下脚料中提取有用物质作为缓蚀剂。具有原料广、成本低、提取工艺简单、无毒无污染等优点。但不足的是,缓蚀剂的工作机理虽有初步探讨,但还没有形成完整的理论体系来指导缓蚀剂的选取.应考虑基团的电子效应及空间效应、疏水链亲水链长度、电荷性质等因素,设计缓蚀效率高的缓蚀剂。将结构和性质上具有互补性的不同化合物复配。实现协同缓蚀作用是一个重要的研究方向。另外,对比锌、铝缓蚀剂后发现,已有锌及锌合金缓蚀剂的范围相对比较狭窄,还应进一步研究。

参考文献

[1] 王火喜, 俞英. 新型咪唑化合物的合成及缓蚀性能测试[J]. 中国石油大学学报(自然科学版), 2000, 24(6): 52 - 54.

[2] 李和平, 裴丽英, 廖建国. 水溶性咪唑啉酮类缓蚀剂的合成及性能研究[J]. 电力科学与技术学报, 2000, 15(2):74 - 75.

[3] 马淑云. 苯并三氮唑的合成与应用[J].辽阳石油化工高等专科学校学报, 2001, 17(2):8 - 11.

[4] 潘碌亭, 肖锦. 异喹啉季铵盐缓蚀剂 FIQC 在盐酸中长效缓蚀机理的探讨[J]. 腐蚀与防护, 2002, 23(11): 482 - 483.

[5] El - MELIGI A A, TURGOOSE S, ISMAIL A A, et al. Technical note Effect of corrosion inhibitors on scale removal during pickling of mild steel[J]. British Corrosion Journal, 2013, 35(1):75 - 77.

[6] 术冠南. 硫酸介质中各类表面活性剂在锌表面上的吸附及其缓蚀作用[J]. 化学清洗, 1999, 15(1): 1 - 3.

[7] 顾浚祥, 林天辉, 钱祥荣. 现代物理方法及其在腐蚀科学中的应用[M]. 北京:化工出版社, 1990.

第7章　环境友好缓蚀剂的制备与应用

广义上讲,作为环境友好缓蚀剂不仅要求其最终的产品对环境无毒、无害,而且在缓蚀剂的合成制备及使用过程中也应该尽可能减小对环境的影响并降低生产成本。这里面包括合成原料的选择、工艺条件的优化以及使用过程中采用复配增效技术。

在缓蚀剂的原料选择上,应尽可能选择价廉低毒的材料或利用医药、化工、食品等工业副产物为原料合成制备缓蚀剂,如采用环己烷液相氧化制环己酮后产生的皂化废碱液为原料,可以合成酸性黑油咪唑啉水处理缓蚀剂。通过水解油菜籽粕制取酸洗缓蚀剂,直接从天然产物中提取具有缓蚀能力的有效组分,或对其进行改性处理也是合成制备环保型缓蚀剂的重要途径之一。许多天然动植物产品都可以用来提取缓蚀剂组分,这样不仅满足了环境保护的要求,同时也变废为宝,实现了资源的充分利用。有时单纯的天然产品提取物不能充分满足材料腐蚀防护的要求,人们常对其进行一定的改性处理,以便生产制备高(长)效环境友好缓蚀剂。

在缓蚀剂的发展历程中,天然产物及制品曾作为最早的有机缓蚀剂得到应用,其后经历了大规模的人工合成阶段。现在缓蚀剂的开发又回复到天然制品,这一过程绝不是简单地重复,而是一种螺旋式的上升,包含了更加丰富和深刻的内容。体现了否定之否定规律和人们对缓蚀剂科学更为深入的认识。在缓蚀剂的生产制备上,应该尽可能优化工艺条件,改进合成路线,减少对环境危害性大的工业副产物。

膦酸基羟乙酸(HPA)是90年代初开发的具有缓蚀效果好、低毒、无结垢特性的新型低膦系列有机膦羧酸型水处理剂,但是膦酸基羟乙酸合成路线复杂,反应条件苛刻,并且反应过程中涉及剧毒的氰化物,极易造成环境污染。而最新报道的合成路线以二烷基亚磷酸酯和乙醛酸为原料,经一步反应得到膦酸基羟乙酸,产率可达70%左右,反应条件温和,生产操作易控、无毒,对环境没有污染。

根据金属腐蚀体系的特征,在缓蚀剂的使用过程中采用复配增效技术,可以充分发挥各种成分的协同作用。降低对环境危害大的缓蚀剂的使用量,提高缓蚀剂的缓蚀效率。锌盐是循环冷却水系统缓蚀剂的一种重要组分,但是在水中过量排放会造成环境的重金属离子富集。为减少冷却水系统中Zn^{2+}的排放量,Farroqi等通过环境友好的抗坏血酸与水质稳定剂DQ-2000(氨基三甲基膦酸)和DQ-2010(1-羟乙基-1,1-二膦酸)复配使用,极大降低了Zn^{2+}的排放量。可见,缓蚀剂复配增效技术的研究开发无疑具有重要的经济和环境意义。

7.1　环境友好缓蚀剂的分子设计

广义上讲,作为环境友好缓蚀剂不仅要求其最终的产品对环境无毒、无害,而且在缓蚀剂的合成制备及使用过程中也应该尽可能减小对环境的影响并降低生产成本,这里面包括合成原料的选择、工艺条件的优化以及使用过程中采用复配增效技术。

缓蚀剂通常是一些结构经特别设计的化合物,选择合适的缓蚀系统不仅依赖于缓蚀剂本身的结构这一内因,而且也依赖于缓蚀剂使用的环境、金属的表面状态以及操作的条件等外部因素。在这些因素里,缓蚀剂的结构常是决定缓蚀效果好坏的先导条件,所以缓蚀剂的分子设计也是缓蚀理论的发展方向。长期以来,缓蚀剂的设计主要是依靠实验和经验的方法而缺少必要的理论指导,但是近年来理论研究的进展为缓蚀剂的设计工作提供了方向,从而使得研究缓蚀剂的 QSAR 关系并根据其制备合成环境友好缓蚀剂成为可能。研究缓蚀剂的 QSAR 关系主要是为了建立所研究的缓蚀剂的性质(活性)和描述参数即独立变量的数学关系,这些描述参数是一些从实验或者物质分子结构上所获得的物理化学特性信息,如分子量、密度、生成能、分子表面积、分子连接指数、物质在非极性溶剂中的相对溶解度等。

利用 QSAR 模型可以为环境友好缓蚀剂的设计提供具有科学性及适用性的方法,但是其不足之处是需要大量的化合物或样本数,同时由于受到的制约因素较多,有时难于反映客观实际。

文献中公布的方法有 Pearson 软硬酸碱理论、线性自由能关系(LFER)或 Hammett 方程、量子化学方法、灰色聚类分析和神经网络复杂建模。但是选择设计环境友好缓蚀剂不但要考虑缓蚀效果,还必须兼顾其生物活性以及通用性生物活性。常用 LC50 值即有机物对实验生物的半数致死浓度来衡量。

7.2　问题与挑战

绿色化学技术的环境友好缓蚀剂的应用开发在近十几年来取得了不少有价值的成果,但是仍面临着一些亟待解决的问题。

7.2.1　用量较大,成本偏高

较之目前工业中正在使用的缓蚀剂,许多已开发的环境友好缓蚀剂需要较大的剂量才能够达到生产上要求的缓蚀效果,这就在无形中提高了生产处理成本,从而降低了产品的竞争力。

7.2.2 理论不完善

虽然环境友好缓蚀剂从分子设计、合成路线与工艺、复配增效和应用性能等方面都取得了较大发展,但是其理论进展仍远滞后于实践,对于不少缓蚀剂的缓蚀机理尚存争议。

7.2.3 评价标准不统一

环境友好缓蚀剂是一个综合的概念,对其评价应该包括从缓蚀性能、原料选择、生产合成、实际应用到废弃回收等全部系统指标,但是目前进行的工作往往只是针对其中的某个(些)方面。

7.3 缓蚀剂研究的发展趋势

基于绿色化学的观念,从有毒缓蚀剂的替代品开发、复配增效、合成路线、应用性能等方面出发,综合评价和认识缓蚀剂应用开发的环境负荷及经济效益是缓蚀剂及其技术发展的方向。

7.3.1 有毒缓蚀剂的替代品开发

为降低缓蚀剂在使用过程中对环境和人类造成的危害,人们在有毒缓蚀剂的替代品开发方面做了大量工作。铬系缓蚀剂是常用的钝化膜型缓蚀剂,但由于 Cr^{6+} 对人体产生长远危害,以聚磷酸盐为主要成分的缓蚀剂磷系配方逐渐取代了铬系配方。后来发现高浓度磷酸盐能引起水源的富营养化,20 世纪 70 年代初开发了低磷酸盐、高 pH 值的碱性水处理方法,磷系水处理缓蚀剂完成了从无机磷酸盐到有机多元磷酸酯、有机多元膦酸的过渡。有机多元膦酸具有良好的化学稳定性、不易水解能耐较高的温度,药剂量较小,并同时具有缓蚀和阻垢性能。为进一步降低磷的排放量,又开发了膦羧酸缓蚀剂,如 2 - 羟基膦基乙酸,在低硬度、低碱度、强腐蚀性介质中缓蚀性能十分优异。

S - 羧乙基硫代琥珀酸是近年来为满足环保要求而出现的新型非磷缓蚀剂,其生物降解性好、低毒、溶于水,在宽 pH 值范围内均具有缓蚀和阻垢性能,应用前景广阔。Salch 等从保护生态环境考虑,探索从天然植物中提取缓蚀剂的有效组分工作,试验获得初步成功。以钢为例,在盐酸溶液中,杧果皮提取物物缓蚀效率为 82%,柑橘皮及芦荟叶提取物为 80%,石榴皮提取物为 65%。陶映初等先后发表了从茶叶、花椒、果皮中提取缓蚀剂有效组分的文章;从芦苇、水莲叶、茎提取缓蚀剂有效组分取得较好的结果,研制出 LK - 45 酸浸钢材用缓蚀剂。郭稚弧从黄檗、橘皮、黄芩等天然植物中成功提取了缓蚀剂有效组分。

近年来,微生物的缓蚀作用逐渐引起了人们的注意。Hemandez 等研究发现微生物假单胞菌和黏质沙雷氏菌在模拟海水中对低碳钢有缓蚀作用,但该缓蚀作用只局限在模拟海水中,转移到天然海水两周后缓蚀作用消失,因为天然海水中很难控制菌种的纯度、海水流速、水温及其他外来干扰物等不稳定因素。Hansen 等研究发现,紫贻贝产生的蛋白质对防腐蚀有积极影响。苏联 Markin 等也发现,微生物存在与否对缓蚀剂的有效浓度有影响,有微生物存在时,所需要缓蚀剂的有效浓度低,没有微生物存在时需要的缓蚀剂的有效浓度则高。

7.3.2 复配增效

根据金属腐蚀体系的特征,充分发挥各种缓蚀剂的协同作用,并降低对环境危害大的缓蚀剂使用量,提高缓蚀剂的缓蚀效率,是缓蚀剂应用过程中一个极为重要的技术。锌离子是一种阴极型缓蚀剂,它单独使用时,可以在腐蚀电池的阴极高 pH 值区域快速形成 $Zn(OH)_2$ 覆盖膜,但其保护膜是不牢固的,尤其是在海水中,很难形成完整的保护膜,从而产生局部腐蚀,加速了试样的腐蚀速度。葡萄糖酸盐是一种吸附膜型缓蚀剂,其可与铁离子形成螯合物,在碳钢表面成膜,但其成膜需一定时间,并且需要较高的浓度,因此其单独投加时效果并不理想。聚磷酸盐则是通过“电沉积机理”在阴极表面形成沉淀膜,而抑制金属腐蚀,它成膜速度慢,因此虽具有一定的缓蚀效果,但也不理想。而当这 3 种成分复配到一起时,则表现出极好的缓蚀效果。这是由于锌加入后其快速成膜性弥补了聚磷酸盐、葡萄糖酸盐成膜慢的缺点;而葡萄糖酸钙加入后通过吸附作用形成的吸附膜弥补了锌盐和聚磷酸盐所形成的沉淀膜的不足之处,使沉淀膜不完整的地方得以保护,从而提高了缓蚀效果。Patnaik 等研究发现铝酸盐是阳极型缓蚀剂,聚乙烯醇是阴极型缓蚀剂,二者的协同作用对海水介质中低碳钢具有良好的缓蚀作用。

7.3.3 高分子聚合物缓蚀剂的开发

聚合物作为缓蚀剂的应用已经有很长的历史,早期使用的淀粉、鸡蛋、糖蜜等钢铁酸洗剂就是天然高分子。近年来,工业用水缓蚀剂方面,高分子聚合物受到各国的重视。研究表明,许多高效缓蚀剂可以在金属表面上原位聚合生成更加稳定的保护膜,从而显示良好的缓蚀效果。炔醇化合物在 Fe 的催化下,叁键打开在金属表面上生成聚合物保护膜,使炔醇化合物在高温盐酸介质中对碳钢具有优良的缓蚀性能。苯并三唑(BTA)是铜及其合金的特效缓蚀剂,它良好的缓蚀性能。来自 BTA 分子和一价铜离子以共价键和配位键结合,相互交替形成链状聚合物,在铜表面形成多层保护膜。薛奇等曾比较了聚苯并三唑、苯并三唑、苯并咪唑在高温条件下对铜的缓蚀作用,结果表明在高温下化学吸附的聚苯并三唑比化学吸附的苯并三唑和苯并咪唑有更好的抗腐蚀性。

缓蚀剂的使用具有高度的选择性,有机聚合物的分子结构如聚合度的大小、共聚体的特性以及分子的空间取向性等对其缓蚀能力有显著的影响,人们在致力于聚合物缓蚀剂开发应用的同时,也在深入探讨有机聚合物缓蚀作用的物质基础,一般认为有机聚合物用作缓蚀剂的最重要的前提是:从宏观上讲是能够在金属表面形成单层或多层膜,并且应当是无缺陷的致密的障碍膜;从微观上讲是给体轨道和受体轨道能量和对称性应当匹配,以便在表面金属原子和被吸附物质之间形成强的有效的共价键。

随着对有机聚合物的分子结构和其缓蚀性能之间关系的揭示,聚合物缓蚀剂的应用领域将越来越宽广,这对减少因使用缓蚀剂对环境造成的污染、提高缓蚀剂使用的安全经济性,减少金属腐蚀以及促进缓蚀剂及其应用技术的发展将产生积极的作用。

7.3.4 利用天然植物制备环境友好缓蚀剂

一些天然植物含有所需的官能团(有机键中含 N、S、O、P 原子及不饱和键)能起缓蚀作用。20 世纪 80 年代初期,R. M. Salch 等探索从天然植物中提取缓蚀剂的有效组分获得初步成功。Srivastava 等研究了罂粟、大蒜、山茶等植物萃取液对碳钢和铝在氯化钠、硫酸溶液中腐蚀的抑制作用。1986 年,武汉大学陶映初等从茶叶、花椒、果皮中提取缓蚀剂有效组分;以芦苇、水莲等植物的叶、茎、根、花为原料,从中萃取缓蚀组分。20 世纪 90 年代末以来,在低毒高效缓蚀剂的研究和应用方面取得了丰硕的成果。如 H. J. J. Step 从松香中提出的松香胺衍生物、咪唑及其衍生物作为高稳定性的钢铁用低毒型缓蚀剂代替亚硝酸二环已胺(剧毒)。总之,开发和应用天然植物制备的环境友好缓蚀剂是人们今后努力的方向。

7.3.5 展望

人类进入 21 世纪,缓蚀剂的开发和利用要本着环境保护的原则,向无毒无公害、可生物降解、环境友好的目标努力。因而可以总结如下发展趋势:利用现代先进的分析测试仪器和计算机,深入了解金属腐蚀的基本原理,从分子和原子水平研究缓蚀剂分子在金属表面上的行为及其作用机理、缓蚀剂之间的协同作用原理,并运用化学和物理联合作用的方法,指导缓蚀剂的研究和开发。利用无毒害的农副产品、食品医药加工副产物进行分离提纯,并进行复配和改性处理研制缓蚀剂,变废为宝,实现资源的最优化利用。利用微生物的生理活动或模拟海洋动植物的天然自我保护机能进行缓蚀保护。进一步对钼酸盐、钨酸盐、硼酸盐、改性硅酸盐及铈盐等无机缓蚀剂进行研究,提高其缓蚀性能。同时要注意开发有机缓蚀剂与无机缓蚀剂的协同作用效应,研究出性能更好的复合缓蚀剂。运用量子化学的分子设计方法,合成高效多功能环境友好的高分子型有机缓蚀剂。研究缓蚀剂的作用机理及协同作用机理指导新型环境友好缓蚀剂的开发。